TOEWIJDING

ELIZABETH GILBERT BIJ DE BEZIGE BIJ

Pelgrims
Mannen van staal
Eten, bidden, beminnen

Elizabeth Gilbert

Toewijding

Een sceptica verzoent zich met het huwelijk

Vertaald door Janneke Zwart

2010
DE BEZIGE BIJ
AMSTERDAM

Het citaat van Emily Dickinson op blz. 319
is vertaald door Peter Verstegen.

Cargo is een imprint van uitgeverij De Bezige Bij, Amsterdam

Oorspronkelijke titel *Committed*
Oorspronkelijke uitgever Viking, New York
Omslagontwerp Studio Jan de Boer
Omslagillustratie Million Dollar Design
Foto auteur Deborah Lopez
Vormgeving binnenwerk Peter Verwey, Heemstede
Druk Koninklijke Wöhrmann, Zutphen
ISBN 978 90 234 5555 4
NUR 302

www.uitgeverijcargo.nl

Para J.L.N. – o meu coroa

Er bestaat geen groter risico dan trouwen.
Maar niets is zo gelukkig als een gelukkig huwelijk.

BENJAMIN DISRAELI IN EEN BRIEF UIT 1870 AAN LOUISE,
DOCHTER VAN KONINGIN VICTORIA,
WAARIN HIJ HAAR FELICITEERT MET HAAR VERLOVING

Aan de lezer

Een paar jaar geleden verscheen mijn boek *Eten, bidden, beminnen*, dat het verhaal vertelt van een reis die ik in mijn eentje om de wereld maakte na een slopende echtscheiding. Ik was halverwege de dertig toen ik het schreef, en alles aan dat boek betekende een revolutie voor mij als auteur. Vóór *Eten, bidden, beminnen* stond ik in literaire kringen bekend (zo ze me daar al kenden) als een vrouw die voornamelijk voor en over mannen schreef. Ik had jarenlang als journaliste gewerkt voor mannentijdschriften als GQ en *Spin* en in mijn artikelen het fenomeen mannelijkheid vanuit alle mogelijke hoeken verkend. Mijn eerste drie boeken (zowel fictie als non-fictie) handelden over supermacho's: cowboys, kreeftenvissers, jagers, vrachtwagenchauffeurs, vakbondsleden, houthakkers...

Indertijd kreeg ik vaak te horen dat ik schreef als een man. Nu weet ik eigenlijk niet goed wat dat betekent, 'schrijven als een man', maar ik geloof wel dat het over het algemeen complimenteus was bedoeld. Zo vatte ik het destijds in elk geval op. Voor een artikel in GQ heb ik me zelfs een week lang voorgedaan als een man. Ik liet mijn haar kort knippen, bond mijn borsten in, stouwde een met vogelzaad gevulde condoom in mijn broek en plakte een miniem haarplukje tegen mijn onderlip – dit alles in een poging me de verlokkelijke mysteriën van het man-zijn toe te eigenen en te doorgronden.

Ik moet hieraan toevoegen dat mijn fixatie op mannen zich ook uitstrekte tot mijn privéleven. En dat dat vaak complicaties met zich meebracht.

Herstel: dat bracht *altijd* complicaties met zich mee.

Tussen mijn romantische liaisons en mijn beroepsmatige obsessies door nam het onderwerp mannelijkheid me zo in beslag dat ik nog geen minuut nadacht over het onderwerp vrouwelijkheid. En ik dacht al helemaal niet na over mijn *eigen* vrouwelijkheid. Om die reden, en vanwege een algehele onverschilligheid jegens mijn eigen welzijn, ben ik nooit erg met mezelf vertrouwd geraakt. Dus toen ik rond mijn dertigste door een reusachtige golf van depressie werd onderuitgehaald, was ik niet in staat te begrijpen of te verwoorden wat er met me gebeurde. Eerst stortte mijn lichaam in, toen mijn huwelijk en toen – gedurende een vreselijke en beangstigende periode – mijn geest. Mannelijke hardheid bood in deze situatie geen soelaas; de enige uitweg uit deze emotionele warboel was de draad van mijn gevoelens te volgen. Gescheiden, diepongelukkig en eenzaam liet ik alles achter voor een jaar van reizen en introspectie, vastbesloten om mezelf net zo onder de loep te nemen als ik eens de ongrijpbare Amerikaanse cowboy had bestudeerd.

En omdat ik schrijfster ben, schreef ik daar een boek over.

En omdat het soms vreemd kan lopen in het leven, werd dat boek een megagigantische internationale bestseller en kreeg ik opeens – na tien jaar uitsluitend over mannen en mannelijkheid te hebben geschreven – het stempel van ‘chicklit’-auteur opgedrukt. Nou weet ik eigenlijk ook niet echt wat het woord ‘chicklit’ betekent, al ben ik er vrij zeker van dat het geen compliment is.

Maar goed, nu wordt me steeds gevraagd of ik het had zien aankomen. De mensen willen weten of ik tijdens het schrijven van *Eten, bidden, beminnen* had voorzien hoeveel succes het zou oogsten. Nee. Ik had met geen mogelijkheid zo’n overdonderende reactie kunnen voorspellen, laat staan plannen. Als ik in die tijd al iets van het boek dacht, dan was het wel of het me vergeven zou worden dat ik een autobiografie schreef. Mijn lezerskring telde weliswaar slechts een handjevol mensen, maar het waren trouwe lezers, en ze hadden altijd gehouden van de stoere jongedame die nuchtere verhalen schreef over mannelijke mannen die mannelijke dingen deden. Ik verwachtte niet dat die lezers plezier zouden beleven aan een enigszins emotionele, in de ik-vorm geschreven kroniek over de zoektocht van een gescheiden vrouw naar psychospirituele genezing. Ik hoopte evenwel dat ze grootmoedig genoeg zouden zijn om te begrijpen dat ik dat boek om mijn eigen persoonlijke redenen moest schrijven, en misschien zou iedereen het door de vingers zien en zouden we allemaal weer door kunnen met ons leven.

Zo liep het niet.

(En even voor de duidelijkheid: het boek dat je nu in handen hebt, is evenmin een nuchter verhaal over mannelijke mannen die mannelijke dingen doen. Je kunt dus niet zeggen dat ik je niet heb gewaarschuwd!)

Een andere vraag die me tegenwoordig voortdurend wordt gesteld, is hoe *Eten, bidden, beminnen* mijn leven veranderd heeft. Die vraag is lastig te beantwoorden, omdat het boek zo'n enorme impact heeft gehad. Een bruikbare analogie uit mijn jeugd: toen ik klein was, ging ik een keer met mijn ouders naar het American Museum of National History in New York. We stonden daar samen in de Hall of Oceans. Mijn vader wees naar het levensgrote model van de blauwe vinvis die boven onze hoofden aan het plafond hing. Hij probeerde me bewust te maken van de omvang van dat reusachtige dier, maar ik zag de walvis niet. Let wel, ik stond er recht onder en staarde ernaar omhoog, maar ik kon de walvis niet onderscheiden. Mijn geest beschikte niet over het mechanisme om iets te bevatten wat zo groot was.

Het enige wat ik zag, was het blauwe plafond en de verwondering op het gezicht van de andere mensen (er was hier duidelijk iets heel bijzonders aan de hand!), maar de walvis zelf nam ik niet waar.

Zo voel ik me soms over *Eten, bidden, beminnen*. Na de zoveelste druk kon ik niet langer met mijn normale verstand de dimensies ervan bevatten, dus probeerde ik dat ook niet meer en richtte ik mijn aandacht op andere projecten. Het aanleggen van een moestuin hielp; er gaat niets boven naaktslakken van je tomatenbladeren plukken om de dingen in perspectief te blijven zien.

Desondanks heeft het me nogal wat moeite gekost om uit te vissen hoe ik na dat succes ooit nog ongekunsteld zou kunnen schrijven. Niet om zogenaamd nostalgisch te doen over literaire onbekendheid, maar in het verleden schreef ik mijn boeken in de overtuiging dat maar heel weinig mensen ze zouden lezen. Wat uiteraard altijd een vooral deprimerende wetenschap was. Maar in één kritiek opzicht was ze troostend: als ik mezelf te erg te schande maakte, zouden er in elk geval niet veel getuigen zijn. Hoe het ook zij, dat was nu een theoretische kwestie, want ik had opeens miljoenen lezers die uitkeken naar mijn volgende project. Hoe schrijf je in godsnaam een boek dat miljoenen mensen plezier verschaft? Ik wilde niet al te schaamteloos voortborduren op mijn succes, maar evenmin wilde ik bij voorbaat al die slimme, gepassioneerde en voornamelijk vrouwelijke lezers aan de kant schuiven – niet na alles wat we samen hadden doorgemaakt.

Hoewel ik niet goed wist hoe ik moest beginnen, ging ik toch maar van start. In een jaar tijd schreef ik een complete eerste versie van dit boek – vijfhonderd pagina's – maar zodra ik het af had wist ik onmiddellijk dat er iets aan mankeerde. Het klonk niet als mijn stem. Het klonk als niemands stem. Het klonk als een stem die door een megafoon kwam: vervormd. Ik legde dat manuscript weg, om er nooit meer naar om te kijken, en ging de tuin weer in voor nog wat meer contemplatief gespit, gepoot en gepeins.

Ik wil hier graag duidelijk maken dat het niet om een echte crisis ging, die periode waarin ik er niet achter kon komen hoe ik moest schrijven, of in elk geval niet hoe ik *natuurlijk* moest schrijven. Het leven was verder heel aangenaam, en ik was dankbaar genoeg voor mijn privégeluk en mijn succes in mijn werk om niet dramatisch te gaan doen over deze specifieke puzzel. Maar een puzzel was het wel. Ik begon me al af te vragen of het misschien met me gedaan was als schrijfster. Stoppen met schrijven leek me niet het ergste lot van de wereld, als dat inderdaad mijn lot zou blijken te zijn, maar het was nog te vroeg om dat te zeggen. Ik bedoel dat ik nog heel wat tijd tussen de tomatenplanten moest doorbrengen voor ik daar helderheid over zou hebben.

Uiteindelijk putte ik enige troost uit het inzicht dat ik geen boek kon – kán – schrijven dat miljoenen lezers plezier zou schenken. Tenminste niet doelbewust. Ik weet namelijk niet hoe ik op verzoek een geliefde bestseller moet schrijven. Als ik zou weten hoe ik op aanvraag geliefde bestsellers moest schrijven kan ik je verzekeren dat ik die van begin af aan had geschreven, omdat het mijn leven tijden geleden al een stuk makkelijker en gerieflijker zou hebben gemaakt. Maar zo werkt het niet, althans niet voor schrijvers zoals ik. Wij schrijven alleen de boeken die we moeten schrijven, of kunnen schrijven, en dan moeten we ze laten gaan en inzien dat wat er daarna ook met ze gebeurt onze zaak niet is.

Om een verscheidenheid aan persoonlijke redenen was het boek dat ik moest schrijven dan ook precies dít boek, nog een autobiografie (met extra sociohistorische bonusdelen!) over mijn pogingen me te verzoenen met het complexe instituut van het huwelijk. Aan het onderwerp heb ik nooit getwijfeld, ik heb alleen een tijdlang moeite gehad mijn stem te vinden. Ten slotte ontdekte ik dat er maar één manier was waarop ik weer zou kunnen schrijven, namelijk door – in elk geval in mijn verbeelding – het aantal mensen voor wie ik schreef fors te beperken. Dus begon ik helemaal opnieuw. Deze versie van *Toewijding* heb ik niet voor miljoenen lezers geschreven, maar voor op de kop af zevenentwintig lezeressen. En hun namen zijn: Maude, Carole, Catherine, Ann, Darcey, Deborah, Susan, Sofie, Cree, Cat, Abby, Linda, Bernadette, Jen, Jana, Sheryl, Rayya, Iva, Erica, Nichelle, Sandy, Anne, Patricia, Tara, Laura, Sarah en Margaret.

Die zevenentwintig vrouwen zijn samen mijn kleine maar onmisbare kring van vriendinnen, familieleden en buren. Ze variëren in leeftijd van begin twintig tot halverwege de negentig. Een van hen is mijn grootmoeder, een andere mijn stiefdochter. Een is mijn oudste vriendin, een andere mijn nieuwste vriendin. Een van hen is pas getrouwd, een paar willen heel graag getrouwd zijn, enkelen zijn onlangs hertrouwd, één in het bijzonder is er onbeschrijflijk dankbaar voor dat ze nooit getrouwd is, een andere heeft net een punt gezet achter een relatie van bijna tien jaar met een vrouw. Zeven zijn moeder, twee zijn (terwijl ik dit schrijf) zwanger, de rest is – om een veelheid aan redenen en met een breed scala aan gevoelens daarover – kinderloos. Sommigen zijn huisvrouw, anderen hebben een baan buitenshuis, een paar zijn – ga er maar aan staan – huisvrouw mét een baan buitenshuis. De meesten zijn blank, een paar zijn zwart, twee zijn in het Midden-Oosten geboren, een is Scandinavisch, twee zijn Australisch, een is Zuid-Amerikaans, een ander is Cajun. Drie zijn zeer religieus, vijf koesteren totaal geen belangstelling voor goddelijke vraagstukken, de meesten zijn spiritueel enigszins confuus, de overigen hebben in de loop der jaren hun eigen afspraken met God bedisseld. Al deze vrouwen hebben een bovengemiddeld gevoel voor humor. Allen hebben ergens in hun leven een hartverscheurend verlies meegemaakt.

In de loop van vele jaren, onder het genot van vele kopjes thee en borrels, heb ik tegenover de een of de ander van deze dierbare personen gezeten en gemijmerd over het huwelijk, intimiteit, seksualiteit, echtscheiding, trouw, familie, verantwoordelijkheid en zelfstandigheid. Dit boek is gebouwd op de grondvesten van die gesprekken. Terwijl ik de pagina's van dit verhaal aaneenreeg merkte ik dat ik letterlijk hardop praatte tegen die vriendinnen, familieleden en buren, waarbij ik antwoord gaf op vragen die soms jaren geleden gesteld waren, of zelf nieuwe vragen verzon. Mijn boek had nooit tot stand kunnen komen zonder de invloed van die zevenentwintig bijzondere vrouwen, en ik ben enorm dankbaar voor hun aanwezigheid in mijn leven. Zoals altijd is het leerzaam en bemoedigend geweest om hen alleen al bij me in de kamer te hebben.

Elizabeth Gilbert
New Jersey, 2009

HOOFDSTUK I

Huwelijk en verrassingen

Het huwelijk is een vriendschap
die door de politie wordt erkend.
ROBERT LOUIS STEVENSON

Op een namiddag in de zomer van 2006 zat ik rond een walmend keukenvuurtje in het noorden van Vietnam met een stel dorpsbewoonsters die ik niet kon verstaan, terwijl ik hun vragen probeerde te stellen over het huwelijk.

Ik reisde toen al verscheidene maanden door Zuidoost-Azië met de man die weldra mijn echtgenoot zou worden. Ik weet dat de traditionele aanduiding voor zo iemand 'verloofde' is, maar we voelden ons geen van beiden erg op ons gemak bij dat woord, dus gebruikten we het niet. Sterker nog, we voelden ons geen van beiden erg op ons gemak bij het hele idee van een echtverbintenis. Trouwen had nooit in onze planning gestaan, en het was evenmin iets wat een van ons wilde. Maar de Voorzienigheid had een spaak in het wiel van onze toekomst gestoken, wat er de reden van was dat we nu lukraak door Vietnam, Thailand, Laos, Cambodja en Indonesië zwierven en ondertussen hardnekkige – zelfs wanhopige – pogingen deden om naar Amerika terug te keren en in het huwelijk te treden.

De man in kwestie was tegen die tijd al meer dan twee jaar mijn minnaar, mijn lief, en op deze pagina's zal ik hem Felipe noemen. Felipe is een aardige, hartelijke Braziliaanse gentleman, zeventien jaar ouder dan ik, die ik had leren kennen tijdens een (geplande) reis die ik een paar jaar eerder om de wereld maakte in een poging een grondig gebroken hart te lijmen. Tegen het einde van die reis had ik Felipe ontmoet, die al jaren in z'n eentje op Bali woonde, waar hij een rustig leventje leidde en zijn eigen gebroken hart verpleegde. Er sprong een vonk over, gevolgd door een langzame toenadering, en toen, zeer tot ons beider verbazing, door liefde.

Onze weerstand tegen het huwelijk had dus niets te maken met een gebrek aan liefde. Integendeel, Felipe en ik hielden onvoorwaardelijk van elkaar. We wilden elkaar maar al te graag allerlei beloften doen dat we voor eeuwig samen zouden blijven. We hadden elkaar zelfs al levenslange trouw gezworen, maar wel met verder niemand erbij. Het punt was dat we allebei een nare echtscheiding achter de rug hadden, en onze ervaringen hadden ons geestelijk zo door de mangel gehaald dat het hele idee van een wettig huwelijk – met wie dan ook, zelfs met zulke aardige mensen als wij – ons met diepe angst vervulde.

Uiteraard zijn echtscheidingen doorgaans tamelijk ellendig (Rebecca West merkte op dat 'scheiden bijna altijd een even opwekkende en nuttige bezigheid is als je kostbare servies aan scherven gooien') en bij ons was het al niet anders geweest. Op de tiencijferige kosmische schaal van echtscheidingsleed (waarbij één gelijkstaat aan een paar dat als vrienden uiteengaat en tien aan... tja, een regelrechte executie) zou ik mijn eigen breuk met iets van een zevenenhalf waarderen. Er was geen zelfmoord of moord bij komen kijken, maar los daarvan waren we zo akelig uit elkaar gegaan als je als twee verder welgemanierde mensen maar voor elkaar kunt krijgen. En de scheiding had zich meer dan twee jaar voortgesleept.

Felipes huwelijk (met een intelligente Australische carrièrevrouw) was bijna tien jaar voor we elkaar op Bali ontmoetten op de klippen gelopen. De echtscheiding was indertijd zonder veel strijd uitgesproken, maar het verlies van zijn vrouw (en zijn huis en de dagelijkse omgang met zijn kinderen en bijna twintig jaar geschiedenis die hij met haar deelde) had de goede man met een blijvende erfenis van verdriet opgezadeld waarin de nadruk lag op spijt, eenzaamheid en financiële zorgen.

Onze ervaringen hadden er dus flink bij ons ingehakt en ons zeer wantrouwig gemaakt jegens de vreugden van de echtelijke staat. Zoals iedereen die ooit door het dal van de schaduw des huwelijksdoods is gegaan, had zowel Felipe als ik deze beangstigende waarheid aan den lijve ondervonden: dat ergens onder het aanvankelijk stralende oppervlak van de intieme band de explosieve ingrediënten van een totale catastrofe verborgen liggen. We hadden ook ontdekt dat het huwelijk een staat is die je veel makkelijker aangaat dan weer beëindigt. Niet gebonden aan wettelijke regelingen kunnen ongehuwde partners een slechte relatie te allen tijde de rug toekeren. Maar jij – het wettig getrouwde individu dat wil ontsnappen aan een gedoemde liefde – zult er waarschijnlijk al snel achter komen dat een belangrijk deel van je huwelijkscontract aan de staat toebehoort, en dat het soms heel lang duurt voor de staat je ontslagverzoek inwilligt. Het is niet ondenkbaar dat je maanden of zelfs jaren gevangen blijft in een liefdeloze echtverbintenis, die inmiddels enigszins aanvoelt als een brandend huis. Een brandend huis waarin jij, arme schat, met handboeien vastgeklonken zit aan een radiatorbuis in de kelder, niet in staat je los te rukken, terwijl de rook naar buiten slaat en de dakspanten instorten...

Sorry, klinkt dit allemaal maar weinig enthousiast?

Ik geef je dit inkijkje in die onaangename gedachten alleen maar om uit te leggen waarom Felipe en ik al aan het begin van onze relatie een nogal ongebruikelijk pact hadden gesloten. We hadden met heel ons hart gezworen om nooit, maar dan ook nooit, onder wat voor omstandigheden dan ook, te trouwen. We hadden elkaar zelfs beloofd onze financiën en wereldse goederen gescheiden te houden, om de potentiële nachtmerrie te vermijden dat we ooit weer een explosieve persoonlijke munitiedump van gezamenlijke hypotheken, eigendomsaktes, bezittingen, bankrekeningen, keukenapparatuur en favoriete boeken zouden moeten verdelen. Pas na die plechtige beloften konden we ons met oprechte kalmte overgeven aan onze zorgvuldig afgebakende liefdesbetrekking. Want net zoals een officiële verloving andere stellen een cocon van bescherming kan bieden, had onze eed om *nooit* te trouwen ons tweeën met alle emotionele zekerheid omhuld die we nodig hadden om ons nogmaals open te durven stellen voor de liefde. En die verbintenis van ons – die we met opzet niet wettig hadden bekrachtigd – voelde wonderbaarlijk bevrijdend aan. Het voelde alsof we de Noordwestelijke Doorvaart van Volmaakte Intimiteit hadden gevonden, iets wat, zoals García Márquez schreef, 'op liefde leek, maar zonder de moeilijkheden van de liefde'.

Dus dat is waar we tot het voorjaar van 2006 mee bezig waren geweest: ons met onze eigen zaken bemoeien, samen een zorgvuldig gescheiden leven opbouwen in alle ongebonden tevredenheid. En zo hadden we waarschijnlijk nog lang en gelukkig kunnen leven, als er niet een hinderlijke kink in de kabel was gekomen.

Het Amerikaanse ministerie van Binnenlandse Veiligheid raakte erbij betrokken.

⁂

Het probleem was dat Felipe en ik weliswaar veel eigenschappen en zegeningen deelden, maar toevallig niet dezelfde nationaliteit. Hij was een in Brazilië geboren man met een Australisch paspoort die, toen we elkaar ontmoetten, voornamelijk in Indonesië woonde. Ik was een Amerikaanse vrouw die, als ze niet reisde, voornamelijk aan de Oostkust van de Verenigde Staten woonde. We hadden aanvankelijk geen problemen voorzien met onze grenzeloze liefdesgeschiedenis, hoewel we in retrospectief misschien wel complicaties hadden kunnen verwachten. Zoals een oude wijsheid luidt: een vis en een vogel kunnen best verliefd op elkaar worden, maar waar moeten ze wonen? De oplossing voor dit dilemma, dachten wij, zou zich aandienen in de vorm van het feit dat we allebei bedreven reizigers waren (ik was een vogel die kon duiken en Felipe een vis die kon vliegen), dus zeker tijdens ons eerste jaar samen leefden we zo'n beetje in de lucht – doken en vlogen we over oceanen en continenten heen om bij elkaar te kunnen zijn.

Gelukkig maakten onze respectieve beroepen zo'n vrij leefpatroon mogelijk. Als schrijfster kon ik overal werken. Als importeur van sieraden en edelstenen die zijn handelswaar in de Verenigde Staten verkocht, moest Felipe sowieso al veel reizen. We hoefden eigenlijk alleen maar onze bewegingen op elkaar af te stemmen. Dus ik vloog naar Bali; hij kwam naar Amerika; we gingen allebei naar Brazilië; we ontmoetten elkaar weer in Sydney. Ik aanvaardde een tijdelijke aanstelling als docent schrijven aan de Universiteit van Tennessee, en een paar vreemde maanden lang woonden we samen in een vervallen oude hotelkamer in Knoxville. (Dit leefpatroon kan ik overigens iedereen aanbevelen die het compatibiliteitsniveau van een nieuwe relatie wil uittesten.)

We leefden in een staccato ritme, zonder vast patroon, meestal samen, maar altijd in beweging, als twee mensen in een zonderling internationaal getuigenbeschermingsprogramma. Onze relatie – hoewel die als we bij elkaar waren rustgevend en kalm was – vormde een voortdurende logistieke uitdaging, en kostte met al die internationale luchtreizen ook nog eens klauwen met geld. Ook psychisch had ze haar weerslag. Bij elke hereniging moesten Felipe en ik elkaar weer helemaal opnieuw leren kennen. Steevast was er dat zenuwachtige moment op de luchthaven als ik op hem stond te wachten en me afvroeg: *Zal ik hem nog kennen? Zal hij mij nog kennen?* Na het eerste jaar begonnen we dus beiden naar iets stabielers te verlangen, en Felipe was degene die de grote stap zette. Hij deed zijn bescheiden maar leuke huisje op Bali van de hand en verhuisde met mij naar een piepkleine woning die ik niet lang daarvoor had gehuurd aan de rand van Philadelphia.

Bali verruilen voor een buitenwijk van Philly kan een enigszins merkwaardige keuze lijken, maar Felipe bezwoer me dat hij de tropen al heel lang zat was. Het leven op Bali kende geen uitdagingen, klaagde hij: iedere dag was een aangename, saaie replica van de dag ervoor. Hij beweerde dat hij er al voor ik in zijn leven kwam over had zitten denken om weg te gaan. Dat je uitgekeken kunt raken op het paradijs wil er misschien niet in bij iemand die nooit in het paradijs heeft gewoond (ik vond het in elk geval een vrij absurd idee), maar toch was de idyllische omgeving van Bali Felipe in de loop der jaren onuitsprekelijk gaan vervelen. Nooit zal ik een van de laatste magische avonden vergeten die hij en ik er samen in zijn huisje doorbrachten. We zaten buiten, met blote voeten en een bedauwde huid van de warme novemberlucht, dronken wijn en keken naar de sterrenzee die boven de rijstvelden fonkelde. Terwijl de zoetgeurende wind in de palmbomen ritselde en zachte muziek van een tempelceremonie in de verte meedreef op de bries keek Felipe me aan, zuchtte en zei met vlakke stem: 'Ik heb zo genoeg van deze zooi. Ik popel om terug te gaan naar Philly.'

En dus verkasten we naar Philadelphia. Feit is dat die streek ons allebei erg beviel. Onze kleine huurwoning bevond zich in de buurt van mijn zus en haar gezin, waarvan de nabijheid in de loop der jaren onmisbaar was geworden voor mijn geluk, dus dat bracht vertrouwdheid met zich mee. Bovendien voelde het na al onze jaren van reizen naar verre oorden goed en zelfs revitaliserend om in Amerika te wonen, een land dat, ondanks al zijn tekortkomingen, nog steeds interessant was voor ons beiden: een snelle, multiculturele, zich immer ontwikkelende, irritant tegenstrijdige, creatief uitdagende en springlevende plek.

Daar in Philadelphia richtten Felipe en ik dus ons hoofdkwartier in en hielden, met bemoedigend succes, onze eerste echte sessies in een gedeeld huishouden. Hij verkocht zijn sieraden, ik werkte aan schrijfprojecten waarvoor ik aan één plaats gebonden was om onderzoek te plegen. Hij kookte; ik maaide het gras; zo heel af en toe ging een van ons met de stofzuiger door de kamers. We deden het goed samen in één huis en verdeelden de dagelijkse karweitjes zonder strijd. We voelden ons ambitieus en productief en optimistisch. Het leven was fijn.

Maar zulke periodes van stabiliteit duurden nooit lang. Vanwege Felipes visumbeperkingen mocht hij nooit langer dan drie maanden legaal in Amerika blijven, waarna hij voor een poosje naar een ander land moest uitwijken. Dan stapte hij weer in het vliegtuig en was ik weer alleen met mijn boeken en mijn buren. Na een paar weken keerde hij terug naar de Verenigde Staten met een nieuw visum van negentig dagen en hervatten we ons huiselijk leventje samen. Het getuigt van hoe wantrouwig we allebei tegenover een langdurige verbintenis stonden dat die plukken van negentig dagen saamhorigheid min of meer ideaal voelden voor ons: de precieze mate van toekomstplanning die twee angstige overlevenden van een echtscheidingsramp aankonden zonder zich serieus bedreigd te gaan voelen. En soms, als mijn schema het toeliet, vergezelde ik hem op zijn visumvluchten het land uit.

Zo gebeurde het dat we op een dag samen naar Amerika terugkeerden van een zakentrip en op het Dallas/Fort Worth International Airport landden – onze tussenbestemming vanwege onze goedkope tickets. Ik ging als eerste langs de immigratiebalie en schoof moeiteloos door in de rij van Amerikaanse landgenoten. Eenmaal aan de andere kant wachtte ik op Felipe, die midden in een lange rij buitenlanders stond. Ik zag hem bij de immigratiebeambte aankomen, die elke pagina, elke aantekening, elk hologram van Felipes bijbeldikke Australische paspoort aandachtig bestudeerde. Gewoonlijk namen ze het niet zo nauw en ik werd zenuwachtig omdat het zo lang duurde. Ik keek en wachtte op het betekenisvolle geluid van een geslaagde grensovergang: die dikke, stevige, bibliothecarisachtige *donk* van een verwelkomend visumstempel. Maar die bleef uit.

In plaats daarvan pleegde de immigratiebeambte een onopvallend telefoontje. Even later kwam iemand in het uniform van het Amerikaanse ministerie van Binnenlandse Veiligheid aanzetten en nam mijn lief mee.

❧

De geüniformeerde mannen op het vliegveld van Dallas verhoorden Felipe zes uur lang. Zes uur waarin het me verboden was hem te zien of vragen te stellen zat ik daar in een wachtkamer van Binnenlandse Veiligheid – een saaie, door tl-buizen verlichte ruimte vol ongeruste mensen uit de hele wereld, allemaal even verstijfd van angst als ik. Ik had geen idee wat ze achterin met Felipe aan het doen waren of wat ze hem allemaal vroegen. Ik wist dat hij geen wetten had overtreden, maar dat was niet zo'n opbeurende gedachte als je zou denken. Dit waren de latere jaren van de regering van George W. Bush: bepaald geen ontspannend moment in de geschiedenis als je weet dat je buitenlandse geliefde in detentie wordt gehouden door de overheid. Ik bleef pogingen doen mezelf te kalmeren met het befaamde gebed van de veertiende-eeuwse mystica Juliana van Norwich ('Alles komt goed, en alles komt goed, en allerlei alles komt goed'), maar ik geloofde er geen woord van. Er was helemaal niets goed.

Af en toe stond ik op van mijn plastic stoel en probeerde informatie los te krijgen van de immigratiebeambte achter het kogelvrije glas. Maar hij negeerde mijn smeekbedes en dreunde elke keer hetzelfde antwoord op: 'Als we u iets te vertellen hebben over uw vriendje, mevrouw, hoort u dat wel van ons.'

In een situatie als deze, zo wil ik graag even kwijt, bestaat er waarschijnlijk geen zwakker woord dan 'vriendje'. De geringschattende manier waarop de beambte het uitsprak, gaf aan hoe weinig hij onder de indruk was van mijn relatie. Waarom zou een regeringsmedewerker in godsnaam informatie vrijgeven over een *vriendje*? Ik wilde mezelf graag rechtvaardigen in de ogen van de immigratiebeambte en zeggen: 'Hoor eens, u heeft er geen idee van hoe belangrijk de man die jullie vasthouden voor me is.' Maar zelfs in mijn staat van bezorgdheid betwijfelde ik of het zou helpen. Ik was er eerder bang voor dat het onaangename gevolgen voor Felipe kon hebben als ik te veel doordramde, dus ging ik weer zitten, machteloos. Het valt me nu pas in dat ik waarschijnlijk had moeten proberen een advocaat te bellen. Maar ik had geen mobiel bij me en ik wilde mijn post in de wachtkamer niet verlaten en ik kende geen advocaten in Dallas en het was trouwens ook zondagmiddag, dus wie had ik kunnen bereiken?

Ten slotte kwam er na zes uur een agent naar me toe. Hij leidde me door een serie gangen, door een doolhof van bureaucratische mysteriën, naar een zwak verlicht kamertje waar Felipe zat met de agent van Binnenlandse Veiligheid die hem had ondervraagd. De mannen zagen er allebei even vermoeid uit, maar slechts een van hen was van mij – mijn beminde, het meest vertrouwde gezicht in de wereld. Nu ik hem zo zag, schoot er een steek van verlangen door mijn borst. Ik wilde hem aanraken, maar ik had het gevoel dat dat niet toegestaan was, dus bleef ik waar ik was.

Felipe glimlachte mat naar me en zei: 'Ons leven gaat een stuk interessanter worden, lieve schat.'

Voor ik antwoord kon geven nam de immigratiebeambte het heft in handen en zette snel de situatie uiteen.

'Mevrouw,' zei hij, 'we hebben u laten komen om u te vertellen dat we uw vriend geen toegang meer tot de Verenigde Staten verlenen. Hij gaat de cel in tot we hem op het vliegtuig naar Australië kunnen zetten, aangezien hij een Australisch paspoort heeft. Daarna mag hij niet meer terugkeren naar Amerika.'

Mijn eerste reactie was puur fysiek. Het voelde alsof al het bloed in mijn lichaam in één keer was verdampt, en heel even werd mijn blik wazig. Meteen daarna kwamen mijn hersenen in actie. In een moordtempo vatte ik de huidige, plotselinge noodtoestand samen. Lang voordat we elkaar leerden kennen verdiende Felipe al zijn brood in de Verenigde Staten, waar hij diverse keren per jaar korte tijd verbleef om de edelstenen en sieraden te verkopen die hij legaal uit Brazilië en Indonesië importeerde. Amerika heeft internationale zakenlieden zoals hij altijd met open armen ontvangen, want ze verschaffen het land goederen en inkomsten en handel. Op zijn beurt had Felipe goed gedijd in Amerika. Hij had zijn (inmiddels volwassen) kinderen naar de beste privéscholen van Australië gestuurd van het geld dat hij al die jaren in Amerika had verdiend. Amerika vormde de spil van zijn werkende leven, ook al had hij er tot voor kort nooit gewoond. Maar zijn bedrijfsvoorraad was hier en al zijn contacten waren hier. Als hij Amerika nooit meer in mocht, viel zijn inkomstenbron weg. Om maar te zwijgen van het feit dat ík in de Verenigde Staten woonde en dat Felipe bij mij wilde zijn en dat ik – vanwege mijn familie en mijn werk – altijd Amerika als thuisbasis zou willen. En Felipe was ook deel geworden van mijn familie. Hij was onvoorwaardelijk geaccepteerd door mijn ouders, mijn zus, mijn vrienden, mijn wereld. Hoe moesten we ons leven samen voortzetten als hij voorgoed werd verbannen? Wat moesten we doen? ('*Waar zullen jij en ik slapen?*' zo gaat een treurig liefdesliedje van de Wintu-indianen. '*Aan de schuine rafelige rand van de hemel? Waar zullen jij en ik slapen?*')

'Op welke gronden deporteren jullie hem?' vroeg ik de agent van Binnenlandse Veiligheid, en ik probeerde autoritair te klinken.

'Strikt genomen is het geen deportatie, mevrouw.' In tegenstelling tot mij hoefde de agent niet autoritair te klinken, hij wás de autoriteit. 'We weigeren hem alleen de toegang tot de Verenigde Staten omdat hij het land het afgelopen jaar te vaak heeft bezocht. Hij is nog nooit langer gebleven dan zijn visum toeliet, maar uit zijn reisgedrag maken we op dat hij steeds voor een periode van drie maanden bij u in Philadelphia woont, waarna hij het land verlaat om onmiddellijk daarna weer terug te komen.'

Daar viel niets tegen in te brengen, aangezien Felipe dat inderdaad had gedaan.

'Is dat dan een misdrijf?' vroeg ik.

'Niet echt.'

'Niet echt of niet?'

'Nee mevrouw, het is geen misdrijf. Daarom arresteren we hem ook niet. Maar het visum van drie maanden dat de regering van de Verenigde Staten aan ingezetenen van bevriende landen uitreikt, is niet bedoeld voor onbeperkte opeenvolgende bezoeken.'

'Maar dat wisten we niet,' antwoordde ik.

Nu mengde Felipe zich erin. 'Sterker nog, meneer, een immigratiebeambte in New York heeft ons verteld dat ik de Verenigde Staten zo vaak mocht bezoeken als ik wilde, zolang ik niet langer bleef dan de negentig dagen die mijn visum toestond.'

'Ik weet niet wie u dat heeft verteld, maar het is niet waar.'

Toen ik de agent dat hoorde zeggen moest ik denken aan een waarschuwende opmerking die Felipe eens tegen me had gemaakt over het passeren van landsgrenzen: '*Vat het nooit te licht op, lieve schat. Onthoud altijd dat op welke dag ook, om welke reden ook, elke douanier ter wereld opeens kan besluiten dat hij je niet het land wil binnenlaten.*'

'Wat zou u in ons geval doen?' vroeg ik. Deze techniek had ik in de loop der jaren leren toepassen als ik weer eens in een impasse belandde met een onbewogen helpdeskmedewerker of een apathische bureaucraat. Door het zo te verwoorden nodig je degene die alle macht heeft uit om zich even te verplaatsen in degene die machteloos is. Het is een subtiele oproep tot empathie. Soms helpt het. Meestal helpt het eerlijk gezegd helemaal niet. Maar in dit geval was ik bereid alles te proberen.

'Tja, als uw vriend nog terug wil keren naar de Verenigde Staten, moet hij een beter, langduriger visum zien te bemachtigen. Als ik u was, zou ik dat voor hem regelen.'

'Oké,' zei ik. 'Wat is de snelste manier waarop we een beter, langduriger visum voor hem kunnen krijgen?'

De agent van Binnenlandse Veiligheid keek van Felipe naar mij en toen weer naar Felipe. 'Serieus?' vroeg hij. 'Jullie tweeën moeten trouwen.'

Het hart zonk me zowat hoorbaar in de schoenen. Aan de andere kant van de kleine ruimte voelde ik hoe Felipes hart tegelijkertijd hetzelfde deed.

Achteraf lijkt het bijna niet te geloven dat het voorstel me zo overviel. Had ik verdorie nog nooit gehoord van mensen die trouwen voor een verblijfsvergunning? Misschien lijkt het – gezien het nijpende van onze omstandigheden – ook bijna niet te geloven dat het voorstel om te trouwen me koud zweet bezorgde in plaats van dat het me opluchtte. Er werd ons in elk geval een oplossing geboden, nietwaar? Toch overrompelde het voorstel me. En het deed pijn. Ik had het hele idee van trouwen zo uit mijn psyche gebannen dat het me schokte toen ik de woorden hardop uitgesproken hoorde worden. Ik voelde me log en verdrietig en onderuitgehaald en afgesloten van een fundamenteel aspect van mijn wezen, maar bovenal voelde ik me *gestrikt*. We waren allebei gestrikt. De vliegende vis en de duikende vogel waren in hetzelfde net gevangen. En niet voor het eerst in mijn leven, vrees ik, trof mijn naïviteit me als een klap in mijn gezicht: *Waarom was ik zo onnozel geweest te denken dat we ons leven altijd konden blijven leven zoals het ons beviel?*

Een tijdlang sprak niemand, tot de ondervrager van Binnenlandse Veiligheid, die naar onze zwijgende begrafenisgezichten zat te kijken, vroeg: 'Sorry, mensen, maar wat is daar mis mee?'

Felipe zette zijn bril af en wreef in zijn ogen – een teken, zo wist ik uit ervaring, van volslagen uitputting. Hij zuchtte en zei: 'Tom, Tom, Tom...'

Ik had me nog niet gerealiseerd dat die twee elkaar bij hun voornaam aanspraken, hoewel zoiets vast onvermijdelijk is tijdens een zes uur durend verhoor. Vooral wanneer Felipe de ondervraagde is.

'Nee, echt, wat is het probleem?' vroeg agent Tom. 'Jullie woonden duidelijk al samen. Jullie geven duidelijk om elkaar, jullie zijn niet met iemand anders getrouwd...'

Felipe boog zich naar voren. 'Je moet weten, Tom,' legde hij uit, met een intimiteit die schril afstak tegen de institutionele omgeving, 'dat wij, Liz en ik, in het verleden allebei een nare echtscheiding hebben doorgemaakt.'

Agent Tom bracht een geluidje, een soort zacht, meelevend 'O...' voort. Toen zette ook hij zijn bril af en wreef ook in zijn ogen. Ik wierp een instinctieve blik op de vierde vinger van zijn linkerhand. Geen trouwring. Op grond van die kale ringvinger en zijn reflexmatige reactie van vermoeide deelneming stelde ik een snelle diagnose: gescheiden.

Daar aanbeland nam ons gesprek een surrealistische wending.

'Nou ja, jullie zouden natuurlijk altijd op huwelijkse voorwaarden kunnen trouwen,' opperde agent Tom. 'Ik bedoel, als jullie bang zijn dat je weer in de financiële knoeiboel van een echtscheiding verzeild raakt. En als jullie het eng vinden om je te binden, is therapie misschien wel een goed idee.'

Ik luisterde vol verwondering naar hem. *Gaf een agent van het Amerikaanse ministerie van Binnenlandse Veiligheid ons nu huwelijksadvies? In een verhoorkamer? In de krochten van het Dallas/Fort Worth International Airport?*

Toen ik mijn stem hervonden had, kwam ik met de volgende briljante oplossing: 'Agent Tom, stel dat ik nou een manier bedacht om Felipe *in te huren* in plaats van met hem te trouwen? Zou ik hem niet naar Amerika kunnen halen als mijn werknemer in plaats van als mijn echtgenoot?'

Felipe ging rechtop zitten en riep uit: 'Wat een fantastisch idee, schat!'

Agent Tom wierp ons een bevreemde blik toe. Hij vroeg Felipe: 'Wil je deze vrouw echt liever als je bazin dan als je echtgenote?'

'Mijn hemel, ja!'

Ik merkte dat agent Tom zichzelf er bijna fysiek van moest weerhouden om te vragen: 'Wat is er mís met jullie mensen?' Maar daar was hij veel te professioneel voor. Hij schraapte zijn keel en zei: 'Helaas is wat u net voorstelde niet legaal in dit land.'

Felipe en ik lieten allebei, wederom precies tegelijk, onze schouders hangen in een mismoedige stilte.

Na een hele tijd zo te hebben gezeten sprak ik weer. 'Oké,' zei ik, verslagen. 'Laten we het dan maar doen. Als ik nu met Felipe trouw, hier in je kantoor, mag hij dan vandaag het land in? Misschien is er een geestelijke op de luchthaven die het huwelijk kan voltrekken?'

Er zijn momenten in het leven waarop het gezicht van een doodnormale man bijna goddelijke trekken kan aannemen, en dit was er een van. Agent Tom – een vermoeide, insignedragende Texaanse agent van Binnenlandse Veiligheid met een buikje – glimlachte naar me met een droefheid, een vriendelijkheid en een stralende compassie die volkomen misplaatst waren in deze muffe, onbarmhartige kamer. Opeens had hij zelf bepaald iets herderlijks.

'Ach nee...' zei hij zachtjes. 'Ik ben bang dat het zo niet werkt.'

Nu ik op dit alles terugkijk, besef ik uiteraard dat agent Tom allang wist wat Felipe en mij te wachten stond, en veel beter dan wijzelf hadden kunnen weten. Hij besefte maar al te goed dat het bemachtigen van een officieel Amerikaans verloofdevisum geen geringe prestatie zou zijn, al helemaal na een 'grensincident' als dit. Agent Tom zag alle problemen voor zich die we nu over ons heen zouden krijgen: van de advocaten die in drie landen – op maar liefst drie continenten – de benodigde wettelijke documenten moesten regelen; tot de politierapporten die opgevraagd dienden te worden bij elk land waarin Felipe ooit had gewoond; tot de stapels persoonlijke brieven, foto's en andere intieme papieren zaken die we zouden moeten verzamelen om aan te tonen dat onze relatie echt was (waaronder, met ergerniswekkende ironie, het bewijs van een gedeelde bankrekening – details waarvoor we nu juist zo veel moeite hadden gedaan om ze *gescheiden* te houden); tot de vingerafdrukken; tot de inentingen; tot de vereiste röntgenfoto's van de borst om te screenen op tuberculose; tot de gesprekken op de Amerikaanse ambassades in het buitenland; tot het dossier van Felipes militaire dienst in Brazilië vijfendertig jaar eerder waarop we de hand moesten zien te leggen; tot de duur en de kosten van de tijd die Felipe nu in het buitenland moest doorbrengen terwijl we hiermee bezig waren; tot – en dat was nog het ergste van alles – de verschrikkelijke onzekerheid of al die inspanningen wel voldoende waren, dat wil zeggen, of de regering van de Verenigde Staten (die zich in dit opzicht als een strenge, ouderwetse vader gedroeg) ooit deze man zou accepteren als echtgenoot voor mij, de angstvallig bewaakte natuurlijke dochter.

Agent Tom wist dat dus allemaal al, en het feit dat hij zijn sympathie met ons betuigde voor wat we in de komende tijd zouden ondergaan was een onverwacht vertoon van barmhartigheid in een verder afschuwelijke situatie. Dat ik nog eens een medewerker van het ministerie van Binnenlandse Veiligheid in een boek zou prijzen om zijn teergevoelige houding – iets wat me van tevoren ondenkbaar had geleken – geeft alleen maar aan hoe bizar de hele toestand was. En ik zeg er direct bij dat agent Tom nog iets aardigs voor ons deed. (Althans, voor hij Felipe in de boeien sloeg, hem afvoerde naar het detentiecentrum van Dallas en hem een nacht bij een stel criminelen in de cel zette.) Dit was wat agent Tom ons schonk: hij liet Felipe en mij twee hele minuten alleen in de verhoorkamer, zodat we onder vier ogen afscheid konden nemen.

Als je maar twee minuten hebt om de persoon gedag te zeggen die je het liefst is van de hele wereld en je niet weet wanneer je elkaar weer zult zien, kun je geblokkeerd raken in je pogingen alles in één keer te zeggen en te doen en te beslissen. In onze twee minuten alleen in de verhoorkamer maakten we dus gehaast en ademloos ons plan. Ik zou teruggaan naar Philadelphia, de huur van onze woning opzeggen, de inboedel ergens opslaan, een immigratieadvocaat in de arm nemen en het hele juridische proces opstarten. Felipe zou vanzelfsprekend de cel in gaan. Daarna zou hij naar Australië worden gedeporteerd, ook als hij strikt genomen niet wettelijk werd 'gedeporteerd'. (Het spijt me dat ik het woord 'gedeporteerd' gebruik in dit boek, maar ik weet nog steeds niet hoe ik het anders moet noemen als iemand een land uit wordt gegooid.) Aangezien Felipe in Australië geen leven, geen huis of financiële vooruitzichten meer had, zou hij zo snel mogelijk voorbereidingen treffen om naar een goedkopere plek te verhuizen – Zuidoost-Azië waarschijnlijk – en ik zou me aan die kant van de wereld bij hem voegen als ik de zaak hier aan het rollen had gebracht. Daar zouden we samen het einde van die onbepaalde periode van onzekerheid afwachten.

Terwijl Felipe het telefoonnummer van zijn advocaat, zijn kinderen en zijn zakenpartners opschreef, zodat ik iedereen op de hoogte kon stellen van zijn situatie, keerde ik mijn handtas om, koortsachtig op zoek naar dingen die ik hem kon geven om zijn verblijf in de cel te veraangenamen: kauwgom, al mijn contante geld, een flesje water, een foto van ons samen en een roman met de toepasselijke titel *The People's Act of Love*, die ik in het vliegtuig had zitten lezen.

Toen vulden Felipes ogen zich met tranen en hij zei: 'Dank je dat je in mijn leven bent gekomen. Wat er ook gebeurt, wat je ook besluit te doen, je moet weten dat je me de twee heerlijkste jaren van mijn leven hebt gegeven en dat ik je nooit zal vergeten.'

Het drong in een flits tot me door: *Lieve help, de man denkt dat ik nu misschien bij hem wegga.* Zijn reactie verbaasde en ontroerde me, maar bovenal deed die me blozen van schaamte. Nadat agent Tom de mogelijkheid van een huwelijk had genoemd, was het niet bij me opgekomen dat ik nu níet met Felipe zou trouwen en hem van de verbanning zou redden, maar blijkbaar was de gedachte wél bij hem opgekomen dat hij nu gedumpt kon worden. Hij vreesde oprecht dat ik hem de rug zou toekeren en hem hulpeloos en platzak achterlaten. Had ik zo'n reputatie verdiend? Stond ik werkelijk bekend, zelfs binnen de grenzen van onze bescheiden liefdesgeschiedenis, als iemand die ervandoor gaat bij het eerste het beste obstakel? Maar was Felipes angst totaal ongerechtvaardigd, gezien mijn verleden? In de omgekeerde situatie had ik geen seconde getwijfeld aan zijn loyaliteit, of aan zijn bereidheid praktisch alles voor me op te offeren. Kon hij rekenen op eenzelfde standvastigheid bij mij?

Als ik tien of vijftien jaar eerder in deze omstandigheden was geplaatst, zo geef ik toe, had ik vrijwel zeker mijn bedreigde partner in de steek gelaten. Ik moet tot mijn droefenis erkennen dat ik in mijn jeugd weinig eergevoel bezat, áls ik dat al bezat, en me grillig en onbezonnen gedragen was zo'n beetje mijn specialiteit. Maar nu hecht ik eraan karakter te tonen, en ik hecht er alleen maar meer aan naarmate ik ouder word. Op dat ogenblik – en ik had nog maar één ogenblik alleen met Felipe – heb ik de enige juiste opstelling gekozen tegenover de man die ik aanbad. Ik bezwoer hem, elk woord benadrukkend om hem van de oprechtheid ervan te doordringen, dat ik hem niet zou verlaten, dat ik zou doen wat nodig was om het allemaal in orde te maken en dat zelfs als het niet in orde gemaakt kon worden in Amerika, we toch altijd bij elkaar zouden blijven, ergens, waar ter wereld dat ook zou zijn.

Agent Tom kwam de kamer weer binnen.

Op het allerlaatst fluisterde Felipe tegen me: 'Ik hou zoveel van je dat ik zelfs met je wil trouwen.'

'En ik hou zoveel van jou,' beloofde ik, 'dat ook ik zelfs met je wil trouwen.'

Daarna haalden de aardige mensen van Binnenlandse Veiligheid ons uit elkaar, deden Felipe handboeien om en voerden hem weg, eerst naar het detentiecentrum en vervolgens naar een leven in ballingschap.

⁂

Toen ik die avond in mijn eentje terugvloog naar ons nu voorbije leven in Philadelphia dacht ik wat nuchterder na over wat ik zojuist had beloofd. Het verwonderde me dat ik niet huilerig of paniekerig was; daar leek de situatie toch te ernstig voor. Daarentegen voelde ik me enorm doelgericht, ervan overtuigd dat alles heel serieus moest worden aangepakt. In slechts een paar uur tijd was mijn leven met Felipe als het ware door een kosmische spatel omgedraaid. Het leek erop dat we ons hadden verloofd. Een rare en overijlde verlovingsceremonie was het wel geweest. Het had meer weg van iets uit Kafka dan uit Jane Austen. Niettemin was de verloving officieel, omdat dat moest.

Oké dan. Het zij zo. Ik zou beslist niet de eerste vrouw in de geschiedenis van mijn familie zijn die had moeten trouwen vanwege zekere omstandigheden, hoewel die omstandigheden van mij niets te maken hadden met een onvoorziene zwangerschap. Toch was het recept hetzelfde: haal een boterbriefje en vlug een beetje. Dus dat zouden we doen. Maar toen ik die avond in mijn eentje in het vliegtuig terug naar Philadelphia zat, openbaarde zich het echte probleem aan me: ik had geen idee wat het huwelijk eigenlijk was.

Ik had die fout al eens eerder gemaakt: in het huwelijk treden zonder ook maar enigszins te begrijpen wat dat inhield. Ik had me, op de tamelijk onrijpe leeftijd van vijfentwintig jaar, in mijn eerste huwelijk gestort ongeveer zoals een labrador in een zwembad duikt – met evenveel voorbereiding en een even vooruitziende blik. Op mijn vijfentwintigste had ik zo weinig verantwoordelijkheidsgevoel dat ik waarschijnlijk niet eens toestemming had mogen krijgen om mijn eigen tandpasta uit te kiezen, laat staan mijn eigen toekomst, en dus betaalde ik een hoge tol voor die zorgeloosheid, dat kun je je wel voorstellen. Zes jaar later oogstte ik rijkelijk de consequenties, toen ik in een kille rechtbank streed om mijn echtscheiding erdoor te krijgen.

Als ik terugkijk op mijn eerste trouwdag word ik herinnerd aan *Death of a Hero*, een roman van Richard Aldington waarin hij peinst over zijn twee jonge geliefden op hún onzalige trouwdag: 'Kan men van George Augustus en Isabel de onwetendheden in kaart brengen, de relevante onwetendheden, toen ze elkaar trouw beloofden tot de dood hen zou scheiden?' Ook ik was eens een lichtzinnige jonge bruid zoals Aldingtons Isabel, over wie hij schreef: 'Wat ze níet wist, omvatte vrijwel het hele gamma van menselijke kennis. De uitdaging is te ontdekken wat ze wél wist.'

Nu evenwel – op de aanzienlijk minder lichtzinnige leeftijd van zevenendertig jaar – was ik er niet echt van overtuigd dat ik veel meer wist dan vroeger over de realiteiten van de geïnstitutionaliseerde liefdesbetrekking. Mijn huwelijk was mislukt en dus was ik doodsbenauwd voor het huwelijk, maar ik ben er niet zeker van of dat me tot een deskundige maakte op het gebied van het huwelijk; het maakte me alleen maar tot een deskundige op het gebied van mislukking en angst, twee terreinen die al overlopen van de deskundigen. Maar toch was het lot tussenbeide gekomen en het eiste dat ik ging trouwen, en ik had genoeg levenservaring opgedaan om te begrijpen dat de interventies van het lot soms uitgelegd kunnen worden als een uitnodiging om je grootste angsten onder ogen te zien en zelfs te overwinnen. Er is geen hoog IQ voor nodig om te beseffen dat als je door de omstandigheden wordt gedwongen iets te doen wat je altijd hebt gehaat en gevreesd, dat op zijn allerminst *een interessante gelegenheid voor persoonlijke groei* kan bieden.

Dus drong het in dat vliegtuig dat Dallas achter zich liet langzaam tot me door – mijn wereld binnenstebuiten gekeerd, mijn minnaar verbannen, hij en ik min of meer tot trouwen veroordeeld – dat ik deze tijd misschien moest benutten om me te verzoenen met het idee van het huwelijk voor ik me er nogmaals in stortte. Misschien zou het slim zijn wat energie te steken in het ontrafelen van wat, in de naam van God en de menselijke geschiedenis, het mysterie van dat verbijsterende, ergerlijke, tegenstrijdige en toch koppig standhoudende instituut van het huwelijk nu eigenlijk is.

En dat deed ik. De volgende tien maanden – terwijl ik als een banneling met Felipe rondreisde en me tot het uiterste inspande om hem Amerika weer in te krijgen zodat we veilig konden trouwen (in Australië of elders in de wereld een echtverbintenis sluiten, zo had agent Tom ons gewaarschuwd, zou slechts de irritatie opwekken van het ministerie van Binnenlandse Veiligheid en het immigratieproces vertragen) – was het enige waarover ik nadacht, het enige waarover ik las en zo'n beetje het enige waarover ik met anderen praatte het gecompliceerde onderwerp van het huwelijk.

Ik riep de hulp in van mijn zus in Philadelphia (die handig genoeg historica is) om me dozen met boeken over het huwelijk te sturen. Ongeacht waar Felipe en ik vertoefden sloot ik me op in onze hotelkamer om de boeken te bestuderen, en zo bracht ik ontelbare uurtjes door in het gezelschap van eminente huwelijkswetenschappers als Stephanie Coontz en Nancy Cott – schrijfsters van wie ik nog nooit had gehoord, maar die nu mijn heldinnen en leermeesteressen werden. Eerlijk gezegd maakte al dat lezen een waardeloze toerist van me. Tijdens onze maandenlange omzwervingen deden Felipe en ik vaak schitterende en fascinerende oorden aan, maar ik vrees dat ik niet altijd evenveel aandacht had voor onze omgeving. Deze periode van reizen voelde hoe dan ook niet als een onbekommerd avontuur. Het voelde meer als een vlucht, een hidzjra. Rondtrekken omdat je niet naar huis kunt, omdat het een van beiden wettelijk niet is toegestaan naar huis terug te keren, is nooit een plezierige onderneming.

Bovendien was onze financiële situatie zorgwekkend. *Eten, bidden, beminnen* zou over minder dan een jaar een lucratieve bestseller worden, maar die welkome ontwikkeling had zich nog niet voorgedaan, en evenmin hadden we verwacht dat die zich ooit zou voordoen. Felipe was nu volledig afgesneden van zijn inkomstenbron, dus leefden we samen van het geld van mijn laatste boekcontract, en ik wist niet hoe lang we daarmee toe zouden kunnen. Eventjes misschien, maar niet voor altijd. Ik was kort daarvoor aan een nieuw boek begonnen, maar mijn research en schrijfwerk waren onderbroken door de deportatie van Felipe. En zo belandden we in Zuidoost-Azië, waar het voor twee zuinige mensen haalbaar is om van zo'n dertig dollar per dag te leven. Hoewel ik niet zal beweren dat we geleden hebben tijdens die periode van ballingschap (kom op zeg, we waren bepaald geen verhongerende politieke vluchtelingen), wil ik wel kwijt dat het een zeer ongewone en gespannen manier van leven was, waarbij de ongewoonheid en spanning alleen maar verhevigd werden door de onzekerheid van de uitkomst.

We zwierven bijna een jaar rond, in afwachting van de dag waarop Felipe zou worden opgeroepen voor zijn gesprek op het Amerikaanse consulaat in Sydney. In ons gefladder van land naar land waren we net een rusteloos stel dat een prettige slaaphouding probeert te vinden in een vreemd, oncomfortabel bed. En het is ook waar dat ik vele bezorgde nachten lang, in vele vreemde, oncomfortabele bedden, wakker lag in het donker en mijn bedenkingen en vooroordelen over het huwelijk de revue liet passeren, waarbij ik de informatie schiftte die ik had gelezen en de geschiedenis doorzocht op bemoedigende conclusies.

Ik vermeld hier meteen dat ik mijn onderzoek grotendeels heb beperkt tot een analyse van het huwelijk in de westerse geschiedenis en dat dit boek dan ook die culturele afbakening weerspiegelt. Iedere echte huwelijkshistoricus of antropoloog zal grote leemtes in mijn beschrijving aantreffen, aangezien ik hele continenten en eeuwen van de menselijke geschiedenis onverkend heb gelaten, om maar te zwijgen van het feit dat ik een aantal redelijk essentiële huwelijksconcepten (zoals polygamie) heb overgeslagen. Ik zou het leuk, en zeker leerzaam, hebben gevonden om nader onderzoek te verrichten naar alle huwelijksgebruiken op aarde, maar aan die tijd ontbrak het me. Alleen greep te krijgen op het complexe karakter van het huwelijk in islamitische samenlevingen bijvoorbeeld zou me al jaren van studie hebben gekost, maar mijn drang om te weten had een deadline die zulke uitgebreide beschouwingen verhinderde. Er tikte een klok: binnen het jaar – of het me nu aanstond of niet, of ik er klaar voor was of niet – moest ik trouwen. Het leek me dan ook noodzakelijk dat ik mijn aandacht richtte op het ontwarren van de geschiedenis van het monogame westerse huwelijk, om mijn ingesleten aannames, het verhaal van mijn familie en mijn cultuurspecifieke lijst met angsten beter te kunnen begrijpen.

Ik hoopte dat al die research mijn diepgewortelde afkeer van het huwelijk zou kunnen verlichten. Ik wist niet precies hoe dat in zijn werk zou gaan, maar ik had in het verleden altijd ervaren dat hoe meer ik over iets te weten kwam, des te minder schrik het me aanjoeg. (Net als in het sprookje van Repelsteeltje kunnen sommige angsten alleen overwonnen worden als je hun verborgen, geheime naam uitspreekt.) Waar het me echt om ging, meer dan wat ook, was een manier te vinden om zonder voorbehoud ja te zeggen tegen Felipe als de grote dag aanbrak, in plaats van mijn lot te slikken als een onvermijdelijke, bittere pil. Noem me ouderwets, maar het leek me best aardig om blij te zijn op mijn trouwdag. Dat wil zeggen, blij én te weten waaraan ik begon.

Dit boek is het verhaal van mijn weg daarheen.

En alles begint – want elk verhaal moet ergens beginnen – in de bergen van Noord-Vietnam.

HOOFDSTUK TWEE

Huwelijk en verwachtingen

Een man kan met iedere vrouw gelukkig zijn
zolang hij niet van haar houdt.
OSCAR WILDE

Die dag sprak een meisje me aan.

Felipe en ik waren bij het dorpje aangekomen na een nachtelijke reis vanuit Hanoi in een lawaaiige, vieze trein uit het sovjettijdperk. Ik kan me niet meer zo goed herinneren waarom we naar dit specifieke dorp waren gegaan, maar ik meen dat een paar jonge Deense rugzaktoeristen het ons hadden aanbevolen. Hoe het ook zij, de lawaaiige, vieze treinreis was gevolgd door een lange, lawaaiige, vieze busrit. De bus had ons ten slotte afgezet op een ontstellend mooie plek in de buurt van de Chinese grens – afgelegen en groen en wild. We namen onze intrek in een hotel en toen ik in mijn eentje naar buiten wandelde om het dorp te verkennen en de stijfheid van de reis uit mijn benen te krijgen, kwam het meisje naar me toe.

Ze was twaalf jaar, zo kreeg ik later te horen, maar ze was kleiner dan alle twaalfjarige Amerikaanse meisjes die ik ooit had gezien. Ze was heel mooi. Haar huid was donker en gezond, haar gevlochten haar glansde, haar compacte lijfje, gehuld in een korte wollen tuniek, straalde energie en zelfverzekerdheid uit. Hoewel het zomer was en bloedheet, waren haar kuiten gehuld in kleurige wollen kousen. Haar in

Chinese plastic sandalen gestoken voeten tikten rusteloos tegen de grond. Ze had al een tijdje rondgehangen voor ons hotel – ik had haar gezien toen we incheckten – en nu ik in mijn eentje het gebouw verliet, liep ze recht op me af.

'Hoe heet jij?' vroeg ze.

'Ik ben Liz. En hoe heet jij?'

'Ik ben Mai,' antwoordde ze, 'en ik kan het voor je opschrijven, zodat je de juiste spelling leert.'

'Je spreekt wel goed Engels, zeg,' complimenteerde ik haar.

Ze haalde haar schouders op. 'Natuurlijk. Ik oefen vaak met toeristen. Ik spreek ook Vietnamees, Chinees en een beetje Japans.'

'Wat?' grapte ik. 'Geen Frans?'

'*Un peu*,' antwoordde ze met een uitgestreken gezicht. Toen vroeg ze: 'Waar kom jij vandaan, Liz?'

'Ik kom uit Amerika,' antwoordde ik. Daarna, in een poging lollig te zijn, aangezien ze duidelijk van hier was, vroeg ik: 'En waar kom jij vandaan, Mai?'

Ze had de grap meteen door en deed er een schepje bovenop. 'Ik kom uit mijn moeders buik,' antwoordde ze, waardoor ik ter plekke verliefd op haar werd.

Mai was inderdaad in Vietnam geboren, maar ik realiseerde me later dat ze zichzelf nooit Vietnamees zou hebben genoemd. Ze behoorde tot de Hmong, een kleine, trotse, geïsoleerde etnische groep (wat antropologen 'een oorspronkelijk volk' noemen) die de hoogste bergen van Vietnam, Thailand, Laos en China bewoont. Net als de Koerden hebben de Hmong nooit echt thuisgehoord in een van de landen waarin ze zich vestigden. Ze zijn nog steeds een van de onafhankelijkste volken ter wereld – nomaden, verhalenvertellers, strijders, geboren non-conformisten en een gruwel voor elke natie die hen ooit heeft proberen in het gareel te brengen.

Om de onwaarschijnlijkheid van het feit te begrijpen dat

de Hmong nog steeds bestaan, moet je je voorstellen hoe het zou zijn als de Mohawk nog in het noorden van de staat New York zouden leven zoals ze dat eeuwen hebben gedaan, gehuld in indianenkleding, hun eigen taal sprekend en weigerend om te assimileren. In de eerste jaren van de eenentwintigste eeuw op een Hmongdorp als dit stuiten is dan ook met recht een anachronistisch wonder te noemen. Hun cultuur geeft ons een steeds zeldzamer wordend inkijkje in een oudere versie van de menselijke ervaring. Daar bedoel ik dit mee: de leefwijze van je familie vierduizend jaar geleden leek waarschijnlijk heel erg op die van de Hmong.

'Hé, Mai,' zei ik. 'Zou je vandaag mijn tolk willen zijn?'

'Waarom?' vroeg ze.

De Hmong staan bekend om hun directheid, dus draaide ik er niet omheen: 'Ik wil graag met een aantal vrouwen van je dorp praten over hun huwelijk.'

'Waarom?' vroeg ze weer.

'Omdat ik binnenkort ga trouwen en ik graag advies wil.'

'Je bent te oud om te trouwen,' merkte Mai vriendelijk op.

'Nou ja, mijn vriend is ook oud,' antwoordde ik. 'Hij is vijfenvijftig.'

Ze keek eens goed naar me, floot laag en zei: 'Dan heeft hij geboft.'

Het is me niet helemaal duidelijk waarom Mai besloot me die dag te helpen. Nieuwsgierigheid? Verveling? De hoop dat ik haar wat geld zou geven? (Wat ik uiteraard deed.) Maar wat haar motieven ook waren, ze deed het. Na een steile wandeling over een nabijgelegen helling kwamen we al snel aan bij het stenen huis van Mai, piepklein, beroet, met slechts een paar raampjes om het licht door te laten, maar genesteld in een schilderachtig rivierdal. Mai nam me mee naar binnen en stelde me voor aan enkele vrouwen die aan het weven, koken of schoonmaken waren. Van het groepje vrouwen was het Mais grootmoeder die me meteen intrigeerde. Ze was de meest goedlachse en vrolijkste tandeloze oma van anderhalve meter lang die ik ooit had gezien. Bovendien vond ze mij oerkomisch. Ze lag voortdurend dubbel om me. Ze zette een hoge Hmongmuts op mijn hoofd, wees naar me en lachte. Ze duwde een klein Hmongbaby'tje in mijn armen, wees naar me en lachte. Ze wikkelde me in een prachtige Hmongdoek, wees naar me en lachte.

Ik had daar overigens geen bezwaar tegen. Ik had al lang geleden ontdekt dat het zo'n beetje je taak is het mikpunt van spot te zijn als je de reusachtige, buitenlandse bezoeker van een afgelegen en vreemde cultuur bent. Het is ook wel het minste wat je als beleefde gast kunt doen. Weldra stroomden er meer vrouwen – buren en familieleden – het huis binnen. Ook zij lieten me de stoffen zien die ze hadden geweven, zetten hun muts op mijn hoofd, duwden hun baby in mijn armen, wezen naar me en lachten.

Mai vertelde me dat haar hele familie – in totaal elf personen – in dit eenkamerhuisje woonde. Ze sliepen allemaal naast elkaar op de grond. Aan de ene kant was de keuken en aan de andere kant de houtkachel voor de winter. Rijst en mais lagen opgeslagen op een vliering boven de keuken, terwijl om het huis varkens, kippen en waterbuffels werden gehouden. De hele woning telde één privéruimte, die weinig groter was dan een bezemkast. Dit, zo las ik later in een boek, is het plekje waar de nieuwste bruid en bruidegom van een familie de beginmaanden van hun huwelijk mogen slapen om in alle beslotenheid hun eerste seksuele ervaringen met elkaar op te doen. Na die aanvankelijke periode van privacy voegt het jonge paar zich weer bij de familie en slaapt het de rest van zijn leven naast de anderen op de vloer.

'Had ik je al verteld dat mijn vader dood is?' vroeg Mai toen ze me een rondleiding gaf.

'Wat naar voor je,' antwoordde ik. 'Wanneer is dat gebeurd?'

'Vier jaar geleden.'

'Hoe is hij gestorven, Mai?'

'Hij is gestorven,' zei ze onaangedaan, en daarmee was de kous af. Haar vader was gestorven aan de dood. Zoals mensen stierven, neem ik aan, toen we nog niet zoveel wisten van het waarom of hoe. 'Toen hij begraven werd, hebben we de waterbuffel opgegeten.' Bij de gedachte daaraan flitste er een complexe reeks emoties over haar gezicht: verdriet om het verlies van haar vader, genot bij de herinnering aan hoe lekker de waterbuffel had gesmaakt.

'Is je moeder eenzaam?'

Mai haalde haar schouders op.

Het was moeilijk je hier eenzaamheid voor te stellen. Net zoals je je onmogelijk kon voorstellen waar in dit overvolle huishouden het gelukkiger tweelingzusje van eenzaamheid te vinden was: privacy. Mai en haar moeder leefden in de voortdurende nabijheid van een groot aantal andere mensen. Niet voor het eerst in mijn jaren van reizen trof het me hoe geïndividualiseerd de huidige Amerikaanse maatschappij in vergelijking is. Waar ik vandaan kom is het idee van wat een 'gezin' inhoudt zo ingekrompen dat het waarschijnlijk niet eens als zodanig zou worden herkend door iemand in een van deze grote, losse, alles omgevende Hmongclans. Tegenwoordig heb je praktisch een elektronenmicroscoop nodig om het moderne westerse gezin te bestuderen. Dan zie je twee, misschien drie, of soms zelfs vier mensen die samen ronddrentelen in een gigantische ruimte, ieder over een eigen fysiek en psychisch domein beschikken en grote delen van de dag volledig gescheiden van de anderen doorbrengen.

Ik wil niet beweren dat alles aan het afgeslankte moderne

gezin per definitie slecht is. Het leven en de gezondheid van vrouwen gaan er steevast op vooruit als ze minder kinderen krijgen, wat flink afdoet aan de verlokkingen van een bruisende clancultuur. Ook is in sociologische kringen al heel lang bekend dat incest en kindermisbruik toenemen als veel familieleden van verschillende leeftijden dicht op elkaar leven. In zo'n groot gezelschap kan het lastig worden individuen in de gaten te houden of te beschermen, laat staan hun individualiteit.

Maar er moet toch ook iets verloren zijn gegaan in onze moderne, intens geïsoleerde, afgesloten huizen. Toen ik zag hoe de Hmongvrouwen met elkaar omgingen, vroeg ik me af of de evolutie van het steeds kleinere, steeds meer nucleaire westerse gezin niet een bijzondere druk heeft gelegd op het moderne huwelijk. In de Hmongsamenleving brengen mannen en vrouwen bijvoorbeeld helemaal niet zo veel tijd met elkaar door. Ja, je hebt een levenspartner. Ja, je vrijt met die partner. Ja, jullie levenslot is aan elkaar verbonden. Ja, er kan heel wel sprake zijn van liefde. Maar afgezien daarvan brengen mannen en vrouwen hun leven gescheiden door in de aparte werelden van hun seksespecifieke taken. Mannen werken en trekken op met andere mannen; vrouwen werken en trekken op met andere vrouwen. Bewijs ter ondersteuning van die theorie: er was die dag geen man te bekennen in en rond het huis van Mai. Wat de mannen ook aan het doen waren (het land bewerken, drinken, praten, gokken), deden ze ergens anders, onder elkaar, gescheiden van het universum van de vrouwen.

Als Hmongvrouw verwacht je dan ook niet per se dat je echtgenoot je beste vriend, je grootste vertrouweling, je emotionele adviseur, je intellectuele gelijke, je rots in tijden van verdriet is. Hmongvrouwen ontvangen daarentegen een hoop emotionele voeding en hulp van andere vrouwen –

van zussen, tantes, moeders en grootmoeders. Een Hmong-vrouw heeft veel stemmen in haar leven, veel meningen en geestelijke steunpilaren die haar altijd omringen. In alle richtingen is verwantschap binnen handbereik te vinden, en vele vrouwenhanden maken licht, of in elk geval lichter, werk van de zware lasten des levens.

Uiteindelijk, nadat alle begroetingen waren uitgewisseld en alle baby's waren geknuffeld en al het gelach was overgegaan in een beleefde houding, ging iedereen zitten. Met Mai als onze tolk vroeg ik allereerst aan de grootmoeder of ze me wilde vertellen over de trouwplechtigheden bij de Hmong.

Het is allemaal heel simpel, legde de grootmoeder geduldig uit. Voorafgaand aan een traditionele Hmongbruiloft moet de familie van de bruidegom het huis van de bruid bezoeken om met haar familie tot een akkoord te komen en een datum en plan van aanpak te bespreken. Bij die gelegenheid wordt een kip de nek omgedraaid om de familiegeesten tevreden te stemmen. Als de trouwdag aanbreekt worden er een hoop varkens geslacht. Er wordt een feestmaal bereid en uit alle dorpen komen verwanten om de bruiloft mee te vieren. Beide families dragen bij aan de kosten. Er volgt een processie naar de bruidstafel en er loopt altijd een familielid van de bruidegom mee met een paraplu.

Op dat punt onderbrak ik haar om te vragen wat de paraplu betekende, maar mijn vraag zaaide enige verwarring, wellicht over wat het woord 'betekent' betekent. De paraplu is de paraplu, kreeg ik te horen, en wordt meegedragen omdat er altijd paraplu's meegedragen worden op een bruiloft. Dat is de reden, en zo zit het, en zo is het altijd geweest.

Nadat de paraplugerelateerde problemen de wereld uit waren begon de grootmoeder te vertellen over de Hmongtraditie om de bruid te schaken. Het is een oud gebruik, zei ze, dat tegenwoordig minder in zwang is dan vroeger. Maar toch bestaat het nog. Een bruid – die soms van tevoren wordt ingelicht over haar ontvoering en soms niet – wordt door haar potentiële bruidegom geschaakt en op een pony naar het huis van zijn familie gebracht. Dit gebeurt allemaal strikt gereguleerd en wordt slechts op enkele avonden van het jaar toegestaan, bij feesten na bepaalde marktdagen. (Je kunt een bruid niet zomaar ontvoeren wanneer je er zin in hebt. Er zijn *regels*.) Het meisje logeert drie dagen in het huis van haar ontvoerder, samen met zijn familie, en besluit in die tijd of ze met de knul wil trouwen of niet. Meestal, zo liet de grootmoeder weten, stemt het meisje in met een huwelijk. De enkele keer dat de bruid in spe haar ontvoerder niet ziet zitten, mag ze na afloop van die drie dagen naar haar eigen familie terug en wordt de hele zaak vergeten. Wat ik op het gebied van ontvoeringen heel redelijk vind klinken.

Het gesprek nam voor mij – en voor iedereen in het vertrek – een eigenaardige wending toen ik de grootmoeder zover probeerde te krijgen dat ze over haar eigen huwelijk vertelde. Ik hoopte daarmee persoonlijke of emotionele anekdotes van haar los te krijgen over haar ervaringen met het huwelijk. Het misverstand ontstond onmiddellijk, toen ik de oude vrouw vroeg: 'Wat vond je van je man toen je hem voor het eerst ontmoette?'

Haar gerimpelde gezicht vertrok in een grimas van verwarring. In de veronderstelling dat zij – of misschien Mai – de vraag verkeerd had begrepen deed ik nog een poging: 'Wanneer besefte je dat je man iemand zou kunnen zijn met wie je wel wilde trouwen?'

Wederom werd mijn vraag beantwoord met iets wat op beleefde verbijstering leek.

'Wist je meteen dat hij de ware was?' probeerde ik het

nogmaals. ‘Of ging je hem in de loop der tijd pas aardig vinden?’

Nu begonnen sommige vrouwen in de kamer zenuwachtig te giechelen, zoals je dat soms onwillekeurig doet in de buurt van iemand die ze niet allemaal op een rijtje heeft, wat in hun ogen blijkbaar bij mij het geval was.

Ik gooide het over een andere boeg: ‘Wanneer heb je je man voor het eerst ontmoet?’

De grootmoeder spitte bij die vraag even in haar geheugen, maar kon niet met een specifieker antwoord komen dan ‘lang geleden’. Het leek niet echt een belangrijke vraag voor haar.

‘Goed dan, wáár heb je je man ontmoet?’ vroeg ik om de zaak zo eenvoudig mogelijk te maken.

Weer leek de vorm die mijn nieuwsgierigheid aannam een mysterie voor de grootmoeder. Ze deed echter welgemanierd een poging om antwoord te geven. Ze had haar man nooit echt *ontmoet* voor ze met hem trouwde, legde ze uit. Ze zag hem hier en daar natuurlijk weleens. Er zijn altijd zo veel mensen overal, weet je. Ze kon het zich niet meer zo herinneren. Maar goed, zei ze ter afsluiting, het doet er ook helemaal niet toe of ze hem al kende als jong meisje. Tenslotte, zoals ze er tot de hilariteit van de andere vrouwen in de kamer aan toevoegde, kende ze hem nu wel.

‘Maar wanneer werd je verliefd op hem?’ vroeg ik uiteindelijk onomwonden.

Zodra Mai die vraag had vertaald begonnen alle vrouwen in de ruimte hard te lachen, behalve de grootmoeder, die daarvoor te beleefd was – een spontane uitbarsting van vrolijkheid, die ze vervolgens allemaal achter hun hand probeerden te smoren.

Je zou misschien denken dat dit me afschrok. Misschien had het me moeten afschrikken. Maar ik hield stug vol en liet op hun lachsalvo's een vraag volgen die ze nog belachelijker vonden: 'En wat is volgens jou het geheim van een gelukkig huwelijk?' vroeg ik ernstig.

Nu hadden ze het helemaal niet meer. Zelfs de grootmoeder gierde het uit. Wat prima was, toch? Zoals ik al zei, ik ben altijd volkomen bereid om me in een vreemd land voor andermans plezier te laten bespotten. Toch moet ik toegeven dat ik me in dit geval onder alle pret enigszins ongemakkelijk voelde omdat de grap me totaal ontging. Het enige wat ik begreep was dat deze Hmongvrouwen en ik duidelijk een compleet andere taal spraken. (Los van het feit dat we letterlijk een compleet andere taal spraken.) Maar wat vonden zij nou zo absurd aan mijn vragen?

In de weken daarna, terwijl ik het gesprek steeds opnieuw afspeelde in mijn hoofd, moest ik mijn eigen theorie verzinnen over waarom mijn gastvrouwen en ik zo vreemd en niet-begrijpend tegenover elkaar hadden gestaan in de kwestie van het huwelijk. En hier is die theorie: de grootmoeder en de andere vrouwen in dat vertrek plaatsten geen van allen hun huwelijk in het centrum van hun emotionele biografie op een manier die me ook maar enigszins bekend voorkwam. In de moderne, geïndustrialiseerde westerse wereld waarin ik geboren ben, is de persoon met wie je verkiest te trouwen misschien wel de levendigste afspiegeling van je eigen persoonlijkheid. Je partner wordt de glanzende spiegel die jouw emotionele individualisme terugkaatst naar de wereld. Er is tenslotte geen persoonlijker keuze dan de partner die je kiest; deze vertelt ons in hoge mate wie je bent. Als je een doorsnee moderne westerse vrouw vraagt hoe ze haar man heeft ontmoet, wanneer ze hem heeft ontmoet en waarom ze verliefd op hem is geworden, kun je erop rekenen dat ze een volledig, complex en intens persoonlijk verhaal te vertellen heeft dat ze niet alleen zorgvuldig om de hele ervaring heen heeft gesponnen, maar ook uit haar hoofd heeft geleerd, geïnternaliseerd en nauwkeurig onderzocht op aanwijzingen naar haar eigen ik. En ze zal je hoogstwaarschijnlijk ook onbeschroomd deelgenoot maken van dat verhaal, zelfs als je een volslagen onbekende bent. Sterker nog, ik heb in de loop der jaren ontdekt dat de vraag 'Hoe heb je je man ontmoet?' een van de beste ijsbrekers is die er bestaan. In mijn ervaring doet het er niet eens toe of het huwelijk van die vrouw gelukkig is of een ramp: het zal nog steeds aan je worden verteld als een essentieel verhaal over haar emotionele wezen, en misschien wel als het *meest* essentiële verhaal over haar emotionele wezen.

Wie die westerse vrouw ook is, ik kan je verzekeren dat haar verhaal over twee mensen gaat – zij en haar echtgenoot – die net als roman- of filmpersonages verondersteld worden op een of andere persoonlijke levensreis te zijn geweest voordat hun paden elkaar op een beslissend moment kruisten. (Bijvoorbeeld: 'Ik woonde die zomer in San Francisco en ik was niet van plan nog veel langer te blijven, tot ik Jim op dat feestje ontmoette.') Het verhaal zal waarschijnlijk drama en spanning bevatten ('Hij dacht dat ik een relatie had met de man die me op dat feestje vergezelde, maar dat was gewoon Larry, mijn homovriend!'). Het verhaal zal twijfels bevatten ('Hij was niet echt mijn type; normaliter val ik op intellectuelere mannen.'). En heel belangrijk, het verhaal zal eindigen met een redding ('Nu kan ik me mijn leven niet meer voorstellen zonder hem!') of – als het allemaal misgelopen is – met zelfverwijten ('Waarom heb ik niet meteen tegenover mezelf toegegeven dat hij een alcoholist en een leugenaar was?'). Hoe het ook zij, je kunt erván op aan dat de moderne westerse vrouw haar liefdesgeschiedenis vanuit elke mogelijke hoek heeft onderzocht en dat ze haar verhaal in de loop der jaren tot een schitterende epische mythe heeft uitgewerkt of omgesmeed tot een bittere waarschuwing voor anderen.

Ik kom nu met een heel gewaagde stelling: Hmongvrouwen lijken dat niet te doen. Of in elk geval niet déze Hmongvrouwen.

Hou me ten goede, ik ben geen antropoloog en ik erken dat het ver buiten mijn competentie valt om gissingen te doen over de Hmongcultuur. Mijn persoonlijke contact met deze vrouwen bleef beperkt tot één enkel gesprek op een middag, waarbij een meisje van twaalf optrad als tolk, dus we kunnen gevoeglijk aannemen dat ik een enkele nuance heb gemist over deze oude en complexe samenleving. Ik geef ook toe dat deze vrouwen mijn vragen mogelijk als opdringerig, zo niet als ronduit beledigend hebben ervaren. Waarom zouden ze hun intieme verhalen aan mij vertellen, een bemoeizuchtige indringster? En zelfs áls ze me informatie probeerden te geven over hun relaties is het nog altijd zeer waarschijnlijk dat bepaalde subtiele boodschappen niet zijn overgekomen vanwege een verkeerde vertaling of een simpelweg gebrek aan intercultureel begrip.

Desondanks blijf ik iemand die een aanzienlijk deel van haar professionele leven heeft besteed aan het ondervragen van mensen, en ik heb vertrouwen in mijn vermogen om te observeren en aandachtig te luisteren. Bovendien registreer ik – net als iedereen – wanneer ik bij vreemden thuis kom onmiddellijk in welke opzichten ze dingen anders zien of doen dan mijn familie. Laten we dus zeggen dat mijn rol die dag in dat Hmonghuishouden er een was van een bovengemiddeld opmerkzame bezoekster die bovengemiddelde aandacht besteedde aan haar bovengemiddeld expressieve gastvrouwen. In die rol, en ook alleen in die rol, durf ik met enige stelligheid te verkondigen wat ik die dag níet zag gebeuren in het huis van Mais grootmoeder. Ik zag géén groep vrouwen bijeenzitten die eindeloos onderzochte mythes en waarschuwende verhalen over hun huwelijk vertelden. Dat frappeerde me omdat ik overal ter wereld vrouwen eindeloos onderzochte mythes en waarschuwende verhalen over hun huwelijk heb zien vertellen, in allerhande gezelschap en bij de geringste provocatie. Maar de Hmongvrouwen leken daar in de verste verte niet in geïnteresseerd. Evenmin zag ik deze Hmongvrouwen het personage van 'de echtgenoot' tot de held of de schurk kneden in een uitgebreid, complex en episch verhaal over het emotionele zelf.

Ik beweer niet dat deze vrouwen niet van hun man houden, of dat ze nooit van hem gehouden hebben, of dat ze dat nooit zouden kúnnen. Dat zou een belachelijke conclusie zijn, want mensen houden overal van elkaar, en hebben dat altijd gedaan. Romantische liefde is een universele menselijke ervaring. Bewijs van passie is in alle uithoeken van de wereld te vinden. Alle menselijke culturen kennen liefdesliederen en liefdesbezweringen en liefdesgebeden. Ieders hart kan worden gebroken, ongeacht je rang of stand, godsdienst, sekse, leeftijd en cultuur. (In India, het is maar dat je het weet, is 3 mei de Nationale Dag van het Gebroken Hart. En in Papoea Nieuw-Guinea leeft een stam waarvan de mannen liefdesliederen schrijven, *namai* geheten, die het tragische verhaal vertellen van huwelijken die niet tot stand zijn gekomen.) Mijn vriendin Kate ging een keer naar een concert van Mongolische keelzangers die tijdens een zeldzame wereldtournee in New York optraden. Hoewel ze de tekst van de liedjes niet begreep, vond ze de muziek onverdraaglijk triest. Na het concert stapte Kate op de leider van de Mongolische zangers af en vroeg: 'Waar gaan jullie liedjes over?' Hij antwoordde: 'Over dezelfde dingen als waar alle liedjes over gaan: verloren liefde, en iemand heeft je snelste paard gestolen.'

Dus vanzelfsprekend worden de Hmong verliefd. Vanzelfsprekend hebben ze een voorkeur voor de ene persoon boven de andere, of missen ze een overleden geliefde, of merken ze dat ze onverklaarbaar gek zijn op iemands specifieke geur of lach. Maar misschien geloven ze niet dat romantische liefde heel veel te maken heeft met de *feitelijke redenen om te trouwen*. Misschien gaan ze er niet van uit dat die twee aparte entiteiten (liefde en trouwen) elkaar onontkoombaar moeten kruisen – hetzij aan het begin van de relatie of mogelijk zelfs helemaal nooit. Misschien geloven ze dat het huwelijk met iets heel anders te maken heeft.

Als dit als een uitheemse en rare gedachte klinkt, vergeet dan niet dat men er binnen de westerse cultuur nog niet zo heel lang geleden dezelfde onromantische denkbeelden over het huwelijk op na hield. Het gearrangeerde huwelijk heeft uiteraard nooit een belangrijke rol gespeeld in het leven van de Amerikanen – en het schaken van de bruid al helemaal niet – maar tot voor kort kwamen verstandshuwelijken nog regelmatig voor in verschillende lagen van de Amerikaanse maatschappij. Met 'verstandshuwelijk' bedoel ik iedere verbintenis waarbij de belangen van de gemeenschap boven die van de twee betrokken individuen worden gesteld; zulke huwelijken waren bijvoorbeeld vele generaties lang een typisch element van de Amerikaanse agrarische samenleving.

Ik blijk persoonlijk zo'n verstandshuwelijk te hebben gekend. In het kleine stadje in Connecticut waar ik geboren en getogen ben waren mijn favoriete buren het grijsharige echtpaar Arthur en Lillian Webster. De Websters hadden een melkveebedrijf en leefden volgens een reeks onschendbare oude yankeewaarden. Ze waren spaarzame, bescheiden, gulle, hardwerkende, niet-opdringerig religieuze en sociaal correcte leden van de gemeenschap, die hun drie kinderen tot fatsoenlijke burgers hebben opgevoed. Ze waren ook ontzettend aardig. Meneer Webster noemde me 'krullenbol'; van hem mocht ik urenlang fietsen op hun keurig geplaveide parkeerterrein. Van mevrouw Webster mocht ik soms – als ik heel braaf was – met haar verzameling antieke medicijnflessen spelen.

Een paar jaar geleden overleed mevrouw Webster. Enkele maanden na haar dood ging ik uit eten met meneer Webster, en het gesprek kwam al snel op zijn vrouw. Ik wilde weten hoe ze elkaar hadden ontmoet, hoe ze verliefd op elkaar waren geworden – het hele romantische begin van hun leven samen. Met andere woorden, ik stelde hem dezelfde vragen die ik later aan de Hmongvrouwen in Vietnam zou stellen en ik kreeg hetzelfde soort antwoorden terug, of liever hetzelfde gebrek aan antwoorden. Ik kon uit het geheugen van meneer Webster geen enkele romantische herinnering opdreggen over de begintijd van zijn huwelijk. Hij wist niet eens het precieze moment meer waarop hij Lillian voor het eerst had ontmoet, bekende hij. Hij zag haar soms in de stad, herinnerde hij zich. Het was bepaald geen liefde op het eerste gezicht. Er was geen vonk overgesprongen, geen directe aantrekkingskracht geweest. Hij was nooit verliefd op haar geworden.

'Waarom bent u dan met haar getrouwd?' vroeg ik.

Zoals meneer Webster op zijn openhartige en nuchtere yankeemanier vertelde, was hij getrouwd omdat zijn broer hem had gezegd dat hij moest trouwen. Arthur zou weldra de familieboerderij overnemen en daarom had hij een vrouw nodig. Je kunt geen fatsoenlijk boerenbedrijf runnen zonder vrouw, evenmin als je een fatsoenlijk boerenbedrijf kunt runnen zonder tractor. Het was een weinig sentimentele boodschap, maar de melkveehouderij in New England was ook een weinig sentimenteel gebeuren en Arthur wist dat zijn broer gelijk had. Dus trok de vlijtige, gehoorzame jonge meneer Webster de wereld in en zocht plichtsgetrouw een echtgenote. Als je naar zijn verhaal luisterde, kreeg je het gevoel dat naast Lillian een willekeurig aantal jongedames in aanmerking had kunnen komen voor de titel van 'mevrouw Webster', en indertijd had dat ook niemand veel uitgemaakt. Toevallig koos Arthur het blonde meisje dat bij de volksuniversiteit in de stad werkte. Ze had de juiste leeftijd. Ze was vriendelijk. Ze was gezond. Ze was van onbesproken gedrag. Zij moest het maar worden.

Het huwelijk van de Websters kwam dus duidelijk niet voort uit een persoonlijke, gepassioneerde, allesverzengende liefde, net zomin als dat het geval was bij de Hmonggrootmoeder. Je zou daarom kunnen aannemen dat zo'n verbintenis 'een huwelijk zonder liefde' is. Maar bij dergelijke aannames is voorzichtigheid geboden. Ik weet beter, in elk geval waar het de Websters aangaat.

In haar laatste jaren werd bij mevrouw Webster alzheimer geconstateerd. Bijna tien jaar lang kwijnde deze eens zo sterke vrouw weg op een manier die voor de hele gemeenschap pijnlijk was om aan te zien. Haar man – die pragmatische oude yankeeboer – heeft zijn vrouw tijdens haar hele ziekteproces thuis verzorgd. Hij waste haar, voedde haar, ontzegde zich veel om op haar te kunnen letten en leerde omgaan met de verschrikkelijke consequenties van haar geleidelijke achteruitgang. Hij bleef voor zijn vrouw zorgen toen zij allang niet meer wist wie hij was, zelfs nadat ze allang niet meer wist wie ze zelf was. Iedere zondagochtend trok meneer Webster zijn vrouw mooie kleren aan, zette haar in een rolstoel en bracht haar naar de dienst in de kerk waar ze bijna zestig jaar eerder getrouwd waren. Hij deed dat omdat Lillian daar altijd graag naartoe was gegaan en hij wist dat ze het gebaar zou hebben gewaardeerd als ze zich ervan bewust was geweest. Arthur zat daar zondag na zondag in de bank naast zijn vrouw en hield haar hand vast, terwijl ze langzaam van hem weggleed in het grote vergeten.

En als dat geen liefde is, moet iemand me maar eens heel precies uitleggen wat liefde dan wel is.

Aan de andere kant moet je ook weer niet aannemen dat alle gearrangeerde huwelijken in de geschiedenis, of alle verstandshuwelijken, of alle huwelijken die met een schaking zijn begonnen, altijd eindigden in jaren van tevreden geluk. De Websters hadden tot op zekere hoogte geboft. (Hoewel ze vermoedelijk ook flink gewerkt hebben aan hun huwelijk.) Maar wat meneer Webster en de Hmong mogelijk gemeen hebben, is het idee dat wat twee mensen aan het begin van hun huwelijk voor elkaar voelen lang niet zo belangrijk is als wat ze tegen het eind ervan, na jaren samenleven, voor elkaar voelen. Bovendien zijn ze het er waarschijnlijk over eens dat er niet één speciale persoon is die ergens op deze wereld op jou wacht om je leven op wonderbaarlijke wijze compleet te maken, maar dat er een willekeurig aantal mensen is (vermoedelijk binnen je eigen gemeenschap) met wie je een respectvolle verbintenis kunt aangaan. Daarna kun je jarenlang naast die persoon leven en werken in de hoop dat er geleidelijk aan genegenheid tussen jullie groeit.

Aan het einde van mijn middag bij Mais familie werd me een ongemeen helder inzicht in die gedachte vergund toen ik het kleine oude Hmonggrootmoedertje een laatste vraag stelde, die ze wederom bizar en irrelevant vond.

'Is je man een goede echtgenoot?' vroeg ik.

De oude vrouw moest haar kleindochter diverse keren verzoeken de vraag te herhalen, om er zeker van te zijn dat ze het goed had verstaan: *Is hij een góede echtgenoot?* Toen wierp ze me een bevreemde blik toe, alsof ik had gevraagd:

'Dat gesteente waaruit de bergen hier bestaan, is dat góed gesteente?'

Het beste antwoord dat ze kon verzinnen was dit: haar man was noch een goede echtgenoot noch een slechte. Hij was gewoon een echtgenoot. Hij was zoals echtgenoten zijn. Ze sprak over hem alsof het woord 'echtgenoot' eerder een taakomschrijving inhield, of zelfs een bepaalde soort, dan dat het een in het bijzonder gekoesterd of frustrerend individu vertegenwoordigde. De rol van 'echtgenoot' was eenvoudig en omvatte een reeks plichten die haar man duidelijk naar tevredenheid had vervuld tijdens hun leven samen. Net zoals de echtgenoten van de meeste andere vrouwen, merkte ze op, tenzij je pech had en met een echte klungel opgescheept bleek te zitten. De grootmoeder durfde zelfs te beweren dat het er uiteindelijk niet zo heel veel toe doet met welke man je trouwt. Uitzonderingen daargelaten bestaat er weinig verschil tussen de ene en de andere man.

'Wat bedoel je daarmee?' vroeg ik.

'Alle mannen zijn meestal min of meer hetzelfde, en alle vrouwen ook,' lichtte ze toe. 'Dat weet iedereen.'

De andere Hmongvrouwen knikten instemmend.

Mag ik hier even pas op de plaats maken voor een openhartige en misschien zeer voor de hand liggende bewering?

Het is te laat voor mij om een Hmong te worden.

Goeie genade, het is waarschijnlijk zelfs te laat voor me om een Webster te worden.

Ik kom uit een laattwintigste-eeuws kleinburgerlijk Amerikaans nest. Net als miljoenen andere mensen die in soortgelijke omstandigheden geboren zijn, kreeg ik bij mijn opvoeding ingeprent dat ik bijzonder was. Mijn ouders (die hippies noch radicalen waren en zelfs tweemaal op Ronald Reagan hebben gestemd) waren er zonder meer van overtuigd dat hun kinderen bijzondere gaven en dromen hadden die hen onderscheidden van andermans kinderen. Mijn 'mijn-zijn' werd altijd gekoesterd, en bovendien werd erkend dat dat zijn anders was dan het 'haar-zijn' van mijn zus, het 'hun-zijn' van mijn vriendinnen en het 'ieder-ander-zijn' van ieder ander. Hoewel ik echt niet verwend werd, waren mijn ouders van mening dat mijn persoonlijke geluk van enig belang was en dat ik mijn levensreis zo moest leren vormgeven dat die mijn individuele zoektocht naar tevredenheid zou ondersteunen en weerspiegelen.

Ik moet hieraan toevoegen dat al mijn vriendinnen en verwanten werden opgevoed in verschillende gradaties van diezelfde overtuiging. Met de mogelijke uitzondering van de conservatiefste families, of de nog niet zo lang geleden geïmmigreerde families, had iedereen die ik kende op een basaal niveau dat verworven culturele respect voor het individu. Ongeacht onze godsdienst of sociaaleconomische klasse omarmden we allemaal in meer of mindere mate hetzelfde dogma, dat ik zou classificeren als historisch zeer jong en uitgesproken westers, en dat doeltreffend kan worden samengevat met de woorden: 'Je doet ertoe.'

Ik wil niet suggereren dat de Hmong vinden dat hun kinderen er niet toe doen. Integendeel, ze staan in antropologische kringen bekend om hun extreem liefdevolle familiebanden. Maar dit was duidelijk geen samenleving die bad aan het Altaar van Individuele Keuze. Bij de Hmongfamilie zou, zoals bij de meeste traditionele gemeenschappen, het dogma niet 'Je doet ertoe' luiden, maar 'Je *rol* doet ertoe'. Want, zoals iedereen in dit dorp leek te weten, moeten er plichten worden vervuld in het leven – sommige door mannen en sommige door vrouwen – en iedereen moet een bijdrage leveren naar zijn of haar beste kunnen. Als je je behoorlijk van je taken kwijt, kun je ’s nachts gaan slapen in de wetenschap dat je een goede man of vrouw bent, en veel meer van het leven of van relaties hoef je niet te verwachten.

Mijn ontmoeting met de Hmongvrouwen die dag in Vietnam deed me aan een oud spreekwoord denken: ‘Wie een verwachting zaait, oogst een teleurstelling.’ Mijn vriendin de Hmonggrootmoeder had nooit geleerd te verwachten dat het de taak van haar man was haar zielsgelukkig te maken. Ze had sowieso al nooit geleerd te verwachten dat het haar taak op aarde was zielsgelukkig te worden. Aangezien ze niet met zulke verwachtingen in het huwelijk was getreden, kon ze daarin ook geen desillusie oogsten. Haar huwelijk vervulde zijn rol, verrichte zijn vereiste sociale taak, werd gewoon wat het was en dat was prima.

Ik had daarentegen altijd geleerd dat het najagen van geluk mijn natuurlijke (zelfs *nationale*) geboorterecht was. Het is het emotionele handelsmerk van mijn cultuur om te streven naar geluk. En ook niet zomaar geluk, maar intens geluk, zelfs hemelhoog juichend geluk. En wat brengt een mens meer hemelhoog juichend geluk dan de romantische liefde? Mijn cultuur had mij bijvoorbeeld altijd bijgebracht dat het huwelijk een vruchtbare broeikas hoorde te zijn waarin de romantische liefde welig kan tieren. In de enigszins gammele broeikas van mijn eerste huwelijk had ik dus een en al rijen grootse verwachtingen gezaaid. Ik was een ware kweker van grootse verwachtingen en het enige wat ik voor mijn inspanningen terugkreeg was een berg wrange vruchten.

Je krijgt het idee dat de Hmonggrootmoeder geen flauw benul gehad zou hebben van wat ik bedoelde als ik dat alles had proberen uit te leggen. Ze zou waarschijnlijk hetzelfde hebben gereageerd als de oude vrouw die ik ooit in Zuid-Italië ontmoette, toen ik haar vertelde dat ik mijn man had verlaten omdat ik ongelukkig getrouwd was.

'Wie is er dan *gelukkig*?' vroeg de Italiaanse weduwe achteloos en met een schouderophalen verwees ze het gesprek naar de vuilnisbak.

Hoor eens, ik wil het o zo simpele bestaan van de schilderachtige plattelandsbevolking echt niet romantiseren. Laat gezegd zijn dat ik niet het verlangen koesterde om van leven te ruilen met een van de vrouwen die ik in dat Hmongdorp in Vietnam ontmoette. Alleen al uit tandheelkundige overwegingen wil ik hun leven niet. Het zou bovendien lachwekkend en beledigend zijn als ik zou proberen hun wereldbeeld over te nemen. Sterker nog, de onstuitbare industriële vooruitgang geeft te denken dat de Hmong in de komende jaren waarschijnlijk eerder míjn wereldbeeld zullen aannemen.

Dat proces is trouwens al bezig. Nu jonge meisjes zoals mijn twaalfjarige vriendinnetje Mai in contact komen met moderne westerse vrouwen zoals ik die een toeristisch bezoek aan hun dorp afleggen, ervaren ze de eerste culturele twijfels. Ik noem dat het 'wacht eens even'-fenomeen, dat beslissende moment waarop meisjes van traditionele culturen erover na beginnen te denken wat het hun eigenlijk oplevert om op dertienjarige leeftijd te trouwen en al snel daarna hun eerste kind te krijgen. Ze vragen zich af of ze niet liever een andere keuze voor zichzelf zouden maken, *überhaupt* een keuze voor zichzelf maken. Zodra meisjes in gesloten gemeenschappen er zulke gedachten op na houden, breekt de hel los. Mai – drietalig, slim en opmerkzaam – had al een glimp opgevangen van een ander pakket opties in het leven. Het zou niet lang meer duren voor ze eisen ging stellen. Met andere woorden, het zou zelfs voor de Hmong weleens te laat kunnen zijn om Hmong te blijven.

En dus ben ik niet bereid – en waarschijnlijk niet eens in staat – om mijn individualistische verlangens op te geven, die het geboorterecht van mijn moderniteit zijn. Net als de meeste anderen zal ik, als me eenmaal de alternatieven zijn voorgelegd, altijd gaan voor nog meer keuzes: expressieve keuzes, individualistische keuzes, ondoorgrondelijke en onverdedigbare en soms riskante keuzes... maar wel allemaal van mij. Bij het enorme aantal keuzes dat mij in mijn leven al geboden was – een bijna gênante aaneenschakeling van opties – zou de Hmonggrootmoeder grote ogen hebben opgezet. Ten gevolge van zulke persoonlijke vrijheden is mijn leven van mij en lijkt het op mij in een mate die ook vandaag de dag in de heuvels van Noord-Vietnam ondenkbaar zou zijn. Het is bijna alsof ik tot een geheel nieuwe vrouwensoort behoor (je zou ons *Homo mateloosheid* kunnen noemen). En hoewel wij, dat heerlijke nieuwe ras, over omvangrijke en geweldige, bijna tot aan de hemel reikende mogelijkheden beschikken, is het belangrijk om in te zien dat ons keuzerijke leven zijn geheel eigen problemen kan voortbrengen. We zijn vatbaar voor emotionele onzekerheden en neuroses die waarschijnlijk onder de Hmong weinig voorkomen, maar tegenwoordig gemeengoed zijn bij mijn tijdgenotes in, ik noem maar eens wat, Baltimore.

Het probleem is, simpel gesteld, dat *we niet álles kunnen kiezen*. Dus leven we met het gevaar verlamd te raken door besluiteloosheid, doodsbang dat elke keuze misschien de verkeerde is. (Een vriendin van me trekt al haar beslissingen achteraf zo dwangmatig in twijfel dat volgens haar man haar autobiografie *Ik had de scampi moeten nemen* zal gaan heten.) Even onrustbarend zijn de keren wanneer we wél een keuze maken en later vinden dat we met het nemen van die ene concrete beslissing een ander aspect van ons wezen hebben gedood. Door voor Deur Drie te kiezen vrezen we dat we een ander – maar even cruciaal – deel van onze ziel om zeep hebben geholpen dat alleen zichtbaar gemaakt had kunnen worden door Deur Een of Deur Twee te nemen.

De filosoof Odo Marquard heeft in het Duits een verband ontdekt tussen het woord *zwei* ('twee') en het woord *Zweifel* ('twijfel'), waaruit lijkt te spreken dat twee van *wat dan ook* automatisch onzekerheid met zich meebrengt. Stel je nu een leven voor waarin een mens dagelijks niet twee of drie maar tientallen keuzes geboden worden, dan kun je een beetje begrijpen waarom in de moderne wereld, ondanks al zijn positieve aspecten, neuroses hoogtij vieren. In een wereld met zo'n overvloed aan mogelijkheden vallen velen van ons ten prooi aan besluiteloosheid. Of we ontsporen steeds weer op onze levensreis en maken rechtsomkeert om de deuren te proberen die we eerder hebben genegeerd, wanhopig verlangend om het dit keer goed te hebben. Of we worden obsessieve vergelijkers en meten ons leven voortdurend af aan dat van een ander, ons stiekem afvragend of we eigenlijk niet voor haar pad hadden moeten kiezen.

Obsessief vergelijken leidt uiteraard alleen maar tot ontwrichtende gevallen van wat Nietzsche *Lebensneid* ('levensnijd') noemde: de overtuiging dat iemand anders veel meer geluk heeft gehad dan jij, en dat als jij maar háár lichaam, háár man, háár kinderen, háár baan had, alles gemakkelijk en fantastisch en fijn zou zijn. (Een bevriende therapeute definieert dit probleem als 'de toestand waarin mijn alleenstaande patiënten heimelijk wensen dat ze getrouwd waren en mijn getrouwde patiënten dat ze single waren'). Waar zekerheid zo moeilijk te vinden is, vormen de keuzes van alle anderen een aanklacht tegen de jouwe, en omdat er geen universeel model meer bestaat voor wat je tot een 'goede man' of 'goede vrouw' maakt, moet je tegenwoordig bijna eerst een diploma in emotionele oriëntatie en navigatie halen voor je überhaupt je weg in het leven kunt vinden.

Al die beslissingen en verlangens kunnen een vreemde onrust in ons leven scheppen, alsof de geesten van alle andere, niet door ons gekozen mogelijkheden in een schaduwwereld om ons heen blijven hangen en voortdurend vragen: 'Weet je zeker dat je dit wilde?' En nergens loopt die vraag meer gevaar ons te achtervolgen dan in ons huwelijk, juist omdat het emotionele belang van die intens persoonlijke keuze zo groot is geworden.

Geloof me als ik zeg dat het moderne westerse huwelijk een hoop vóór heeft op het traditionele Hmonghuwelijk (zoals allereerst de afwezigheid van ontvoeringen) en ik herhaal het nog eens: ik zou niet met die vrouwen van leven willen ruilen. Zij zullen nooit dezelfde vrijheid kennen als ik, nooit dezelfde scholing krijgen als ik, nooit dezelfde gezondheid en welvaart genieten als ik, nooit zo veel aspecten van hun eigen aard mogen verkennen als ik. Maar er is een belangrijk geschenk dat bijna iedere traditionele Hmongbruid op haar trouwdag ontvangt en dat maar al te vaak aan de neus van de moderne westerse bruid voorbijgaat, namelijk zekerheid. Als zich maar één pad voor je uitstrekt, kun je ervan op aan dat dat het juiste pad was om te kiezen. En een bruid die noodzakelijkerwijs al is bijgebracht niet te veel geluk te verwachten is waarschijnlijk beter beschermd tegen het risico van zware teleurstellingen later in haar leven.

Toegegeven, tot op de dag van vandaag ben ik er niet helemaal zeker van wat ik met die informatie aanmoet. Ik kan mezelf er niet echt toe brengen om 'Vraag om minder!' tot mijn officiële devies te maken. Evenmin kan ik me voorstellen dat ik een jonge vrouw vlak voor haar huwelijk zou adviseren haar verwachtingen in het leven naar beneden bij te stellen en zo gelukkig te worden. Zo'n manier van denken is in strijd met iedere moderne leer die ik ooit heb bestudeerd. Ook heb ik gezien dat die tactiek een averechtse uitwerking kan hebben. Een oude studievriendin van me had met opzet de opties in haar leven beperkt, alsof ze zichzelf wilde beschermen tegen al te ambitieuze verwachtingen. In plaats van te gaan werken of gehoor te geven aan de verlokkingen van het reizen, verhuisde ze na haar studie terug naar haar oude woonplaats en trouwde met haar jeugdvriendje. Met rotsvast vertrouwen kondigde ze aan dat ze 'alleen maar' een echtgenote en moeder zou worden. De eenvoud van die afspraak gaf haar een veilig gevoel, zeker vergeleken met de stuipen van besluiteloosheid waaraan veel van haar ambitieuzere leeftijdgenoten (zoals ik) leden. Maar ik heb nog nooit iemand gezien die zo kwaad was en zich zo bedrogen voelde als mijn vriendin, toen zij na twaalf jaar door haar man werd verlaten voor een jongere vrouw. Ze implodeerde bijna van wrok, eigenlijk niet jegens haar man maar jegens het universum, dat in haar ogen een heilig contract met haar had verbroken. 'Ik vroeg nog wel zo *weinig*!' zei ze telkens, alsof haar lage eisen haar voor teleurstellingen hadden moeten behoeden. Maar volgens mij had ze het mis: ze had juist heel veel gevraagd. Ze had het gewaagd om geluk te vragen, en ze had het gewaagd te verwachten dat haar huwelijk haar dat zou schenken. Om meer kun je niet vragen.

Misschien zou het goed voor me zijn, aan de vooravond van mijn tweede huwelijk, om tegenover mezelf te erkennen dat ook ik heel veel vraag. Natuurlijk doe ik dat. Het is het zinnebeeld van onze tijd. Ik ben opgevoed om grote dingen te verwachten van het leven. Ik ben in de gelegenheid om veel meer van de liefde en het leven te verwachten dan de meeste andere vrouwen in de geschiedenis ooit hebben mogen doen. Wat intimiteitskwesties betreft wil ik veel dingen van mijn man, en ik wil ze allemaal tegelijk. Het doet me denken aan wat mijn zus vertelde over een Engelse die in de winter van 1919 de Verenigde Staten bezocht en gechoqueerd in een brief aan het thuisfront schreef dat er in dat eigenaardige Amerika mensen waren die leefden met de verwachting dat alle delen van hun lichaam tegelijk warm moesten zijn! Door die middag waarop ik met de Hmong over het huwelijk praatte vroeg ik me af of ik, wat hartsaangelegenheden betreft, ook zo iemand geworden was: een vrouw die vond dat haar geliefde op magische wijze alle delen van haar emotionele wezen tegelijk warm moest houden.

Wij westerlingen zeggen vaak dat het huwelijk 'hard werken' is. Ik weet niet of de Hmong dat denkbeeld zouden begrijpen. Het leven is natuurlijk hard werken, en *werken* is hard werken – ik ben ervan overtuigd dat ze het met die beweringen eens zouden zijn – maar wanneer wordt het huwelijk hard werken? Dat zal ik je vertellen: het huwelijk wordt hard werken als je al je geluksverwachtingen in de handen van één enkele persoon legt. Dat gaande houden is hard werken. Uit een recente enquête onder jonge Amerikaanse vrouwen bleek dat waarnaar vrouwen tegenwoordig – meer dan wat ook – in een echtgenoot op zoek zijn is dat hij hen 'inspireert', wat naar alle maatstaven geen geringe eis is. Ter vergelijking: jonge vrouwen van dezelfde leeftijd die in de jaren twintig van de vorige eeuw werden ondervraagd, kozen eerder een partner op basis van eigenschappen als 'fatsoenlijkheid' of 'eerlijkheid' of van zijn vermogen een gezin te onderhouden. Dat is niet meer genoeg. Nu willen we *geïnspireerd* worden door onze partner! Iedere dag! Zet 'm op, schat!

Maar dat is precies wat ik in het verleden verwachtte van de liefde (inspiratie, opperste gelukzaligheid) en ook waar ik me nu met Felipe weer helemaal opnieuw op instelde, namelijk dat we op de een of andere manier verantwoordelijk moesten zijn voor alle aspecten van elkaars vreugde en geluk. Dat onze taakomschrijving als echtgenoten was om elkaars alles te zijn.

Althans, dat had ik altijd aangenomen.

En ik had daar vrolijk mee door kunnen gaan, ware het niet dat mijn ontmoeting met de Hmong me in één belangrijk opzicht van mijn koers had afgebracht: voor het eerst in mijn leven bedacht ik dat ik misschien te veel vroeg van de liefde. Of in elk geval van de echtelijke staat. Misschien laadde ik een veel zwaardere vracht van verwachtingen op de krakende oude boot van het huwelijk dan waar dat vreemde vaartuig ooit op berekend was.

HOOFDSTUK DRIE

Huwelijk en geschiedenis

De eerste band waarop de samenleving rust
is die van het huwelijk.
CICERO

Wat wordt het huwelijk verondersteld te zijn als het geen leverancier van ultieme gelukzaligheid is?

Die vraag vond ik ongelooflijk lastig te beantwoorden, want het huwelijk wil – in elk geval als historische eenheid – nog weleens ontglippen aan onze pogingen het eenvoudig te definiëren. Het huwelijk wil blijkbaar niet lang genoeg stilzitten om een scherp portret ervan te laten vervaardigen. Het huwelijk verandert. Het wisselt door de eeuwen heen zoals het weer in Ierland omslaat, plotseling, snel. Het is niet eens verantwoord het huwelijk in de meest simpele bewoordingen te omschrijven als een heilig verbond tussen een man en een vrouw. Ten eerste is het huwelijk niet altijd als 'heilig' beschouwd, ook niet binnen de christelijke traditie. En daarnaast is gedurende het grootste deel van de menselijke geschiedenis het huwelijk meestal gezien als een verbintenis tussen een man en *verschillende* vrouwen.

Het huwelijk is echter ook wel als een verbintenis gezien tussen een vrouw en verschillende mannen (zoals nog het geval is in het zuiden van India, waar meerdere broers een bruid kunnen delen). Het is in de loop van de geschiedenis tevens erkend als een verbintenis tussen twee mannen (zoals in het oude Rome, waar een huwelijk tussen mannen van adel ooit wettelijk geoorloofd was); of als een verbintenis tussen broer en zus (zoals in het Europa van de middeleeuwen, om waardevolle eigendommen bijeen te houden); of als een verbintenis tussen twee kinderen (ook weer in Europa – gearrangeerd door ouders om de erfenis te beschermen, of door pausen uit machtspolitieke overwegingen); of als een verbintenis tussen ongeborenen (dito); of als een verbintenis tussen twee mensen uit dezelfde klasse (wederom in Europa, waar middeleeuwse boeren vaak niet boven hun stand mochten trouwen, om de maatschappelijke scheidslijnen helder te houden).

Het huwelijk wordt bij gelegenheid ook als een bewust tijdelijke verbintenis beschouwd. In het huidige revolutionaire Iran kunnen jonge paren naar een moellah gaan voor een *sigheh*, een speciale vergunning waarmee het paar zich een etmaal lang 'getrouwd' mag noemen. Dat bewijs stelt een man en vrouw in staat samen in het openbaar te verschijnen en zelfs legaal met elkaar naar bed te gaan, en schept zo in feite de voorwaarden voor een religieus gesanctioneerde, door het huwelijk beschermde, kortstondige beleving van liefde.

In China was de definitie van het huwelijk eens van toepassing op een heilig verbond tussen een levende vrouw en een dode man. Zo'n vereniging werd een 'geesthuwelijk' genoemd. Een jong meisje uit de hogere klassen werd uitgehuwelijkt aan een dode man uit een goede familie om de band tussen de twee clans te bekrachtigen. Godzijdank kwam er geen contact tussen geraamte en levend vlees aan te pas (je zou het ook een conceptueel huwelijk kunnen noemen), maar het hele idee klinkt toch een beetje luguber in onze moderne oren. Voor sommige Chinese vrouwen was het daarentegen een ideale sociale regeling. In de negentiende eeuw was een verbazingwekkend aantal vrouwen in Shanghai werkzaam in de zijdehandel en een aantal van hen bouwde zeer succesvolle ondernemingen op. In hun streven naar grotere financiële zelfstandigheid sloten deze vrouwen liever een geesthuwelijk dan met een levende man te trouwen. Er bestond geen betere weg naar onafhankelijkheid voor een ambitieuze jonge zakenvrouw dan zich te laten uithuwelijken aan een respectabel lijk; dat gaf haar de status van getrouwde vrouw zonder de beperkingen of ongemakken die aan het echtgenoteschap gekoppeld waren.

Zelfs als het huwelijk als een verbintenis tussen één man en één vrouw werd gedefinieerd, was het doel ervan niet altijd wat we er tegenwoordig bij denken. In de beginperiode van de westerse beschaving trouwden mensen voornamelijk met het oog op fysieke veiligheid. Voordat er georganiseerde staten waren, in de wilde, voorchristelijke dagen van de Vruchtbare Halvemaan, was de familie de fundamentele productie-eenheid van de maatschappij. Je familie voorzag in al je basale welzijnsbehoeften – niet alleen gezelschap en de gelegenheid je voort te planten, maar ook voedsel, onderdak, scholing, geestelijke leiding, medische zorg en misschien wel het belangrijkst van alles: bescherming. Het was een gevaarlijke wereld, daar in de wieg van de beschaving. Als enkeling was je ten dode opgeschreven. Hoe meer familieleden je had, hoe veiliger je was. Mensen trouwden om hun familie uit te breiden. In die tijd was niet je man of vrouw je voornaamste partner, maar de voltallige grootfamilie, die als één partnereenheid fungeerde in de voortdurende strijd om het bestaan (zoals bij de Hmong, zou je kunnen zeggen).

Die grootfamilies groeiden uit tot stammen en die stammen werden rijken en in die rijken kwamen dynastieën op en die dynastieën bevochten elkaar in meedogenloze veroverings- en uitroeiingsoorlogen. De vroege Hebreeërs kwamen voort uit dit systeem; daarom is het Oude Testament zo'n familiegericht, xenofobisch genealogisch curiosum – doorspekt met verhalen over patriarchen, matriarchen, broers, zusters, erfgenamen en allerhande andere verwanten. Uiteraard waren die oudtestamentische families niet altijd even gezond of functioneerden ze even goed (broers vermoorden elkaar of verkopen elkaar als slaaf, dochters verleiden hun vader, echtelieden bedriegen elkaar), maar de rode draad van de vertelling betreft altijd de ontwikkeling en beproevingen van de stamboom, en het huwelijk maakte de voortgang van dat verhaal mogelijk.

Het Nieuwe Testament – dat wil zeggen, de komst van Jezus Christus – wrikte echter aan al die oude familieloyaliteiten, in een mate die maatschappelijk revolutionair te noemen was. In plaats van vast te houden aan de tribale gedachte van 'het uitverkoren volk tegen de wereld' verkondigde Jezus (die ongetrouwd was, in opvallende tegenstelling tot de patriarchale helden uit het Oude Testament) dat we *allemaal* uitverkoren zijn, dat we *allemaal* broeders en zusters zijn binnen één grote mensenfamilie. Dat was een radicaal idee dat nooit voet aan de grond had kunnen krijgen in een traditioneel stammenstelsel. Wie een vreemdeling als zijn broer aanvaardt, verloochent daarmee zijn echte broer en verbreekt een oeroude code die hem in heilige verplichting aan zijn bloedverwanten verbindt en op afstand houdt van de onreine buitenstaander. Maar met zulke vurige trouw aan de clan wilde het christendom nu juist afrekenen. Zoals Jezus sprak: 'Wie mij volgt, maar niet breekt met zijn vader en moeder en vrouw en kinderen en broers en zusters, ja zelfs met zijn eigen leven, kan niet mijn leerling zijn.' (Lucas 14:26)

Dat schiep natuurlijk een probleem. Als je de volledige

structuur van de menselijke familie wilt ontmantelen, waar *vervang* je die dan mee? Het vroegchristelijke plan was ontstellend idealistisch, zelfs ronduit utopisch: schep een exacte replica van de hemel hier op aarde. 'Verwerp het huwelijk en doe de engelen na,' droeg Johannes Damascenus ons rond 730 op, waarmee hij geen onduidelijkheid liet bestaan over het nieuwe christelijke ideaal. En hoe doe je engelen na? Uiteraard door je menselijke driften te onderdrukken. Door je natuurlijke menselijke banden te verbreken. Door je verlangens en loyaliteiten te beteugelen, behalve de wens één te zijn met God. De hemelse engelenscharen kenden tenslotte geen echtparen, geen vaders of moeders, geen voorouderverering, geen bloedbanden, geen bloedwraak, geen hartstocht, geen afgunst, geen lichamen en – bovenal – geen seks.

Dus dat zou het nieuwe menselijke paradigma worden, in navolging van Jezus' voorbeeld: celibaat en broederschap en volkomen zuiverheid.

Die afwijzing van seksualiteit en het huwelijk betekende een grove breuk met het oudtestamentische denken. In de Hebreeuwse samenleving was het huwelijk namelijk altijd beschouwd als de meest deugdzame en waardige van alle sociale overeenkomsten (Joodse priesters móesten zelfs getrouwd zijn), en dat er binnen het huwelijk sprake was van seks werd openlijk erkend. Overspel en ontucht waren natuurlijk strafbare handelingen in de oude Joodse samenleving, maar niemand verbood een echtpaar de liefde met elkaar te bedrijven of ervan te genieten. Seks binnen het huwelijk was geen zonde; seks binnen het huwelijk wás het huwelijk. Door middel van seks werden immers Joodse kindertjes gemaakt, en hoe kun je de stam verder opbouwen zonder meer Joodse kindertjes te maken?

De vroegchristelijke profeten waren echter niet geïnteresseerd in het maken van christenen in biologische zin (als in kinderen die uit de buik komen), maar in het *bekeren* van mensen tot het christendom in intellectuele zin (als in volwassenen die verlost worden door hun keuze). Het christendom was niet iets wat je met je geboorte meekreeg, maar iets waar je als volwassene voor koos, door de genade en het sacrament van de doop. Aangezien er altijd potentiële christenen zouden zijn om te bekeren, hoefde niemand zich te bezoedelen aan vunzige coïtale handelingen om nieuwe kinderen op de wereld te zetten. En als er geen kinderen meer gemaakt hoefden te worden, sprak het vanzelf dat er ook niet meer getrouwd hoefde te worden.

Vergeet ook niet dat het christendom een apocalyptische religie was – aan het begin van zijn geschiedenis nog meer dan nu. De vroege christenen dachten dat het einde der tijden ieder moment kon aanbreken, misschien zelfs morgenmiddag al, dus koesterden ze geen bovenmatige belangstelling voor het stichten van toekomstige dynastieën. In feite bestond de toekomst niet voor hen. Met het onvermijdelijk naderende armageddon had de pasgedoopte christelijke bekeerling maar één doel in het leven: zich voorbereiden op de Apocalyps door zichzelf zo zuiver te maken als menselijkerwijs mogelijk was.

Het huwelijk = echtgenote = seks = zonde = onreinheid.

Derhalve: trouw niet.

Als we het vandaag de dag dus over de 'heilige huwelijkse staat' of de 'heiligheid van het huwelijk' hebben, doen we er goed aan te bedenken dat het christendom zelf een eeuw of tien lang het huwelijk helemaal niet als iets heiligs zag. Het huwelijk werd beslist niet gepresenteerd als de hoogste morele staat. Integendeel, de vroegchristelijke leiders beschouwden het als een enigszins weerzinwekkende, wereldse aangelegenheid die vooral veel te maken had met seks en vrouwen en belastingen en bezittingen, en niets met hogere, goddelijke, zaken.

Dus als vandaag de dag conservatieve gelovigen nostalgisch doen over het huwelijk en zeggen dat het een heilige traditie is die al duizenden jaren onafgebroken bestaat, hebben ze volkomen gelijk, tenminste als ze het over de Joodse traditie hebben. Het christendom deelt die diepe, consequente historische eerbied voor het huwelijk niet. De laatste tijd wel, ja, maar niet in het begin. Gedurende de eerste duizend jaar van de christelijke geschiedenis beschouwde de kerk het monogame huwelijk slechts als een klein beetje minder verdorven dan hoererij, maar dan ook echt maar een heel klein beetje. Hiëronymus ontwierp zelfs een schaal van één tot honderd voor de menselijke heiligheid, waarbij hij maagden een volmaakte score van honderd toekende, verse weduwen en weduwnaars ergens rond de zestig liet uitkomen en getrouwde stellen met dertig punten als verrassend onrein kwalificeerde. Het was een nuttige schaal, maar ook Hiëronymus gaf toe dat er grenzen waren aan dit soort vergelijkingen. Strikt genomen, schreef hij, hoor je maagdelijkheid niet op zo'n manier tegen het huwelijk af te zetten, want je kunt geen 'twee dingen vergelijken waarvan het ene goed is en het andere slecht'.

Steeds als ik een dergelijke uitspraak lees (en de vroegchristelijke geschiedenis staat er vol mee), moet ik denken aan mijn vrienden en familieleden die christen zijn en die – hoewel ze hun best hebben gedaan om een onberispelijk leven te leiden – toch hun huwelijk vaak in een echtscheiding zien eindigen. Ik heb door de jaren heen die goede, ethische mensen verteerd zien worden door schuldgevoelens, ervan overtuigd dat ze het oudste, heiligste christelijke gebod hebben geschonden door hun huwelijksbelofte te breken. Zelf kwam ik ook in die fuik terecht toen ik ging scheiden, en ik ben niet eens in een fundamentalistisch gezin opgegroeid. (Mijn ouders waren hooguit gematigde christenen en niemand van mijn familie heeft me ooit met de vinger nagewezen tijdens mijn scheiding.) Desondanks heb ik toen mijn eigen huwelijk strandde meer nachten wakker gelegen dan me lief was, worstelend met de vraag of God het me ooit zou vergeven dat ik mijn man had verlaten. En nog lang na mijn echtscheiding werd ik achtervolgd door de knagende gedachte dat ik niet alleen gefaald had, maar ook op een bepaalde manier had gezondigd.

Dat schaamtegevoel zit diep en kan niet van de ene op de andere dag worden uitgewist, maar ik moet zeggen dat het in die maanden van hevige zielenpijn misschien best handig was geweest als ik had geweten dat het christendom het huwelijk eeuwenlang zo vijandig heeft bezien. 'Geef je smerige gezinsplichten op!' donderde zelfs in de zestiende eeuw nog een Engelse predikant bij wie het schuim op zijn lippen stond in een aanklacht tegen wat we tegenwoordig 'gezinswaarden' zouden noemen. 'Want happend, grommend en bijtend, liggen daaronder gruwelijke hypocrisie, afgunst, boosaardigheid en verdachtmakingen!'

Of denk aan de apostel Paulus, die in zijn befaamde brief aan de Korinthiërs schreef: 'Het is niet goed dat een man gemeenschap heeft met een vrouw.' Onder geen enkele omstandigheid was het volgens Paulus goed dat een man gemeenschap had met een vrouw, ook niet met zijn eigen vrouw. Als het aan Paulus had gelegen, zoals hij zelf graag toegaf, zouden alle christenen net als hij celibatair zijn. ('Ik zou liever zien dat alle mensen waren zoals ik.') Maar hij was wijs genoeg om te beseffen dat dat nogal veel was om te verwachten. Daarom beperkte hij zich tot een verzoek aan de christenen om zich zoveel mogelijk van echtverbintenissen te onthouden. Hij adviseerde de mensen die niet getrouwd waren met klem om nooit te trouwen en vroeg degenen wier eega was overleden, of die gescheiden waren, niet meer op zoek te gaan naar een nieuwe partner. ('Bent u niet gebonden aan een vrouw, zoek er dan ook geen.') Wanneer hij maar de kans kreeg smeekte Paulus de christenen hun vleselijke lusten te bedwingen, een solitair leven zonder seks te leiden, op aarde zoals het in de hemel is.

'Maar als ze dat niet kunnen opbrengen,' gaf Paulus uiteindelijk toe, 'moeten ze maar trouwen, want het is beter te trouwen dan te branden.'

Misschien is dat wel de meest schoorvoetend gegeven goedkeuring aan het huwelijk in de geschiedenis van de mensheid. Hoewel het me wel herinnert aan iets waar Felipe en ik het onlangs over eens waren, namelijk dat het beter is te trouwen dan gedeporteerd te worden.

Dit betekende natuurlijk niet dat de mensen niet meer trouwden. Met uitzondering van de allervroomsten legden de vroege christenen in groten getale de oproep tot het celibaat naast zich neer, en bleven seks met elkaar hebben en met elkaar trouwen (vaak in die volgorde) zonder begeleiding van een priester. In de eeuwen na Jezus' dood bezegelden overal in de westerse wereld paren hun verbintenis op diverse geïmproviseerde manieren (waarbij Joodse, Griekse, Romeinse en Franco-Germaanse huwelijkstradities werden vermengd) en lieten zich vervolgens in het dorps- of stadsarchief als 'getrouwd' registreren. Soms liep ook onder die paren een huwelijk stuk en werd er bij de verrassend toegeeflijke vroege Europese rechtbanken echtscheiding aangevraagd. (Zo bezaten vrouwen in het tiende-eeuwse Wales uitgebreidere rechten op echtscheiding en familiebezittingen dan vrouwen zeven eeuwen later in het puriteinse Amerika.) Vaak waren zulke stellen alweer met een ander hertrouwd voor er werd geruzied over wie de meubels, de landbouwgrond of de kinderen zou krijgen.

De vorm die het huwelijk inmiddels in de vroege Europese geschiedenis had aangenomen, maakte dat het een puur burgerlijke aangelegenheid werd. Nu de mensen in steden en dorpen woonden en niet meer op de open vlakte strijd voerden om het bestaan, was het huwelijk niet langer nodig als persoonlijke veiligheidsstrategie of als middel om een tribale clan op te bouwen. Het huwelijk werd nu gezien als een zeer efficiënte vorm van vermogensbeheer en sociale ordening, die een bepaalde organiserende structuur vereiste van de gemeenschap.

In een tijd waarin banken, wetten en regeringen nog steeds uitermate instabiel waren, werd het huwelijk de belangrijkste zakelijke overeenkomst in het leven van de meeste mensen. (Je kunt aanvoeren dat het dat nog steeds is. Ook vandaag de dag zijn maar heel weinig mensen in staat je financiële status zo ingrijpend – ten goede of ten kwade – te beïnvloeden als je partner.) In de middeleeuwen was het huwelijk de veiligste en soepelste manier om geld, vee, adellijke titels of bezittingen van de ene generatie aan de andere door te geven. Grote rijke families consolideerden via huwelijken hun vermogen zoals grote multinationals tegenwoordig hun kapitaal consolideren via weldoordachte fusies en overnames. (Destijds waren grote rijke families in feite ook grote multinationals.) Europese kinderen met een adellijke titel of een erfenis werden beschouwd als roerend goed en verhandeld als beleggingen. En heus niet alleen de meisjes, maar ook de jongens. Een zoon uit de hogere kringen was soms al vóór zijn puberteit met wel zeven of acht potentiële echtgenotes verloofd geweest eer de betrokken families en hun advocaten een definitief akkoord bereikten.

Zelfs bij de burgerij wogen financiële overwegingen voor beide seksen zwaar. Het aan de haak slaan van een goede partij was net zoiets als toegelaten worden op een goede universiteit, of een vaste aanstelling krijgen, of een baan bemachtigen op het postkantoor; het verschafte je een bepaalde zekerheid voor de toekomst. Natuurlijk koesterden de mensen ook hun persoonlijke genegenheden en natuurlijk probeerden lieve ouders bevredigende verbintenissen tot stand te brengen voor hun kinderen, maar huwelijken in de middeleeuwen waren vaker wel dan niet openlijk opportunistisch. Neem bijvoorbeeld de grote trouwkoortsgolf die het middeleeuwse Europa overspoelde nadat de Zwarte Dood vijfenzeventig miljoen mensen het leven had gekost. Voor de overlevenden waren er opeens ongekende kansen om hun sociale positie te verbeteren via een echtverbintenis. Tenslotte waren er duizenden nieuwe weduwen en weduwnaars op drift in Europa, die wellicht geen levende erfgenamen meer hadden maar wel een heleboel waardevolle bezittingen om opnieuw te verdelen. Wat volgde was een door honger naar goud ingegeven jacht op huwelijken, een grijpen en graaien van de engste soort. Rechtbankarchieven uit die tijd bevatten verdacht veel gevallen van twintigjarige jongelieden die met oudere vrouwen trouwen. Ze waren niet dom, die knapen. Ze zagen hun kans – of weduwe – en grepen die.

In het licht van deze onsentimentele houding tegenover het huwelijk zal het niemand verbazen dat de Europese christenen in alle beslotenheid trouwden, in hun eigen huis, in hun daagse plunje. De grote romantische bruiloft in het wit die we nu als 'traditioneel' ervaren dateert pas van de negentiende eeuw, toen een jonge koningin Victoria in een donzige witte japon naar het altaar schreed, waarmee ze een trend zette die niet meer is verdwenen. Vóór die tijd echter verschilde de gemiddelde Europese huwelijksdag weinig van de andere dagen van de week. Paren gaven elkaar het jawoord bij een geïmproviseerde plechtigheid die doorgaans niet langer dan enkele ogenblikken duurde. Getuigen van het gebeuren waren van belang zodat er later in de rechtbank geen onenigheid kon ontstaan over de vraag of het paar werkelijk had ingestemd met het huwelijk – een essentiële kwestie als er geld, land of kinderen in het spel waren. Dat er al een rechtbank bij betrokken was, had alleen maar tot doel om een bepaalde mate van sociale ordening te handhaven. Zoals de historica Nancy Cott stelde: 'Het huwelijk schreef plichten voor en verleende privileges,' waarmee de burgers duidelijke rollen en verantwoordelijkheden kregen toebedeeld.

Dat gaat grotendeels nog steeds op in de moderne westerse maatschappij. Ook tegenwoordig zijn je geld, je bezittingen en je nageslacht zo'n beetje de enige dingen waar de wet iets om geeft wat je huwelijk aangaat. Toegegeven, je priester, je rabbi, je buren of je ouders kunnen er andere ideeën op na houden over de echtelijke staat, maar volgens het moderne seculiere recht doet het huwelijk er alleen maar toe omdat daarin twee mensen zijn samengekomen en tijdens de verbintenis iets hebben voortgebracht (kinderen, waardevolle eigendommen, bedrijven, schulden), en dat moet worden beheerd zodat de burgermaatschappij netjes geordend blijft en overheden straks niet zitten opgescheept met de ondankbare taak om in de steek gelaten baby's groot te brengen of bankroete ex-partners te ondersteunen.

Toen ik in 2002 echtscheiding aanvroeg had de rechter geen enkele belangstelling voor mij en mijn toenmalige echtgenoot als morele wezens met gevoelens. Ze bekommerde zich niet om onze emotionele grieven of ons gebroken hart of om heilige beloften die al dan niet gebroken waren. Ze bekommerde zich al helemaal niet om onze ziel. Wel bekommerde ze zich om de eigendomsakte van ons huis en op wiens naam die zou komen te staan. Ze bekommerde zich om onze belastingen. Ze bekommerde zich om het halve jaar dat we nog aan onze leaseauto vastzaten en wie er zou opdraaien voor de maandelijkse betaling. Ze bekommerde zich om wie de rechten had op de royalty's van mijn toekomstige boeken. Als we samen kinderen hadden gehad (wat godzijdank niet zo was) had de rechter zich ook hevig bekommerd om wie er hun scholing en medische zorg en huisvesting en opvang zou bekostigen. Zo hield ze – uit hoofde van de bevoegdheid die haar door de staat New York was toegekend – ons kleine hoekje van de burgermaatschappij netjes en geordend. Daarmee greep die rechter anno 2002 terug op de middeleeuwse opvatting dat het huwelijk een burgerlijke/seculiere en geen religieuze/morele aangelegenheid is. Haar oordeel zou geen bevreemding hebben gewekt in een tiende-eeuwse Europese rechtszaal.

Voor mij was het opvallendste kenmerk van die vroege Europese huwelijken (en echtscheidingen, voeg ik er meteen aan toe) juist hun *losheid*. De mensen trouwden om financiële en persoonlijke redenen, maar ze scheidden ook om financiële en persoonlijke redenen, en dat gebeurde redelijk eenvoudig, vergeleken bij wat er spoedig zou volgen. De toenmalige burgermaatschappij leek te begrijpen dat het menselijk hart vele beloften kan doen, maar dat de menselijke geest kan veranderen. En dat zakelijke overeenkomsten ook kunnen veranderen. In het middeleeuwse Duitsland hadden de rechtbanken zelfs twee soorten huwelijksverbintenis ingesteld: de *Muntehe*, een contract dat je voor het leven met elkaar verbond, en de *Friedelehe*, een door twee volwassenen gesloten verbintenis waarin bruidsschat of erfenisrecht geen rol speelde en die te allen tijde door een van de partijen kon worden ontbonden – een 'huwelijk-light', zeg maar.

Tegen de dertiende eeuw zou er echter aan die losheid een einde komen, toen de kerk weer, of beter gezegd, voor het eerst bij het huwelijk betrokken raakte. De utopische dromen van het vroege christendom waren allang voorbij. De kerkvaders waren geen monnikachtige geleerden meer die de aarde wilden herscheppen naar het voorbeeld van de hemel, maar machtige politieke figuren, die controle wilden uitoefenen op hun groeiende rijk. Een van de grootste bestuurlijke uitdagingen voor de kerk was nu het manipuleren van de Europese koningshuizen, die met hun huwelijken en echtscheidingen vaak politieke verbonden bezegelden en verbraken waarmee de pausen niet altijd even blij waren.

In het jaar 1215 trok de kerk het huwelijk voorgoed naar zich toe met de uitvaardiging van strenge nieuwe edicten over wat vanaf nu als een wettige echtverbintenis gold. Vóór 1215 werd een door twee volwassenen uit vrije wil uitgesproken belofte als voldoende bindend beschouwd voor de wet, maar de kerk vond dat nu onaanvaardbaar. Het nieuwe dogma luidde: 'We verbieden pertinent clandestiene huwelijken.' (Lees: *We verbieden pertinent ieder huwelijk dat achter onze rug om gesloten wordt.*) Iedere prins of aristocraat die het voortaan waagde tegen de wens van de kerk in te trouwen liep het risico geëxcommuniceerd te worden, en die restrictie sijpelde door naar de burgerij. Om de teugels nog strakker aan te trekken verbood paus Innocentius III echtscheiding onder welke omstandigheden dan ook, behalve wanneer er sprake was van een door de kerk gesanctioneerde nietigverklaring, een instrument dat vaak werd ingezet om een rijk uit te breiden of te verwoesten.

Het huwelijk, ooit een seculier instituut bewaakt door families en civiele rechtbanken, groeide nu uit tot een strikt religieuze aangelegenheid, bewaakt door celibataire priesters. Het nieuwe kerkelijke verbod op echtscheiding maakte van het huwelijk bovendien iets waar je je leven lang aan vastzat, iets wat het voorheen nooit echt was geweest, zelfs niet in de oude Hebreeuwse samenleving. Tot de zestiende eeuw bleef echtscheiding onwettig in Europa, waarna Hendrik VIII het gebruik in grootse stijl herintroduceerde. Maar een paar eeuwen lang was het ongelukkige echtparen in Engeland niet meer toegestaan hun huwelijk te ontbinden als het misliep tussen hen. Voor paren uit landen die na de protestantse Reformatie katholiek bleven, duurde dat verbod nog veel langer.

Die restrictie maakte het leven overigens een stuk moeilijker voor vrouwen dan voor mannen. Mannen mochten tenminste nog liefde of seks buiten het huwelijk zoeken, maar vrouwen hadden zo'n sociaal geaccepteerde uitlaatklep niet. Met name vrouwen van stand zaten aan hun huwelijksbelofte vastgeketend en moesten het doen met wie of wat hun ook opgedrongen werd. (Boeren hadden iets meer mogelijkheden om een partner te kiezen of te verlaten, maar in hogere kringen – waar zo veel rijkdom op het spel stond – kende men die vrijheid domweg niet.) Het gebeurde geregeld dat een meisje uit een voorname familie halverwege haar tienerjaren naar een land werd gestuurd waarvan ze misschien niet eens de taal sprak, om de rest van haar leven weg te kwijnen op het landgoed van een echtgenoot die ze niet zelf had uitgezocht. Een Engels meisje schreef aan de vooravond van haar gearrangeerde huwelijk somber over de 'dagelijkse voorbereidingen op mijn reis naar de hel'.

Om hun greep op het beheer en behoud van vermogens te verstevigen handhaafden rechtbanken in heel Europa nu nadrukkelijk de regel van handelingsonbekwaamheid van de vrouw: het idee dat haar individuele bestaan in de maatschappij wordt uitgewist zodra ze trouwt. De vrouw komt in feite 'onder curatele' van haar man te staan, waarbij ze haar wettelijke rechten kwijtraakt en haar persoonlijke bezittingen in zijn handen ziet overgaan. In Engeland werd hiervoor de term *coverture* gehanteerd, een van oorsprong Frans rechtsbegrip dat zich moeiteloos over Europa verspreidde en al snel diep verankerd raakte in het Engelse gewoonterecht. Nog in de negentiende eeuw verdedigde de Britse rechter lord William Blackstone de essentie van *coverture* in zijn vonnissen, aangezien volgens hem een getrouwde vrouw niet als wettige eenheid bestond. 'Het wezen van de vrouw,' schreef Blackstone, 'wordt opgeschort tijdens het huwelijk.' Om die reden, oordeelde Blackstone, kan een man, ook al zou hij dat willen, geen eigendommen delen met zijn vrouw, zelfs niet als die eigendommen eerst aan haar toebehoorden. Een man kan zijn vrouw *niets* schenken, want dat zou veronderstellen dat zij 'afzonderlijk van hem' bestond, en dat was natuurlijk onmogelijk.

Bij dit systeem was dus niet zozeer sprake van een vermenging van twee individuen, als wel van een griezelige, bijna voodooachtige 'verdubbeling' van de man, waarin zijn macht tweemaal zo groot werd en die van zijn vrouw compleet verdampte. In combinatie met het strikte, nieuwe anti-echtscheidingsbeleid van de kerk was het huwelijk tegen de dertiende eeuw een instituut geworden dat zijn vrouwelijke slachtoffers levend begroef en hen vervolgens vernietigde, met name in de hogere kringen. Je kunt je amper voorstellen hoe eenzaam die vrouwen zich moeten hebben gevoeld nadat ze als mens zo grondig waren uitgevaagd. Hoe vulden ze in godsnaam hun dagen? In de loop van hun verlammende huwelijk, schreef Balzac over zulke onfortuinlijke dames, 'slaat de verveling toe en geven ze zich over aan het geloof, of katten, of schoothondjes, of een andere manie waaraan alleen God aanstoot kan nemen'.

Als er trouwens één woord is dat al mijn diepgewortelde angsten over het instituut van het huwelijk naar boven haalt, is het wel 'handelingsonbekwaamheid'. Het is precies waar de danseres Isadora Duncan het over had toen ze schreef dat 'iedere intelligente vrouw die haar huwelijkscontract doorleest en er toch haar handtekening onder zet alle consequenties ervan verdient'.

Mijn aversie is niet helemaal irrationeel. Het begrip handelingsonbekwaamheid is veel te lang blijven doorsudderen in de westerse beschaving, zich vastklampend aan het leven in de marges van stoffige oude wetboeken, altijd gekoppeld aan conservatieve ideeën over de rol van de echtgenote. Zo was het in Connecticut getrouwde vrouwen – onder wie mijn eigen moeder – pas in 1975 wettig toegestaan zonder schriftelijke toestemming van hun man een lening af te sluiten of een bankrekening te openen. En tot 1984 was in de staat New York nog de gruwelijke *marital rape exemption* van kracht, die de man tegen vervolging beschermde als hij zijn vrouw had verkracht, ongeacht hoeveel geweld of dwang hij daarbij had gebruikt, omdat haar lichaam aan hem toebehoorde, omdat ze in feite hem wás.

Er is één specifiek voorbeeld van de handelingsonbekwaamheidgedachte dat me – gezien mijn omstandigheden

– het meest raakt. Ik mocht namelijk van geluk spreken dat als de Amerikaanse regering me met Felipe liet trouwen, ik niet automatisch mijn nationaliteit hoefde op te geven. In 1907 nam het Amerikaanse Congres een wet aan waarin stond dat een vrouw van Amerikaanse geboorte die met een buitenlander trouwde haar staatsburgerschap moest opgeven en de nationaliteit van haar man aannemen, of ze dat nu wilde of niet. Hoewel de rechtbanken toegaven dat dit geen pretje was, hielden ze jarenlang vol dat het niet anders kon. Zoals het hooggerechtshof in deze zaak oordeelde: als je een Amerikaanse vrouw toestond haar eigen nationaliteit te behouden wanneer ze met een buitenlander trouwde, stelde je in wezen haar staatsburgerschap boven dat van haar man. Dat wekte de suggestie dat de vrouw iets bezat wat haar – *al was het maar in één klein opzicht* – superieur maakte aan haar man, en dat was natuurlijk schandalig, zoals een Amerikaanse rechter verklaarde, aangezien dat 'het oeroude principe' van het huwelijkscontract ondermijnde, dat eruit bestond 'dat hun identiteit [van man en vrouw] fuseerde en de man in de dominante positie werd geplaatst'. (Strikt genomen is dat geen fusie maar een vijandige overname, maar de strekking is duidelijk.)

Het omgekeerde gold overigens niet. Als een man van Amerikaanse geboorte met een buitenlandse trouwde, behield hij gewoon zijn staatsburgerschap en kreeg zijn bruid (die tenslotte onder zijn 'curatele' kwam te staan) zonder meer toestemming zelf Amerikaans staatsburger te worden. Zolang ze tenminste aan de officiële naturalisatie-eisen voor echtgenotes van buitenlandse afkomst voldeed. (Oftewel, zolang ze geen negerin, mulattin, lid van 'het Maleise ras' of enig ander schepsel was dat de Verenigde Staten van Amerika liever buiten de deur hielden.)

Dat brengt ons bij een ander aspect van het huwelijk dat

ik verontrustend vind: het racisme dat door het hele huwelijksrecht heen schemert, óók in de recente Amerikaanse geschiedenis. Een van de meer sinistere figuren in de Amerikaanse huwelijkskroniek was Paul Popenoe, een avocadoboer uit Californië die in de jaren dertig van de vorige eeuw in Los Angeles 'The Human Betterment Foundation' stichtte, een kliniek voor rasveredeling. Geïnspireerd door zijn pogingen betere avocado's te kweken, wijdde hij zich in zijn kliniek aan het kweken van betere (lees: blankere) Amerikanen. Het zat Popenoe dwars dat blanke vrouwen – die recentelijk waren gaan studeren en daardoor het huwelijk voor zich uit schoven – niet alleen niet snel genoeg maar ook te weinig kinderen kregen, terwijl iedereen met een verkeerde huidskleur zich schrikbarend vermenigvuldigde. Hij maakte zich ook grote zorgen over 'minderwaardige personen' die trouwden en kinderen kregen, en de allereerste doelstelling van zijn kliniek was dan ook die vrouwen te steriliseren die Popenoe niet geschikt achtte om zich voort te planten. Als het voorgaande je griezelig bekend in de oren klinkt, is dat omdat de nazi's zeer onder de indruk waren van Popenoe's werk, waarnaar ze vaak verwezen in hun geschriften. Ze gingen zelfs met zijn ideeën op de loop. Duitsland steriliseerde uiteindelijk meer dan vierhonderdduizend mensen terwijl de diverse Amerikaanse staten die Popenoe's programma's overnamen niet verder kwamen dan rond de zestigduizend.

Het is ook beklemmend te ontdekken dat Popenoe in zijn kliniek het allereerste centrum voor huwelijksadvies van Amerika opzette. Het doel van dat centrum was 'geschikte' stellen (blanke, protestantse paren van Noord-Europese afkomst) aan te moedigen om te trouwen en kinderen te krijgen. Nog huiveringwekkender is het dat Popenoe, de vader van de Amerikaanse eugenetica, eveneens de befaamde rubriek 'Kan dit huwelijk worden gered?' in de *Ladies' Home Journal* lanceerde. In deze adviesrubriek streefde hij hetzelfde doel na als in zijn centrum: al die blanke Amerikaanse stellen bij elkaar houden zodat ze meer blank Amerikaans kroost konden produceren.

Rassendiscriminatie is altijd al van invloed geweest op het huwelijk in Amerika. Het zal niemand verbazen dat de slaven in het Zuiden van voor de Amerikaanse Burgeroorlog niet mochten trouwen. De reden die hiervoor werd aangevoerd luidde simpelweg: *Omdat dat niet kan.* In de westerse maatschappij wordt het huwelijk verondersteld een contract te zijn op basis van wederzijds goedvinden en een slaaf heeft per definitie niets goed te vinden. De meester heeft zeggenschap over al zijn handelingen en daardoor kan een slaaf niet uit eigen wil een contract aangaan met een ander mens. Een slaaf toestaan om in het huwelijk te treden zou betekenen dat hij één belofte zelf mag doen, en dat is duidelijk onmogelijk. Dus konden slaven niet trouwen. Een fraai stukje redeneerkunst. Dankzij deze logica (en de wrede maatregelen waarmee het beleid werd afgedwongen) is het instituut van het huwelijk de Afro-Amerikaanse gemeenschap generaties lang onthouden gebleven – een verwerpelijke erfenis die onze samenleving tot op de dag van vandaag achtervolgt.

Dan is er nog de kwestie van het interraciale huwelijk, dat lang illegaal is geweest in de Verenigde Staten. Gedurende het grootste deel van de Amerikaanse geschiedenis riskeerde je celstraf of erger, als je verliefd werd op iemand met de verkeerde huidskleur. Dat veranderde in 1967 door de zaak van een Virginiaans echtpaar met de tot de verbeelding sprekende naam Loving. Richard Loving was blank en zijn vrouw Mildred – die hij al sinds zijn zeventiende aanbad – zwart. Toen ze in 1958 besloten te trouwen waren interraciale verbintenissen nog verboden in het Gemenebest van Virginia, evenals in vijftien andere Amerikaanse staten. Dus gaf het jonge stel elkaar het jawoord in Washington DC. Maar na hun huwelijksreis werden ze thuis vrijwel meteen gearresteerd door de plaatselijke politie, die midden in de nacht de slaapkamer van de Lovings binnen drong en hen meenam. (De agenten hadden gehoopt het echtpaar vrijend aan te treffen zodat ze hen ook nog konden beschuldigen van interraciale geslachtsgemeenschap, maar helaas, de Lovings lagen te slapen.) Toch waren ze door hun huwelijk al schuldig genoeg om in een politiecel te worden opgesloten. Richard en Mildred dienden bij de rechtbank een verzoekschrift in om hun in het District of Columbia voltrokken echtverbintenis in stand te mogen houden, maar een Virginiaanse rechter vernietigde het huwelijkscontract, waarbij hij zijn uitspraak toelichtte met de observatie dat 'de almachtige God het blanke, zwarte, gele, Maleise en rode ras heeft geschapen en hen op aparte continenten neergezet. Uit het feit dat Hij de rassen scheidde blijkt dat Hij niet wilde dat ze zich zouden vermengen.'

Fijn om te weten.

De Lovings verhuisden naar Washington DC in de wetenschap dat ze de gevangenis in zouden gaan zodra ze zich weer in Virginia lieten zien. Hun verhaal had daar kunnen eindigen, als Mildred niet in 1963 een brief had geschreven aan de National Association for the Advancement of Colored People, waarin ze de burgerrechtenbeweging vroeg of die het echtpaar kon helpen naar Virginia terug te keren, al was het maar voor een kort bezoek. 'We weten dat we daar niet kunnen wonen,' schreef mevrouw Loving met hartverscheurende nederigheid, 'maar we zouden zo graag af en toe eens bij onze familie en vrienden langsgaan.'

Enkele burgerrechtenadvocaten van de American Civil Liberties Union namen de zaak op zich, die uiteindelijk in 1967 in behandeling werd genomen door het Amerikaanse hooggerechtshof. Na het verhaal te hebben onderzocht, lieten de rechters van dit hof eensgezind weten zich niet te kunnen vinden in het idee dat het moderne burgerrecht gebaseerd dient te zijn op de bijbelse exegese. (Het strekt de rooms-katholieke kerk tot eer dat deze een paar maanden daarvoor in een openbare verklaring haar onvoorwaardelijke steun had uitgesproken voor het interraciale huwelijk.) Het hooggerechtshof bezegelde unaniem de wettigheid van Richards en Mildreds verbintenis met de volgende klinkende woorden: 'De vrijheid om te trouwen wordt sinds jaar en dag erkend als een van de persoonlijke rechten die essentieel zijn in het vreedzame streven naar geluk door vrije mensen.'

In die tijd, dat moet ik er wel bij zeggen, was volgens een opiniepeiling zeventig procent van de Amerikanen het zeer oneens met dit oordeel. Laat me dat herhalen: in de recente Amerikaanse geschiedenis vonden zeven van de tien Amerikanen dat een huwelijk tussen mensen van verschillend ras als misdadig moest worden opgevat. Maar in deze zaak liepen de rechtbanken moreel op het grote publiek vooruit. De laatste rassenbarrières werden uit de canon van het Amerikaanse huwelijksrecht geschrapt en het leven ging door en iedereen raakte gewend aan de nieuwe realiteit en het instituut van het huwelijk stortte niet in omdat de grenzen ervan een klein beetje waren opgerekt. En hoewel er misschien nog steeds mensen zijn die gruwen van het idee van rassenvermenging, moet je toch wel een extreem marginale racistische gek zijn als je tegenwoordig nog serieus in het openbaar durft te verkondigen dat twee volwassenen met verschillende etnische achtergronden uitgesloten moeten worden van een wettig huwelijk. Geen enkele politicus in dit land zal ooit nog voor een hoog ambt worden gekozen als hij zoiets verderfelijks in zijn verkiezingsprogramma heeft staan.

Met andere woorden, we zijn weer wat verder gekomen.

⁂

Je weet al waar ik heen wil, hè?

Of liever gezegd, je weet al waar *de geschiedenis* heen wil?

Ik bedoel: je zult toch niet verbaasd zijn als ik even de tijd neem om het over het homohuwelijk te hebben? Ik ben me er terdege van bewust dat dit onderwerp zeer gevoelig ligt bij sommige mensen. Het oud-congreslid James M. Talent van Missouri sprak ongetwijfeld voor velen toen hij in 1996 de woorden uitte: 'Het is aanmatigend te denken dat het huwelijk oneindig kneedbaar is, dat je erin kunt knijpen en het kunt uitrekken als Silly Putty zonder zijn essentiële stabiliteit en zijn betekenis voor onze maatschappij te vernietigen.'

Het probleem met die redenering is dat als er íets is wat het huwelijk historisch en semantisch kenmerkt, dat wel verandering is. Het huwelijk in de westerse wereld heeft zich door de eeuwen heen altijd aangepast aan nieuwe maatschappelijke normen en rechtvaardigheidsideeën. De Silly Puttyachtige kneedbaarheid van het instituut is zelfs de enige reden dat er nog wordt getrouwd. Maar heel weinig mensen – onder wie, durf ik te wedden, meneer Talent zelf – zouden het huwelijk accepteren op zijn dertiende-eeuwse voorwaarden. Met andere woorden, juist omdat het zich ontwikkelt bestaat het huwelijk nog steeds. (Hoewel dat geen erg overtuigend argument zal zijn voor iedereen die ook niet in de evolutie gelooft.)

Om de kaarten maar direct op tafel te leggen, wil ik duidelijk maken dat ik een voorstander ben van het homohuwelijk. Natuurlijk ben ik dat, zo zit ik nou eenmaal in elkaar. De reden dat ik dit ter sprake breng, is dat het me enorm irriteert om te weten dat ik, met mijn huwelijk, toegang heb tot belangrijke sociale privileges die een groot aantal van mijn vrienden en medebelastingbetalers ontzegd blijven.

Het irriteert me nog meer om te weten dat als Felipe en ik toevallig van hetzelfde geslacht waren geweest we écht in de nesten hadden gezeten na het incident op het Dallas/Fort Worth Airport. Het ministerie van Binnenlandse Veiligheid zou na één blik op onze relatie mijn partner het land uit hebben gegooid en hem nooit meer hebben binnengelaten, zonder hoop op amnestie door middel van een huwelijk met mij. Het is me dus puur vanwege mijn heteroseksuele geaardheid toegestaan Felipe aan een Amerikaans paspoort te helpen. In dat opzicht heeft mijn aanstaande huwelijk wel wat weg van een lidmaatschap van een exclusieve golfclub – een manier om me waardevolle voorzieningen aan te bieden die mijn even achtenswaardige buren worden onthouden. Dat soort discriminatie zal me nooit lekker zitten en draagt alleen maar bij aan het natuurlijke wantrouwen dat ik al jegens het instituut koester.

Niettemin aarzel ik om dieper in te gaan op dit specifieke maatschappelijke debat, al was het alleen maar omdat het homohuwelijk in de Verenigde Staten zo'n heet hangijzer is dat je er eigenlijk nog geen boeken over kunt publiceren. Twee weken voor ik aan mijn bureau ging zitten om deze paragraaf te schrijven werd het homohuwelijk gelegaliseerd in de staat Connecticut. Een week daarna werd het illegaal verklaard in de staat Californië. Toen ik de paragraaf een paar maanden later redigeerde was de hel losgebroken in Iowa en Vermont. Niet lang daarna werd New Hampshire de zesde Amerikaanse staat die het homohuwelijk wettelijk bekrachtigde, en ik heb zo onderhand het idee dat wat ik vandaag ook over de homohuwelijkdiscussie in Amerika verklaar volgende week dinsdag hoogstwaarschijnlijk alweer achterhaald is.

Wat ik er wel over kan zeggen is dat het gelegaliseerde homohuwelijk zijn weg zal vinden naar heel Amerika. Dat is grotendeels te danken aan het feit dat het níet-gelegaliseerde homohuwelijk er al is. Homoparen wonen tegenwoordig al openlijk samen, of hun relatie nu gesanctioneerd is door de staat waarin ze wonen of niet. Homoparen richten samen een leven in, voeden samen kinderen op, betalen samen belasting, leiden samen bedrijven, bouwen samen vermogen op en scheiden zelfs van elkaar. Al die reeds bestaande relaties en sociale verantwoordelijkheden moeten gereguleerd worden door de wet opdat er geen zand in de raderen van de burgermaatschappij komt. (Daarom zullen, om de werkelijke demografie van het land helder in kaart te brengen, bij de volkstelling van 2010 homoparen voor het eerst meetellen in de categorie 'getrouwd'.) De federale rechtbanken zullen er uiteindelijk genoeg van krijgen, net als bij het interraciale huwelijk, en besluiten dat het veel makkelijker is alle volwassenen toegang tot het huwelijk te geven dan de kwestie staat voor staat, amendement voor amendement, magistraat voor magistraat, persoonlijk vooroordeel voor persoonlijk vooroordeel te regelen.

Natuurlijk kunnen ethisch-conservatieven van oordeel blijven dat het homohuwelijk verkeerd is omdat de echtelijke staat tot doel heeft kinderen voort te brengen, maar er wordt voortdurend getrouwd door onvruchtbare, kinderloze en postmenopauzale heteroseksuele paren en daar hoor je niemand tegen protesteren. (Zo zijn bijvoorbeeld de aartsconservatieve politiek commentator Pat Buchanan en zijn vrouw kinderloos, en toch stelt niemand voor hun huwelijksprivileges in te trekken omdat ze zich niet hebben weten voort te planten.) En wat de gedachte betreft dat het homohuwelijk de samenleving zal corrumperen: niemand heeft dat ooit in een rechtszaal kunnen bewijzen. Integendeel, honderden wetenschappelijke en maatschappelijke organisaties – van de American Academy of Family

Physicians en de American Psychological Association tot de Child Welfare League of America – hebben publiekelijk hun steun uitgesproken voor zowel het homohuwelijk als adoptie door homoparen.

Maar het homohuwelijk zal bovenal zijn weg vinden naar alle staten van Amerika omdat de echtvereniging er een seculiere aangelegenheid is, geen religieuze. Tegen het homohuwelijk ingebrachte bezwaren zijn bijna altijd bijbels geïnspireerd, maar in Amerika zijn trouwbeloften niet afhankelijk van de interpretatie van een of andere bijbeltekst, in elk geval niet meer sinds het hooggerechtshof het opnam voor Richard en Mildred Loving. Een kerkelijke inzegening is leuk, maar geen vereiste voor een wettig huwelijk en kan daar evenmin voor in de plaats komen. Wat je huwelijk wettig maakt is de ondertekening door jou en je verloofde van het spreekwoordelijke boterbriefje waarmee de verbintenis door de staat wordt erkend. De morele kant van je huwelijk mag een zaak tussen jou en God zijn, maar het is dat burgerlijke en seculiere document dat je huwelijksbelofte op aarde bekrachtigt. Het is dus aan Amerika's rechtbanken, en niet aan Amerika's kerken, om de regels van de huwelijkswetgeving te bepalen en in die rechtbanken zal er uiteindelijk over het homohuwelijk worden beslist.

Eerlijk gezegd vind ik het ook nogal krankzinnig dat ethisch-conservatieven hier zo vurig tegen strijden, aangezien het juist goed is voor de maatschappij als er zo veel mogelijk gezinnen onder de paraplu van het echtelijk verband leven. En ik zeg dit – daar mogen we het zo onderhand wel over eens zijn – als iemand die toegeeft het huwelijk te wantrouwen. Toch is het waar. Omdat het huwelijk seksuele promiscuïteit aan banden legt en mensen aan hun maatschappelijke verplichtingen ketent, is het een essentiele bouwsteen van iedere ordelijke gemeenschap. Ik ben er niet van overtuigd dat het huwelijk altijd even aangenaam is voor iedereen *binnen* de relatie, maar dat is weer een heel andere kwestie. Het valt niet te betwisten – zelfs niet in mijn rebelse geest – dat het huwelijk in het algemeen de grotere maatschappelijke orde bestendigt en vaak bijzonder heilzaam is voor kinderen.*

Als ik zo'n ethisch-conservatief was – dat wil zeggen, als ik iemand was die grote waarde hechtte aan maatschappelijke stabiliteit, economische welvaart en seksuele monogamie – zou ik dus willen dat zo veel mogelijk homoparen trouwden. Ik zou willen dat zo veel mogelijk van wat voor soort paren ook trouwden. Ik weet dat conservatieven bang zijn dat homoseksuelen het instituut van het huwelijk zullen aantasten en vernietigen, maar misschien moeten ze nadenken over de mogelijkheid dat homoparen op dit moment in de geschiedenis klaarstaan om het huwelijk te *redden*. Ga maar na. Het huwelijk is in de hele westerse wereld op z'n retour. Mensen trouwen steeds later, als ze al trouwen, krijgen al dan niet gewild kinderen buiten het huwelijk om, of kijken (zoals ik) met ambivalente of zelfs vijandige gevoelens te-

* Mag ik even? Dit is zo'n belangrijk en gecompliceerd punt dat het de enige voetnoot in dit hele boek rechtvaardigt. Als sociologen zeggen dat 'het huwelijk uitermate heilzaam is voor kinderen', bedoelen ze eigenlijk dat *stabiliteit* uitermate heilzaam voor kinderen is. Het is afdoende bewezen dat kinderen gedijen in een omgeving waarin ze niet voortdurend worden blootgesteld aan verwarrende emotionele veranderingen, zoals een eindeloze opeenvolging van nieuwe liefdes van papa of mama die het huis binnen komen en weer vertrekken. Het huwelijk neigt ertoe gezinnen te stabiliseren en aardverschuivingen in een kinderleven te voorkomen, maar doet dat niet per definitie. Tegenwoordig heeft een kind van een ongetrouwd paar in Zweden (waar het huwelijk steeds meer uit de mode raakt maar waar gezinsbanden heel solide zijn) een grotere kans bij dezelfde ouders op te groeien dan een kind van een getrouwd paar in Amerika (waar het huwelijk nog steeds de norm is maar het echtscheidingspercentage de pan uit rijst). Kinderen hebben continuïteit en vertrouwdheid nodig. Het huwelijk bevordert de stevigheid van de gezinsband, maar kan die niet garanderen. Ongetrouwde paren en alleenstaande ouders en zelfs grootouders zijn in staat een kalme en stabiele omgeving te creëren waarin kinderen kunnen gedijen buiten de structuur van het huwelijk om. Dit moest me van het hart. Sorry voor de onderbreking en bedankt.

gen het hele instituut aan. We vertrouwen het huwelijk niet meer, wij hetero's. We snappen het niet. We zijn er bepaald niet van overtuigd dat we het nodig hebben. Voor ons idee kunnen we er net zo makkelijk ja als nee tegen zeggen. En dat maakt het arme oude huwelijk een speelbal in de koude wind van de moderne tijd.

Maar net wanneer het ernaar uitziet dat de dagen van het huwelijk geteld zijn, net wanneer het huwelijk op het punt staat evolutionair even nutteloos te worden als kleine tenen en wormvormige aanhangsels, net wanneer het erop lijkt dat het instituut langzaam in de obscuriteit zal verdwijnen wegens een algemeen gebrek aan interesse, komen daar de homoparen en vragen of ze mogen trouwen! Sterker nog, ze smeken of ze mogen trouwen! Sterker nog, ze vechten om toegelaten te worden tot een gebruik dat misschien uitermate nuttig is voor de maatschappij als geheel, maar dat velen zoals ik slechts als verstikkend, ouderwets en betekenisloos ervaren.

Het lijkt misschien ironisch dat homoseksuelen – die in de loop der eeuwen hun onconventionele leven in de marge van de samenleving tot een kunstvorm hebben verheven – nu zo vreselijk graag deel willen uitmaken van de gevestigde traditie. Zeker niet iedereen begrijpt die drang om te assimileren, zelfs niet binnen de homogemeenschap. De filmmaker John Waters zei bijvoorbeeld dat hij altijd had gedacht dat de enige voordelen van zijn homoseksualiteit waren dat hij vrijgesteld was van de militaire dienst en niet hoefde te trouwen. Maar toch willen veel homoparen niets liever dan zich bij de maatschappij aansluiten als volledig geïntegreerde, sociaal verantwoordelijke, gezinsgerichte, belastingbetalende, de jeugdsportclub coachende, hun land dienende, keurig getrouwde burgers. Dus waarom zou je ze niet verwelkomen? Waarom zou je ze niet met bussen tegelijk rekruteren en ze de heldenrol laten spelen door het kwijnende, gehavende instituut van het huwelijk te beschermen tegen apathische, heteroseksuele klaplopers zoals ik?

Maar goed, wat er ook gebeurt met het homohuwelijk, en wanneer dat ook zal zijn, ik kan je verzekeren dat toekomstige generaties het absurd en zelfs komisch zullen vinden dat we ooit over dit onderwerp hebben gedebatteerd, net zoals het tegenwoordig ridicuul lijkt dat Engelse boeren ooit het verbod kregen buiten hun maatschappelijke klasse te trouwen, of dat een blanke Amerikaanse staatsburger niet met een lid van 'het Maleise ras' mocht trouwen. Wat ons bij de laatste reden brengt waarom het homohuwelijk niet te stuiten is: omdat in de westerse wereld het huwelijk al diverse eeuwen langzaam maar onverbiddelijk aan het opschuiven is in de richting van steeds meer privacy, steeds meer rechtvaardigheid, steeds meer respect voor de twee betrokken individuen en steeds meer vrijheid van keuze.

Het begin van de 'echtelijke vrijheidsbeweging', zoals je het wel mag noemen, zal rond het midden van de achttiende eeuw liggen. De wereld was aan het veranderen, progressieve democratieën waren in opkomst en over heel West-Europa en de beide Amerika's manifesteerde zich vanuit de maatschappij een enorme drang naar meer vrijheid, meer privacy, meer mogelijkheden voor individuen om hun eigen geluk na te streven, los van wat anderen voor hen wilden. Zowel mannen als vrouwen verwoordden steeds vaker hun verlangen naar *keuzes*. Ze wilden hun eigen leiders kiezen, hun eigen religie, hun eigen lot, en jawel, ook hun eigen huwelijkspartner.

Met de vooruitgang van de industriële revolutie en de stijging van het gezinsinkomen konden paren zich het nu bovendien veroorloven hun eigen huis aan te schaffen in plaats van bij familie te blijven wonen, en het is niet te overschatten hoezeer die maatschappelijke transformatie het huwelijk heeft beïnvloed. Want tegelijk met al die nieuwe privéwoningen kwam... nu ja, *privacy*. Privégedachten en privétijd, die tot privéverlangens en privé-ideeën leidden. Als de deuren van je huis gesloten waren, behoorde je leven aan jou toe. Je kon de meester van je eigen lot zijn, de kapitein van je eigen emotionele schip. Je kon je eigen paradijs zoeken en je eigen geluk vinden, niet in de hemel maar hier, in het centrum van Pittsburgh bijvoorbeeld, met je eigen prachtige vrouw (die je overigens zelf had uitgekozen, niet uit financiële overwegingen of omdat je familie de verbintenis had gearrangeerd, maar omdat *je verliefd was geworden op haar lach*).

Een van mijn persoonlijke heldenkoppels van de echtelijke vrijheidsbeweging zijn Lillian Harman en Edwin Walker uit de staat Kansas, rond 1887. Lillian was een suffragette en de dochter van een bekende anarchist; Edwin was een progressieve journalist die sympathiseerde met de strijd van vrouwen. Ze waren voor elkaar geschapen. Ze werden verliefd op elkaar en toen ze later hun relatie wilden bezegelen stapten ze niet naar een priester of een ambtenaar van de burgerlijke stand, maar ze sloten een wat zij 'autonomistisch' huwelijk noemden. Ze schreven hun eigen huwelijksbeloften en spraken tijdens de plechtigheid over het persoonlijke karakter van hun verbintenis, waarbij Edwin verklaarde dat hij op geen enkele wijze zijn vrouw zou domineren en Lillian dat ze niet zijn naam zou aannemen. Bovendien kondigde Lillian, in plaats van eeuwige trouw te zweren aan Edwin, ferm aan dat ze 'geen beloften zal doen waarvan ik niet weet of ik die in alle oprechtheid kan blijven nakomen, maar behoud me het recht voor steeds te handelen zoals mijn geweten en mijn gezond verstand voorschrijven'.

Het mag duidelijk zijn dat Lillian en Edwin voor deze bespotting van de conventie werden opgepakt, in hun huwelijksnacht nog wel. (Hoe zou het komen, dat het van hun bed lichten van mensen telkens een nieuw tijdperk in de geschiedenis van het huwelijk schijnt aan te aankondigen?) Het paar werd beschuldigd van gebrek aan respect voor het heilige instituut en één rechter zei: 'De verbintenis tussen E.C. Walker en Lillian is geen huwelijk, en ze hebben de volle straf verdiend die hun is opgelegd.'

Maar de geest was al uit de fles. Wat Lillian en Edwin wilden verschilde namelijk niet zo heel veel van wat hun tijdgenoten wilden: de vrijheid om hun eigen verbintenis te sluiten of te beëindigen, op hun eigen voorwaarden, om persoonlijke redenen, zonder bemoeienis van de kerk, de wet of familieleden. Ze wilden elkaars gelijken zijn en verlangden rechtvaardigheid binnen hun huwelijk. Maar bovenal wilden ze de vrijheid om hun relatie te definiëren op basis van hun eigen interpretatie van de liefde.

Natuurlijk was er weerstand tegen die radicale denkbeelden. Al halverwege de negentiende eeuw kon je stijve, pietluttige ethisch-conservatieven horen verkondigen dat deze neiging naar expressief individualisme in het huwelijk de ondergang van de maatschappij zou betekenen. Die conservatieven voorspelden vooral dat als je paren toestond alleen op basis van liefde en de grillen van persoonlijke genegenheid een levenslange verbintenis aan te gaan, dat weldra zou leiden tot torenhoge echtscheidingscijfers en massa's verbitterde, gebroken gezinnen.

Wat nu heel belachelijk klinkt, toch?

Behalve dat ze min of meer gelijk hadden.

❧

Echtscheiding, ooit een bijna uitgestorven fenomeen in de westerse samenleving, nam tegen het midden van de negentiende eeuw weer toe, bijna zodra de mensen puur uit liefde begonnen te trouwen. En sindsdien zijn de echtscheidingscijfers alleen maar gestegen, naarmate het huwelijk steeds minder een 'instituut' werd (gebaseerd op de behoeften van de maatschappij) en steeds meer 'expressief individualistisch' (gebaseerd op… jóuw behoeften).

Wat enigszins riskant blijkt te zijn. Want ziehier het interessantste feit dat ik over de geschiedenis van het huwelijk heb ontdekt: in iedere samenleving, overal ter wereld, door alle tijden heen, overal waar een behoudende cultuur van gearrangeerde huwelijken wordt vervangen door een expressieve cultuur van mensen die zelf hun partner kiezen uit liefde, schieten meteen de echtscheidingspercentages omhoog. Je kunt de klok erop gelijk zetten. (Het is bijvoorbeeld momenteel in India aan de hand.)

Ongeveer vijf minuten nadat de mensen luidkeels het recht hebben geëist om hun partner uit te zoeken op basis van liefde, eisen ze ook luidkeels het recht om van die partner te scheiden als de liefde eenmaal over is. En de rechtbanken staan die mensen ook een scheiding toe, want het zou een vorm van moedwillige wreedheid zijn om een echtpaar dat ooit van elkaar hield te dwingen bij elkaar te blijven nu ze elkaar verafschuwen. ('Leg een man en een vrouw dwangarbeid op als je hun gedrag afkeurt en hen wilt straffen,' protesteerde Bernard Shaw, 'maar laat ze niet eeuwig tot elkaar veroordeeld blijven.') Wanneer liefde de standaard binnen het instituut wordt, stellen rechters zich steeds welwillender op tegenover ongelukkige echtparen, mogelijk omdat ook zij aan den lijve hebben ervaren hoe pijnlijk een opgebrand huwelijk kan worden. In 1849 oordeelde een rechtbank in Connecticut dat echtgenoten niet alleen toegestaan moest worden hun huwelijk te beëindigen in geval van mishandeling, verwaarlozing of overspel, maar ook als ze gewoon niet gelukkig waren. 'Ieder gedrag dat permanent afdoet aan het welbevinden van de eiser,' sprak de rechter, 'ondermijnt het doel van de huwelijksrelatie.'

Dat was een zeer radicale verklaring. In de geschiedenis van de mensheid was men er nog nooit van uitgegaan dat het creëren van een staat van geluk het doel van het huwelijk zou zijn. Deze gedachte leidde, onvermijdelijk mag je wel zeggen, tot de toename van wat huwelijksonderzoekster Barbara Whitehead 'expressieve echtscheidingen' noemt: gevallen waarin mensen hun huwelijk ontbinden enkel maar omdat de liefde tussen hen voorbij is. In zulke gevallen is er verder niets mis met de relatie. Er is niemand mishandeld of bedrogen, maar het *gevoel* van het liefdesverhaal is veranderd en echtscheiding is de expressie van die zeer persoonlijke teleurstelling.

Ik weet precies wat Whitehead bedoelt als ze het over expressieve echtscheidingen heeft; mijn afscheid van mijn eerste huwelijk was er een. Als je echt onder een bepaalde situatie lijdt kun je uiteraard moeilijk zeggen dat je 'enkel maar' ongelukkig bent. Dat klinkt nogal wrang als je het hebt over iemand die maanden achtereen zit te huilen, of het gevoel heeft dat ze levend ingemetseld is in haar eigen huis. Toch moet ik eerlijk toegeven dat ik mijn man *enkel maar* verliet omdat mijn leven met hem niet meer te verdragen was, en die stap kenmerkte me als een expressief moderne vrouw.

Die verschuiving van het huwelijk van een zakelijke overeenkomst naar een symbool van emotionele genegenheid heeft het instituut door de tijd heen dus aanzienlijk verzwakt, want op liefde gebaseerde huwelijken zijn even fragiel gebleken als de liefde zelf. Kijk maar naar mijn relatie met Felipe en de ragfijne draad die ons bij elkaar houdt. Simpel gesteld heb ik Felipe voor bijna geen van de dingen nodig waarvoor vrouwen mannen in de loop der eeuwen nodig hebben gehad. Ik heb hem niet nodig om me fysiek te beschermen, want ik leef in een van de veiligste maatschappijen ter wereld. Ik heb hem niet nodig om me te onderhouden, want ik ben altijd mijn eigen kostwinner geweest. Ik heb hem niet nodig om mijn sociale netwerk uit te breiden, want ik heb al een gevarieerde kring van vrienden, buren en familie. Ik heb hem niet nodig om me de status van 'getrouwde vrouw' te geven, want mijn cultuur respecteert ongetrouwde vrouwen. Ik heb hem niet nodig om mijn kinderen te verwekken, want ik heb ervoor gekozen geen moeder te worden, en zelfs als ik dat wel had gewild zouden de huidige stand van de techniek en de tolerantie van een vooruitstrevende maatschappij me in staat stellen via andere wegen kinderen te krijgen en die in mijn eentje op te voeden.

Hoe zit het dan tussen ons? Waarom heb ik die man nodig? Ik heb hem alleen maar nodig omdat ik toevallig gek op hem ben, omdat zijn gezelschap me blij maakt en me bemoedigt, en omdat, zoals de grootvader van een vriendin het ooit verwoordde, 'het leven soms te zwaar is om alleen te zijn en soms te mooi om alleen te zijn'. Het omgekeerde geldt eveneens: ook Felipe heeft mij alleen maar voor mijn gezelschap nodig. Het lijkt veel, maar dat is het helemaal niet; het is enkel liefde. En een huwelijk uit liefde biedt geen garanties zoals het levenslange contract van een huwelijk uit materiële of clanmotieven dat wel doet; dat kán het gewoon niet. Het hart kan alles wat het om zijn eigen ondoorgrondelijke redenen kiest ook weer verwerpen – alweer om zijn eigen ondoorgrondelijke redenen. En een gedeelde privéhemel kan snel verworden tot een privéhel.

Bovendien is de emotionele ravage die een echtscheiding aanricht vaak gigantisch, waardoor uit liefde trouwen met extreem psychologisch risico gepaard gaat. Het door artsen meest gehanteerde overzicht om het stressniveau bij hun patiënten te bepalen is een test die in de jaren zeventig werd ontwikkeld door de onderzoekers Thomas Holmes en Richard Rahe. Op de schaal van Holmes en Rahe staat 'overlijden van je partner' bovenaan als de meest stressvolle gebeurtenis die mensen in hun leven meemaken. Maar raad eens wat er op de tweede plaats staat? *Echtscheiding*. Volgens het overzicht wekt 'echtscheiding' meer psychische onrust op dan 'overlijden van een naast familielid' (ook de dood van je eigen kind, moeten we aannemen, want er wordt geen aparte categorie gegeven voor die verschrikkelijke gebeurtenis), en het levert veel meer stress op dan 'persoonlijk letsel of ziekte' of 'ontslag' of zelfs 'in de gevangenis zitten'. Maar wat me het meest verbaasde aan de schaal van Holmes en Rahe is dat 'verzoening met partner' eveneens vrij hoog scoort op de lijst van stressopwekkende gebeurtenissen. Ook *bijna* scheiden en dan uiteindelijk toch nog een manier vinden om het huwelijk te lijmen kan er emotioneel enorm inhakken.

Dus als we zeggen dat het huwelijk uit liefde tot hogere echtscheidingscijfers leidt, is dat niet iets om licht op te vatten. De emotionele, financiële en zelfs fysieke tol van de uitgebluste liefde kan een verwoestende invloed hebben op individuen en gezinnen. Mensen stalken, verwonden en vermoorden hun ex-partner en zelfs als een echtscheiding niet het extreme niveau van fysiek geweld bereikt, is het een psychologische en emotionele en financiële sloopkogel, wat iedereen zal beamen die zijn of haar huwelijk, of zelfs dat van iemand in de nabije omgeving, op de klippen heeft zien lopen.

Wat een echtscheiding deels zo vreselijk maakt zijn de ambivalente gevoelens. Soms is het moeilijk, zo niet onmogelijk, voor gescheiden mensen om onverdeeld verdriet, onverdeelde woede of onverdeelde opluchting te voelen waar het hun ex-partner betreft. In plaats daarvan blijven de emoties vele jaren vermengd in een akelig bijtende cocktail van tegenstellingen. Zo kan het gebeuren dat je je exman mist terwijl je tegelijkertijd een enorme hekel aan hem hebt. Of je maakt je zorgen om je ex-vrouw, ook al zou je haar nog altijd het liefst de nek omdraaien. Het is uitermate verwarrend. Meestal kun je niet eens een duidelijke schuldige aanwijzen. Bij vrijwel alle echtscheidingen waarvan ik ooit getuige ben geweest waren beide betrokkenen minstens ten dele verantwoordelijk voor de teloorgang van de relatie (tenzij een van hen een regelrechte psychopaat was). Welk personage ben jij, als je huwelijk is gestrand? Het slachtoffer of de schurk? Dat is niet altijd even makkelijk te zeggen. Die scheidslijnen lopen in elkaar over, alsof er een ontploffing is geweest in een fabriek en er stukjes glas en staal (fragmenten van zijn hart en haar hart) zijn versmolten in de gloeiende hitte. Een poging het puin te doorzoeken kan iemand op de rand van de waanzin brengen.

En dan heb ik het nog niet eens over de nachtmerrie die je beleeft als degene die je ooit liefhad en verdedigde in een agressieve tegenstander verandert. Ik vroeg eens aan mijn echtscheidingadvocate, toen we echt midden in de strijd zaten, hoe ze dit werk kon doen, hoe ze het kon verdragen om steeds maar weer mensen die vroeger van elkaar hielden elkaar nu te zien verscheuren in de rechtszaal. Ze zei: 'Voor mij is dit dankbaar werk omdat ik iets weet wat jij niet weet. Ik weet dat dit de ergste ervaring van je leven is, maar ik weet ook dat je het allemaal op een dag achter je zult laten en dat het goed met je komt. En mensen als jij door de ergste ervaring van hun leven heen loodsen is ongelooflijk bevredigend.'

In één opzicht had ze gelijk (het komt op den duur inderdaad goed met iedereen), maar in een ander opzicht zat ze er volkomen naast (je zult het nooit helemaal achter je laten). In die zin lijken wij gescheiden mensen wel wat op het Japan van de twintigste eeuw: we hadden een vooroorlogse cultuur en we hebben een naoorlogse cultuur en tussen die twee geschiedenissen ligt een reusachtige smeulende kuil.

Ik ben tot praktisch alles bereid om te voorkomen dat ik die apocalyps nog eens moet doormaken. Maar ik erken dat er altijd een kans is dat ik weer in een echtscheiding beland, juist omdat ik van Felipe hou, en omdat een op liefde gebaseerde verbintenis je in fragiele kluisters vat. Denk niet dat ik het voor gezien hou met de liefde. Ik geloof er nog steeds in. Maar mogelijk is dat nu juist het probleem. Mogelijk is echtscheiding de tol die we in onze cultuur betalen omdat we het wagen te geloven in de liefde, of tenminste, omdat we het wagen de liefde te koppelen aan zo'n belangrijk sociaal contract als het huwelijk.

Misschien is dat dus de kwestie die aan de orde moet worden gesteld, in plaats van wie er wel mag trouwen en wie niet. Vanuit een antropologisch perspectief is dit het echte dilemma van moderne relaties: als je naar een maatschappij streeft waarin mensen hun partner kiezen op basis van persoonlijke genegenheid, dan moet je jezelf op het onvermijdelijke voorbereiden. Er zullen harten gebroken worden; er zullen levens verwoest worden. Juist omdat het menselijk hart zo'n mysterie is ('een weefsel van paradoxen', zoals de victoriaanse geleerde sir Henry Finck het zo mooi omschreef), verandert de liefde al onze plannen en bedoelingen in één grote gok. Misschien is het enige verschil tussen een eerste en een tweede huwelijk dat je de tweede keer tenminste weet dat je gokt.

Ik herinner me een gesprek dat ik een aantal jaar geleden tijdens een moeilijke periode in mijn leven had met een jonge vrouw die ik tegenkwam op een uitgeversfeestje in New York. De vrouw – die ik ook al bij een paar eerdere gelegenheden had ontmoet – vroeg me uit beleefdheid waar mijn man was. Ik vertelde haar dat hij die avond niet zou komen omdat we in echtscheiding lagen. Ze uitte een paar lauwe woorden van sympathie en voegde eraan toe, alvorens aan te vallen op het kaasplateau: 'Ik ben acht jaar getrouwd. En ik ga nooit scheiden.'

Wat antwoord je op zo'n opmerking? *Gefeliciteerd met een prestatie die je nog niet hebt geleverd?* Ik zie nu in dat die vrouw nog met een zekere naïviteit tegenover het huwelijk stond. Vergeleken met een zestiende-eeuwse tiener uit Venetië had zij geboft dat haar geen man was opgedrongen. Maar om diezelfde reden – juist omdat ze haar echtgenoot uit liefde had gekozen – was haar huwelijk kwetsbaarder dan ze besefte.

De beloften die we op onze trouwdag uitspreken zijn een nobele poging die kwetsbaarheid te loochenen, onszelf ervan te overtuigen dat wat de almachtige God bijeen heeft gebracht – waarlijk – niet door de mens gescheiden mag worden. Helaas is het niet de almachtige God die de huwelijksbeloften aflegt, maar de (onmachtige) mens, en de mens kan een belofte altijd breken. Zelfs als die vrouw op het uitgeversfeestje ervan overtuigd was dat zij nooit bij haar man zou weggaan, was zij niet de enige die iets over hun relatie te zeggen had. Ze was niet de enige in dat bed. Alle geliefden, zelfs de trouwste geliefden, kunnen in de steek worden gelaten. Ik weet dat dit simpele feit waar is, want ik heb zelf mannen verlaten die niet wilden dat ik vertrok, en ik ben op mijn beurt verlaten door mannen die ik heb gesmeekt te blijven. Met deze wetenschap zal ik veel nederiger in mijn tweede huwelijk stappen dan in mijn eerste. Net als Felipe. Niet dat nederigheid alléén ons zal beschermen, maar in elk geval hebben we dit keer een beetje kennis van nederigheid.

Er wordt wel gezegd dat een tweede huwelijk de overwinning van de hoop is op de ervaring, maar ik betwijfel of dat waar is. Mij lijkt juist het eerste huwelijk de van hoop doordrenkte aangelegenheid, overspoeld door enorme verwachtingen en natuurlijk optimisme. Een tweede huwelijk is, denk ik, in iets anders gehuld, wellicht in een respect voor krachten die groter zijn dan wij. Een respect dat misschien wel raakt aan ontzag.

Een oud Pools spreekwoord waarschuwt ons: 'Zeg een gebed op voor je de oorlog in gaat. Zeg twee gebeden op voor je naar zee gaat. Zeg er drie op voor je trouwt.'

Ik ben van plan het hele jaar door te bidden.

HOOFDSTUK VIER

Huwelijk en verliefdheid

wees met de liefde (een beetje) / voorzichtiger /
dan met het andere
E.E. CUMMINGS

Het was nu september 2006.

Felipe en ik zwierven nog steeds door Zuidoost-Azië. We hadden louter tijd te doden. Er zat geen schot in ons immigratiedossier. Het moet gezegd dat dat niet alleen voor ons gold, maar voor de dossiers van alle paren die een verloofdevisum voor Amerika hadden aangevraagd. Het hele proces was stilgelegd, bevroren. Tot ons aller pech had het Congres net een nieuwe immigratiewet aangenomen en nu moest iedereen – duizenden stellen – minstens vier maanden langer wachten in een bureaucratisch vagevuur. Op grond van de nieuwe wet diende het verleden van iedere Amerikaanse staatsburger die met een buitenlander wilde trouwen door de FBI nagetrokken te worden, om te kijken of de aanvrager geen misdrijven had begaan.

Jazeker: nu werd iedere *Amerikaan* die met een buitenlander wilde trouwen onderworpen aan een FBI-onderzoek.

Vreemd genoeg was deze wet aangenomen om vrouwen – om precies te zijn: arme buitenlandse vrouwen uit ontwikkelingslanden – ervoor te behoeden dat ze in de Verenigde Staten terechtkwamen als de importbruid van veroordeelde verkrachters, moordenaars of mannen van wie bekend was dat ze vroeger hun vrouw hadden mishandeld. Dit was in de laatste jaren uitgegroeid tot een macaber probleem. Het kwam erop neer dat Amerikaanse mannen een bruid kochten in de voormalige Sovjet-Unie, Azië of Zuid-Amerika, waarna haar, na haar aankomst in de Verenigde Staten, vaak een afschuwelijk nieuw leven wachtte als prostituee of seksslavin. Enkelen zijn zelfs om het leven gebracht door hun Amerikaanse echtgenoot, die er soms al een veroordeling op had zitten wegens verkrachting en moord. Dus was deze nieuwe wet in het leven geroepen om alle toekomstige Amerikaanse partners te screenen, ten einde hun buitenlandse bruiden te beschermen tegen een huwelijk met een potentieel onmens.

Het was een goede wet. Het was een rechtvaardige wet. Het was onmogelijk niet achter zo'n wet te staan. Het enige probleem was dat de wet voor Felipe en mij op een vreselijk ongelegen moment kwam, want het zou nu zeker vier maanden langer duren voor ons dossier verwerkt was, terwijl de FBI noest onderzoek deed om te bevestigen dat ik noch een veroordeelde verkrachter was noch een seriemoordenaar, ondanks het feit dat ik volledig in het profiel paste.

Om de paar dagen stuurde ik een e-mail naar onze immigratieadvocaat in Philadelphia, waarin ik hem vroeg om voortgangsrapporten, tijdschema's, hoop.

'Geen nieuws,' meldde de advocaat altijd. Soms herinnerde hij me eraan, mocht ik het vergeten zijn: 'Maak nog geen plannen. Er zijn geen toezeggingen.'

Terwijl dat aan de gang was (of liever gezegd, terwijl dat helemaal niet aan de gang was) reisden Felipe en ik naar Laos. We vlogen vanuit Noord-Thailand naar de oude stad Luang Prabang en kwamen over bergen die als een eindeloze keten van smaragd uit de dichte jungle oprezen, steil en adembenemend, de een na de ander, als knobbelige bevroren groene golven. Het plaatselijke vliegveld zag eruit als een kleinsteeds Amerikaans postkantoor. We huurden een fietstaxi om ons naar Luang Prabang te brengen, dat een verborgen schat bleek te zijn, fraai gelegen in een delta tussen de Mekong en de Nam Khan. Luang Prabang is een prachtig stadje waar men er in de loop der eeuwen in geslaagd is veertig boeddhistische tempels op een heel klein strookje land te persen. Daarom kom je er ook overal boeddhistische monniken tegen. De monniken variëren in leeftijd van ongeveer tien jaar (de novicen) tot ongeveer negentig (de meesters), en op elk willekeurig moment wonen er letterlijk duizenden in Luang Prabang. De verhouding monniken-gewone stervelingen voelt derhalve aan als iets van vijf op een.

Tussen de novicen liep een aantal van de mooiste jongens rond die ik ooit heb gezien. Ze gingen gekleed in een helderoranje gewaad en hadden een geschoren hoofd en een goudbruine huid. Ze stroomden elke ochtend voor zonsopgang in een lange rij de tempels uit, bedelkom in de hand, om hun eten voor die dag op te halen bij de inwoners, die knielend op straat rijst aan de monniken offerden. Felipe, het reizen moe, beschreef de ceremonie als 'een hoop gedoe om vijf uur 's ochtends', maar ik genoot ervan en stond iedere dag heel vroeg op om ernaar te kijken vanaf de veranda van ons afbrokkelende hotel.

Ik was gefascineerd door de monniken. Ze vormden een onweerstaanbare afleiding voor me. Ik raakte totaal op ze gefixeerd. Sterker nog, ik was zó door de monniken gefascineerd dat ik hen – na een paar lusteloze dagen waarin ik nauwelijks iets deed in die kleine Laotiaanse stad – begon te bespioneren.

❧

Oké, monniken bespioneren is waarschijnlijk een zeer verdorven bezigheid (moge Boeddha me vergeven), maar ik kon er geen weerstand aan bieden. Ik wilde zo graag ontdekken wie die jongens waren, wat ze voelden, wat ze van het leven wilden, maar er was een grens aan de hoeveelheid informatie die ik openlijk kon achterhalen. Los van de taalbarrière horen vrouwen niet eens naar de monniken te *kijken*, of dicht bij hen te staan, en al helemaal niet met hen te praten. Ook was het lastig meer over een bepaalde monnik te weten te komen als ze er precies hetzelfde uitzagen. Het is geen belediging of racistische neerbuigendheid om te zeggen dat ze er allemaal precies hetzelfde uitzagen; eenvormigheid is het erkende doel van die geschoren hoofden en eenvoudige, identieke oranje gewaden. De boeddhistische meesters ontwierpen dit uniforme uiterlijk om de jongens te helpen hun besef van zichzelf als individu af te zwakken, om ze één te laten worden met het grotere geheel. Ook zij worden niet geacht zich van elkaar te onderscheiden.

Maar we bleven enige weken in Luang Prabang, en na een heleboel steelse observaties begon ik langzamerhand individuele monniken te herkennen binnen de massa van onderling verwisselbare oranje gewaden en geschoren hoofden. Er waren jonge monniken van allerlei slag, zo werd me geleidelijk aan duidelijk. Er waren flirtende en brutale monniken, die op elkaars schouders gingen staan om over de tempelmuur heen naar je te gluren en '*Hello, Mrs. Lady!*' riepen als je langskwam. Er waren novicen die 's avonds stiekem buiten de tempelmuren sigaretjes rookten – het opgloeiende puntje was net zo oranje als hun gewaad. Ik zag een halfnaakte tienermonnik push-ups doen, en ik ontdekte dat een andere een onverwacht gangsterachtige tatoeage van een mes op zijn goudbruine schouder had. Op een avond heb ik een handjevol monniken staan afluisteren die onder een boom in een tempeltuin liedjes van Bob Marley voor elkaar zongen, toen ze allang in bed hadden moeten liggen. Ik heb zelfs een stelletje prepuberale novicen met elkaar zien kickboksen, een vriendschappelijk potje dat, zoals jongensspelletjes overal ter wereld, de dreiging inhield opeens menens te worden.

Maar ik was het meest verrast door iets wat ik op een middag in het kleine donkere internetcafé in Luang Prabang meemaakte, waar Felipe en ik dagelijks een paar uur doorbrachten met onze e-mail lezen en contacten onderhouden met familie en onze immigratieadvocaat. Ik ging ook vaak in mijn eentje naar het internetcafé. Als Felipe niet bij me was gebruikte ik de computer om lijsten met te koop staande woningen rond Philadelphia te bekijken. Ik had – meer dan ik ooit in mijn leven had gehad, of misschien wel voor het eerst – last van heimwee. Heimwee naar een vast honk dan. Ik verlangde hevig naar een eigen huis, een adres, een plekje van onszelf. Ik hunkerde ernaar mijn boeken uit de opslag te bevrijden en ze in een boekenkast op alfabet te zetten. Ik droomde ervan een huisdier te nemen, zelfgekookte maaltijden te eten, mijn oude schoenen te inspecteren, dicht bij het gezin van mijn zus te wonen.

Ik had onlangs mijn nichtje gebeld om haar een fijne achtste verjaardag te wensen, en ze was over de telefoon tegen me uitgevaren.

'Waarom ben je niet hier?' wilde Mimi weten. 'Waarom kom je niet naar mijn *verjaardagsfeestje*?'

'Ik kan niet komen, lieverd. Ik zit aan de andere kant van de wereld.'

'Waarom kom je dan niet *morgen*?'

Ik wilde Felipe hier niet mee belasten. Als ik uiting gaf

aan mijn heimwee, voelde hij zich alleen maar hulpeloos en gevangen en op de een of andere manier verantwoordelijk voor het feit dat we nu, weggerukt uit onze vertrouwde omgeving, in Noord-Laos zaten. Maar mijn gedachten bleven voortdurend naar 'huis' terugkeren. Ik voelde me schuldig als ik achter Felipes rug om door woninglijsten zat te scrollen, alsof ik op pornosites surfte, maar ik deed het toch. 'Maak nog geen plannen', onze immigratieadvocaat bleef het herhalen, en toch kon ik het niet laten. Ik droomde van plannen. Grondplannen.

Toen ik dus in mijn eentje op een warme middag in dat internetcafé in Luang Prabang naar mijn flikkerende scherm zat te staren en een foto van een klein stenen huis aan de Delaware River bewonderde (met een schuurtje dat gemakkelijk tot schrijvershok kon worden omgebouwd!), streek er plotseling een slanke tienernovice neer voor de computer naast me, met zijn magere achterwerk helemaal op het puntje van de harde houten stoel. Ik had al wekenlang monniken zien computeren in dat internetcafé, maar ik was nog steeds niet gewend aan het wezensvreemde beeld van serieuze jongens met een geschoren hoofd en in een saffraankleurig gewaad die op het web surften. Overmand door nieuwsgierigheid naar wat ze nou eigenlijk aan het doen waren stond ik af en toe op, en terwijl ik nonchalant door de ruimte wandelde keek ik naar ieders scherm. Meestal speelden de jongens videospelletjes, hoewel ik ze soms ook ijverig Engelse teksten zag typen, volledig in beslag genomen door hun werk.

Maar op die dag nam de jonge monnik pal aan mijn zijde plaats. Hij zat zo dichtbij dat ik de vage haartjes op zijn dunne, lichtbruine armen kon onderscheiden. Onze werkstations stonden vlak naast elkaar en ik had duidelijk zicht op zijn computerscherm. Na een poosje wierp ik er een blik op om een indruk te krijgen van waar hij mee bezig was, en ik begreep dat de jongen een liefdesbrief las. Of liever gezegd, hij las een liefdesmail, verstuurd, zo zag ik in de gauwigheid, door ene Carla, die duidelijk geen Laotiaanse was en in vloeiend, informeel Engels schreef. Dus Carla was Amerikaanse. Of misschien Britse. Of Australische. Met name één zinnetje op het scherm van de jongen trok mijn aandacht: 'Ik wil je nog steeds als minnaar.'

Wat me in één klap uit mijn mijmerij haalde. Mijn hemel, hoe kwam ik erbij om iemands privécorrespondentie te lezen. En nog wel over zijn schouder. Ik wendde mijn ogen er beschaamd van af. Dit ging me helemaal niets aan. Ik richtte me weer op de aangeboden woningen in de Delaware Valley. Hoewel ik uiteraard een tikje moeite had om me nog op mijn eigen dingen te concentreren, want kom op, zeg: *wie was in godsnaam Carla?*

Hoe hadden een westerse vrouw en een Laotiaanse tienermonnik elkaar ontmoet? Hoe oud was ze? En toen ze schreef: 'Ik wil je nog steeds als minnaar,' had ze toen bedoeld: 'Ik zou willen dat je mijn minnaar was'? Of hadden ze hun relatie geconsummeerd en koesterde ze nu een herinnering aan gedeelde fysieke hartstocht? Als Carla en de monnik inderdaad hun liefdesrelatie hadden geconsummeerd, hoe dan? En wanneer? Was Carla misschien op vakantie geweest in Luang Prabang en was ze toen in gesprek geraakt met deze jongen, ondanks het feit dat vrouwen niet eens naar de novicen horen te kijken? Had hij '*Hello, Mrs. Lady!*' naar haar geroepen en was het van daaraf naar een vrijpartij toe getuimeld? Hoe zou het ze verder vergaan? Zou deze jongen zijn gelofte breken en naar Australië verhuizen? (Of Groot-Brittannië of Canada of Memphis?) Zou Carla in Laos gaan wonen? Zouden ze elkaar ooit terugzien? Zou hij uit de kloosterorde worden getrapt? (Spreken ze in het boeddhisme wel van 'kloosterorde'?) Zou deze liefdesrelatie zijn leven verwoesten? Of het hare? Of dat van allebei?

De jongen staarde in stille vervoering naar zijn computer en ging zo op in zijn liefdesbrief dat hij zich er totaal niet van bewust was dat ik daar naast hem zat, me stilletjes bezorgd makend over zijn toekomst. En ik was ook écht bezorgd, bezorgd dat hij zichzelf in een onmogelijke situatie had gewerkt en dat de loop der gebeurtenissen alleen maar kon eindigen met een gebroken hart.

Aan de andere kant kun je het springtij van verlangen dat de wereld overspoelt niet tegenhouden, hoe ongelegen het ook mag komen. Het is het voorrecht van de mens absurde keuzes te maken, verliefd te worden op de meest onwaarschijnlijke partner en zichzelf de meest voorspelbare van alle rampen aan te doen. Dus Carla geilde op een tienermonnik, en wat dan nog? Hoe kon ik haar daarvoor veroordelen? Was ik in mijn leven soms niet verliefd geworden op menige ongeschikte man? En waren mooie jonge 'spirituele' mannen soms niet de meest verleidelijke van allemaal?

De monnik typte geen antwoord aan Carla, of in elk geval niet die middag. Hij las de brief nog een paar keer door, zorgvuldig, alsof hij een religieuze tekst bestudeerde. Daarna bleef hij nog een tijdje zitten, zijn handen losjes gevouwen in zijn schoot, zijn ogen gesloten alsof hij mediteerde. Ten slotte kwam de jongen in actie en printte de e-mail uit. Nog eenmaal las hij Carla's woorden door, dit keer op papier. Hij vouwde de brief teder op, alsof hij een origamikraanvogel maakte, en stopte hem weg in zijn oranje gewaad. Toen verbrak de mooie jongeman, bijna een kind nog, de internetverbinding en liep het café uit de brandende hitte van de oude rivierstad in.

Zelf stond ik een ogenblik later op en volgde hem ongezien naar buiten. Ik staarde hem na terwijl hij, links noch rechts kijkend, langzaam de straat door wandelde in de richting van de centrale tempel op de heuvel. Weldra passeerde een groep jonge monniken me, die hem geleidelijk aan inhaalde, en Carla's monnik sloot zich zwijgend bij hen aan, opgaand in de schare van slanke jonge novicen als een oranje visje dat in een school identieke broertjes verdween. Ik verloor hem direct uit het oog in die troep jongens die er allemaal eender uitzagen. Maar ze wáren klaarblijkelijk niet allemaal eender. Zo had slechts een van die jonge Laotiaanse monniken een opgevouwen liefdesbrief van ene Carla in zijn gewaden verborgen. En hoe gek het ook leek, en hoe gevaarlijk het spelletje dat hij speelde ook was, ik vond het ook gewoonweg spannend voor die jongen.

Hoe het ook zou eindigen, *hij maakte iets mee.*

Volgens Boeddha is al het menselijk lijden geworteld in begeerte. Zijn we het daar eigenlijk niet allemaal over eens? Iedereen die ooit iets heeft begeerd en dat niet heeft gekregen (of nog erger, het heeft gekregen en het daarna is kwijtgeraakt) is maar al te vertrouwd met het lijden waarover Boeddha spreekt. Een ander begeren is misschien wel de meest riskante onderneming van allemaal. Zodra je iemand wilt – hem of haar echt wilt – is het alsof jouw geluk met een chirurgische naald aan de huid van die ander is vastgenaaid, zodat je bij een scheiding pijnlijk opengereten wordt. Je weet alleen dat je op wat voor manier dan ook het object van je verlangen moet zien te veroveren om daarna nooit meer uit elkaar te gaan. Je kunt alleen maar aan je geliefde denken. In de greep van zo'n oerdrang ben je niet helemaal meer van jezelf. Je bent slaaf van je verlangens.

Dus je begrijpt wel waarom Boeddha, die zegt dat serene onthechting een pad naar wijsheid is, het vast had afgekeurd dat deze jonge monnik stiekem met liefdesbrieven van ene Carla rondliep. Je begrijpt waarom Boeddha hun geheime rendez-vous mogelijk lichtzinnig zou hebben gevonden. Een relatie gestoeld op geheimhouding en lust zou hem, zoveel is zeker, weinig hebben kunnen bekoren. Maar Boeddha was dan ook geen groot voorstander van seksuele of romantische intimiteit. Vergeet niet dat hij, voor hij de Volmaakt Verlichte werd, zijn vrouw en kind in de steek liet om in alle opzichten vrij aan de spirituele reis te kunnen beginnen. Net als de vroegchristelijke leiders leert Boeddha ons dat alleen mensen die celibatair en solitair leven verlichting kunnen vinden. Daarom heeft het traditionele boeddhisme altijd ietwat argwanend tegenover het huwelijk gestaan. Het boeddhistische pad is er een van niet-gehechtheid, en het huwelijk is een staat die een intrinsieke gehechtheid aan je partner, kinderen en huis met zich meebrengt. De reis naar verlichting begint ermee dat je dat allemaal achterlaat.

Er bestaat in de traditionele boeddhistische cultuur wel een rol voor getrouwde mensen, maar dat is meer een ondersteunende rol. Boeddha had het over getrouwde mensen als ‘huishouders’. Hij gaf zelfs duidelijke instructies over hoe je een goede huishouder kon zijn: ben aardig voor je partner, ben eerlijk, ben trouw, geef aalmoezen aan de armen, verzeker je tegen brand en overstromingen…

Ik meen het serieus: Boeddha adviseerde echtparen letterlijk een inboedelverzekering af te sluiten.

Dat klinkt minder spannend als het wegtrekken van de sluier van illusie en op de glinsterende drempel van onbezoedelde perfectie staan, hè? Maar volgens Boeddha was voor huishouders verlichting domweg niet bereikbaar. Ook in dat opzicht leek hij op de vroegchristelijke leiders, die geloofden dat gehechtheid aan je partner alleen maar een obstakel was op de weg naar de hemel – wat je wel aan het denken zet over de vraag wat die verlichte schepselen nu eigenlijk precies tegen paarvorming hadden. Vanwaar al die vijandigheid jegens romantische en seksuele verbintenissen, of zelfs jegens een bestendig huwelijk? Vanwaar al die weerstand tegen liefde? Of misschien was liefde niet het probleem; tenslotte zijn Jezus en Boeddha de grootste verkondigers van liefde en mededogen die de wereld heeft gekend. Misschien wekte het bijkomende gevaar van begeerte de bezorgdheid van deze meesters op over de ziel en de geestelijke gezondheid en het evenwicht van mensen.

Het probleem is dat we allemaal vaten van verlangens zijn; dat is het kenmerk van ons emotionele bestaan, en het kan tot onze ondergang en tot die van anderen leiden. In de misschien wel beroemdste verhandeling over begeerte die er is gepubliceerd, *Symposium* van Plato, vertelt de blijspeldichter Aristophanes tijdens een gezamenlijke maaltijd het mythische verhaal over waarom wij mensen zo'n diep verlangen koesteren ons met elkaar te verbinden, en waarom onze verbintenissen soms zo onbevredigend en zelfs destructief kunnen zijn.

Ooit waren er goden in de hemel, zo begint Aristophanes, en mensen op aarde. Maar wij mensen zagen er niet uit zoals we er tegenwoordig uitzien. We hadden ieder namelijk twee hoofden, vier armen en vier benen, met andere woorden, we waren een volmaakte versmelting van twee mensen, naadloos verenigd tot één schepsel. We bestonden in drie mogelijke geslachtsvarianten: man/vrouw, man/man en vrouw/vrouw, afhankelijk van wat het beste bij elk wezen paste. Aangezien bij ieder van ons de ideale partner in het weefsel van zijn bestaan was ingenaaid, waren we allemaal gelukkig. Zo bewogen wij tweehoofdige, vierarmige en vierbenige schepselen ons volkomen tevreden over de aarde zoals de planeten langs de hemel reizen: ongehaast, ordelijk, soepel. Het ontbrak ons aan niets; we hadden geen onvervulde behoeften; we verlangden naar niemand. Er was geen strijd en geen chaos. We waren heel.

Maar in onze heelheid werden we te overmoedig en in onze overmoed lieten we na de goden te aanbidden. De machtige Zeus strafte ons voor ons verzuim door al die volmaakt tevreden mensen met hun twee hoofden en acht ledematen doormidden te klieven, en schiep daarmee een wereld van wreed gescheiden, ongelukkige wezens met één hoofd, twee armen en twee benen. Met die grootscheepse amputatie zadelde Zeus de mensheid met het pijnlijkste menselijke tekort van allemaal op: het doffe, onafgebroken gevoel dat we niet compleet zijn. In het vervolg zouden de mensen ter wereld komen met het gevoel dat er bij hen een deel ontbrak – een verloren helft waarvan we bijna meer houden dan van onszelf – en dat dat ontbrekende deel ergens was, ergens rondtolde door het universum in de vorm van een ander mens. We zouden ook geboren worden met het idee dat we, als we maar hard genoeg zochten, op zeker moment die verdwenen helft, die andere ziel, zouden vinden. Door ons daarmee te verbinden zouden we onze oorspronkelijke, complete vorm weer aannemen en ons nooit meer eenzaam voelen.

Dat is de buitengewone fantasie van de menselijke intimiteit: dat één plus één hoe dan ook, op een dag, *één* zal zijn.

Maar Aristophanes waarschuwde ons dat deze droom van heelwording door liefde een onmogelijke is. We zijn als soort te geschonden om door een simpele vereniging nog helemaal te kunnen herstellen. De oorspronkelijke helften van de gekliefde mensen met acht ledematen waren te zeer over de aarde verspreid om ooit nog het ontbrekende andere deel terug te kunnen vinden. Een seksuele verbintenis kan een mens een poosje een compleet en verzadigd gevoel geven (Aristophanes vermoedde dat Zeus de mensen uit medelijden het orgasme had geschonken, met het specifieke doel ons weer even het gevoel te geven volledig versmolten te zijn, zodat we niet zouden bezwijken aan neerslachtigheid en wanhoop), maar uiteindelijk worden we allemaal weer op onszelf teruggeworpen. Dus blijft de eenzaamheid bestaan en dat leidt ertoe dat je steeds opnieuw met de verkeerde iets begint tijdens je zoektocht naar de volmaakte verbintenis. Soms kun je er zelfs van overtuigd zijn dat je jouw andere helft hebt gevonden, maar de kans is groter dat je dus op iemand bent gestuit die op zoek is naar zíjn ontbrekende helft, iemand die net als jij heel graag wil geloven dat jij degene bent die hem compleet maakt.

Zo begint verliefdheid. En verliefdheid is het gevaarlijkste aspect van de menselijke begeerte. Verliefdheid leidt tot wat psychologen 'obsessief denken' noemen, die befaamde toestand van verstrooidheid waarin je aan niets anders kunt denken dan aan het object van je verlangen. Als blinde liefde toeslaat raakt al het andere – taken, relaties, verantwoordelijkheden, eten, slapen, werken – in de verdrukking, terwijl jij in zich steeds herhalende, indringende en allesverterende fantasieën over je grootste schat vervalt. Verliefdheid verandert de chemische samenstelling van je hersenen, alsof je jezelf opiaten of opwekkende middelen hebt toegediend. Uit recent neurologisch onderzoek is gebleken dat de hersenscans en stemmingswisselingen van iemand die verliefd is opmerkelijke overeenkomsten vertonen met die van een cocaïneverslaafde, wat geen verrassing mag heten, want verliefdheid ís ook een verslaving, met een meetbare chemische invloed op de hersenen. De antropologe en verliefdheidsdeskundige Helen Fisher schreef dat verliefden, net als junks, 'tot ongezonde, vernederende en zelfs fysiek gevaarlijke extremen gaan om hun drug te scoren'.

Op geen enkel moment is die drug sterker dan aan het begin van een gepassioneerde relatie. Fisher ontdekte dat er in het eerste halfjaar van een relatie een hoop baby's worden verwekt, een feit dat ik echt opmerkelijk vind. Hypnotische obsessie kan een gevoel van gelukzalige nonchalance teweegbrengen, en gelukzalige nonchalance is de beste manier om per ongeluk zwanger te raken. Sommige antropologen menen zelfs dat verliefdheid een noodzakelijk instrument is voor de voortplanting van de menselijke soort, omdat ze ons onvoorzichtig genoeg maakt om een zwangerschap te riskeren en we zo voortdurend onze gelederen kunnen versterken.

Fishers onderzoek wees tevens uit dat mensen een stuk ontvankelijker zijn voor verliefdheid als ze zich in een moeilijke, kwetsbare periode van hun leven bevinden. Hoe onevenwichtiger je bent, hoe sneller en roekelozer je je aan iemand kunt verslingeren. Verliefdheid klinkt zo een beetje als een sluimerend virus dat op de loer ligt om je verzwakte emotionele immuunsysteem aan te vallen. Eerstejaarsstudenten – net het huis uit, onzeker, afgesneden van het ondersteunende netwerk van hun familie – zijn notoir bevattelijk voor hevige verliefdheid. En we weten allemaal dat reizigers in vreemde landen, van het ene moment op het andere lijkt het wel, verkikkerd kunnen raken op een volslagen vreemde. In de vaart en opwinding van het reizen raakt je beschermingsmechanisme algauw defect. Dat is in een bepaald opzicht natuurlijk heel leuk (ik zal voor de rest van mijn leven met een rilling van genot terugdenken aan de jongen met wie ik zoende bij het busstation in Madrid), maar in zulke omstandigheden is het wijs het advies op te volgen van de grote Noord-Amerikaanse filosofe Pamela

Anderson: 'Trouw nooit als je op vakantie bent.'

Iedereen die emotioneel een zware tijd doormaakt – vanwege de dood van een familielid bijvoorbeeld, of het verlies van een baan – is extra gevoelig voor instabiele liefde. Zieke, gewonde en angstige mensen staan erom bekend dat ze vatbaar zijn voor plotselinge verliefdheid, wat mede verklaart waarom zo veel soldaten die in het hospitaal belanden met hun verpleegster trouwen. Echtgenoten van wie de relatie in een crisis is beland zijn belangrijke kandidaten voor het verpanden van hun hart aan een nieuwe geliefde, zoals ik persoonlijk mocht ondervinden in de roerige nadagen van mijn eerste huwelijk – toen ik zo slim was de wereld in te trekken en smoorverliefd te worden op een ander terwijl ik nog niet weg was bij mijn man. Mijn heftige gevoelens van ongeluk en mijn verwoeste zelfbeeld maakten me rijp voor de pluk, en geplukt werd ik. In mijn situatie (en ik ben erachter gekomen dat die geenszins uniek was) leek het alsof er boven het hoofd van mijn nieuwe vlam een kolossaal bord met UITGANG hing, en ik ging linea recta op die uitgang af, gebruikte die relatie als middel om aan mijn instortende huwelijk te ontsnappen, en beweerde vervolgens met bijna hysterische overtuiging dat déze persoon alles was wat ik werkelijk nodig had in het leven.

Gek dat het niks werd.

Het probleem met verliefdheid is uiteraard dat het een fata morgana is, gezichtsbedrog, of liever gezegd, je hormonen die met je op de loop gaan. Verliefdheid is niet hetzelfde als liefde; eigenlijk is het de onbetrouwbare achterneef van de liefde, die altijd geld leent en overal ontslagen wordt. Als je verliefd wordt op iemand, kijk je niet echt naar die ander; je bent alleen maar geboeid door je eigen weerspiegeling, bedwelmd door een droom van heelmaking die je op iemand projecteert die je praktisch niet kent. In zo'n toestand heb je de neiging allerlei spectaculaire besluiten over het wezen van je geliefde te nemen die misschien waar zijn, en misschien ook niet. Je ziet iets welhaast goddelijks in je geliefde, ook als je vrienden en familie daar niets van meekrijgen. Tenslotte is de Venus van de ene man het domme blondje van de andere, en het is heel goed mogelijk dat je vriendin jouw persoonlijke Adonis maar een oersaaie droplul vindt.

Vanzelfsprekend bekijken alle geliefden hun partner door een welwillende bril, en dat moet ook. Het is natuurlijk, zelfs passend, om de deugden van je partner enigszins te overdrijven. Volgens Carl Jung is het eerste halfjaar van de meeste liefdesrelaties voor bijna iedereen een periode van pure projectie. Maar verliefdheid is een ontspoorde projectie. Een op verliefdheid gebaseerde relatie is een verstandvrije zone waarin de waan geen grenzen kent en waar geen ruimte is voor relativering. Freud definieerde verliefdheid kernachtig als 'de overwaardering van het object' en Goethe zei het nog mooier: 'Als twee mensen echt gelukkig zijn met elkaar, kun je er over het algemeen van uitgaan dat ze zich vergissen.' (Die arme Goethe trouwens! Zelfs hij was niet onkwetsbaar voor verliefdheid, ondanks al zijn wijsheid en ervaring. Die kloeke oude Duitser vatte op zijn eenenzeventigste een hartstochtelijke maar volkomen misplaatste liefde op voor Ulrike, een negentienjarige schoonheid die zijn vurige huwelijksaanzoeken afwees, waar het bejaarde genie zo van ondersteboven was dat hij een requiem op zijn eigen leven schreef en eindigde met de regel: 'Ik heb de wereld verloren, ik heb mezelf verloren.')

Normale omgang is onmogelijk tijdens zo'n hevige koortsaanval. Echte, gezonde, volwassen liefde – van het soort dat jaar in jaar uit de hypotheek betaalt en de kinderen van school haalt – is niet gebaseerd op verliefdheid, maar op genegenheid en respect. En het woord 'respect', dat afkomstig is van het Latijnse *respicere* ('staren naar'), suggereert dat je de persoon die naast je staat echt kunt zien, iets wat je beslist niet kunt vanuit je wervelende nevels van euforisch zelfbedrog. De realiteit verlaat het toneel zodra verliefdheid opkomt, en algauw doe je allerlei rare dingen die je onder normale omstandigheden nooit zou hebben gedaan. Je zou bijvoorbeeld, ik noem maar iets, op een dag voor de computer kunnen gaan zitten om een gepassioneerde e-mail aan een zestienjarige monnik in Laos te schrijven. Als het stof jaren later is gaan liggen kun je je afvragen: 'Waar zat ik met mijn hoofd?' Het antwoord luidt doorgaans: *In de wolken.*

Psychologen noemen die staat van vervormde realiteitszin 'narcistische liefde'.

Ik noem het 'mijn twintiger jaren'.

Ik wil hier even kwijt dat ik niet principieel tegen passie ben. Nee zeg, goeie genade! Mijn sterkste geluksgevoelens heb ik beleefd op de momenten dat ik verteerd werd door romantische obsessie. Dat soort liefde maakt dat je je heroïsch, mythisch, bovenmenselijk en onsterfelijk voelt. Je straalt energie uit; je hebt geen slaap nodig; je geliefde is als zuurstof voor je longen. Hoe pijnlijk die ervaringen ook afgelopen mogen zijn (en ze eindigden altijd pijnlijk voor me), toch lijkt het me vreselijk als iemand zijn leven lang nooit die verrukkelijke sensatie meemaakt dat je helemaal opgaat in een ander mens. Dat bedoelde ik dus met dat ik het ook spannend vond voor Carla en de monnik. Ik ben blij dat het ze gegeven is van dat bedwelmende genot te proeven. Maar ik ben ook ontzettend blij dat ik het dit keer niet zelf ben.

Want nu zeg ik iets over mezelf wat ik honderd procent zeker weet, nu ik tegen de veertig loop. Ik trek het niet meer, die doldwaze verliefdheid. Ik ga eraan onderdoor. Uiteindelijk sleurt het me altijd door de houtversnipperaar. Ongetwijfeld zijn er paren van wie de liefdesrelatie met een vreugdevuur van obsessies is begonnen en vervolgens in de loop der jaren veilig uitgewoed tot de gloeiende kooltjes van een lange, gezonde relatie, maar zelf heb ik dat kunstje nooit geleerd. Voor mij heeft dat soort verliefdheid altijd slechts één ding gedaan: mijn wereld kapotgemaakt, en meestal vrij snel.

Maar in mijn jeugd was ik gek op die roes van verliefdheid, en dus maakte ik er een gewoonte van. Met 'gewoonte' bedoel ik hetzelfde als wat iedere heroïneverslaafde bedoelt als hij het over zijn 'gebruik' heeft: een eufemisme voor een niet te beheersen drang. Ik zocht overal passie. Ik rookte het onversneden. Ik was het soort vrouw dat Grace Paley voor ogen moet hebben gehad toen ze een personage beschreef dat niet zonder een man in haar leven kon, zelfs als het er alle schijn van had dat die er al was. Ik had me rond mijn twintigste met name bekwaamd in verliefd worden op het eerste gezicht, iets wat me minimaal vier keer per jaar lukte. Er waren tijden dat ik zo dweepte met de liefde dat ik er hele happen van mijn leven aan verloor. Al bij de eerste ontmoeting raakte ik mezelf volledig kwijt, om mezelf spoedig daarna snikkend en kokhalzend terug te vinden. In de tussenliggende periode leed ik zo onder gebrek aan slaap en oordeelsvermogen dat het hele proces achteraf wel iets wegheeft van een alcoholisch delirium. Maar dan zonder de alcohol.

Had deze jongedame op vijfentwintigjarige leeftijd een echtverbintenis horen aan te gaan? Wijsheid en Voorzichtigheid zouden waarschijnlijk hebben gezegd van niet. Maar ik had Wijsheid en Voorzichtigheid niet uitgenodigd op mijn trouwerij. (Te mijner verdediging: het waren ook geen gasten van de bruidegom.) Ik was destijds in alle opzichten een onvoorzichtig typetje. Ik las een keer een krantenartikel over een man die duizenden hectaren bos heeft doen afbranden omdat hij een hele dag met een loshangende knalpot onder zijn auto door een nationaal park reed, waardoor er vonken oversprongen naar het droge struikgewas, dat om de honderd meter vlam vatte. Automobilisten achter hem toeterden en zwaaiden om de bestuurder te wijzen op de schade die hij aanrichtte, maar de man zat lekker naar de radio te luisteren en had geen erg in de ramp die hij achter zich had ontketend.

Dat was ik in mijn jeugd.

Pas toen ik begin dertig was, pas toen mijn ex-man en ik ons huwelijk voorgoed in de vernieling hadden geholpen, pas toen mijn leven volkomen ontwricht was (evenals het leven van een paar heel aardige mannen, een paar niet zulke aardige mannen en een handjevol onschuldige omstanders), zette ik eindelijk de auto aan de kant. Ik stapte uit, keek om me heen naar het verkoolde landschap, knipperde een paar keer met mijn ogen en vroeg: 'Je wilt toch niet beweren dat ík die ravage veroorzaakt heb?'

Toen volgde de depressie.

Parker Palmer, quaker en pedagoog, zei eens over zijn leven dat depressie een vriend was die naar hem toe was gestuurd om hem te beschermen tegen de al te buitensporige toppen van valse euforie die hij altijd aan het bestijgen was. Depressie duwde hem omlaag naar de aarde, zei Palmer, naar een niveau van de realiteit waarin hij zich veilig kon voelen. Ook ik moest worden teruggetrokken naar de werkelijkheid, na jarenlang op een kunstmatige hoogte te hebben geleefd met de ene onbezonnen passie na de andere. Ook ik ben mijn tijdelijke depressie als een noodzakelijke gebeurtenis gaan beschouwen – zij het ook als een beroerde en een trieste.

Ik gebruikte die tijd, waarin ik niemand had, om mezelf onder de loep te nemen, een eerlijk antwoord te vinden op pijnlijke vragen, en – met de hulp van een geduldige therapeut – de oorzaken van mijn meest destructieve gedrag te achterhalen. Ik ging op reis (en liep met een boog om knappe Spaanse mannen op busstations heen). Ik streefde vlijtig gezondere vormen van genot na. Ik bracht een hoop tijd alleen door. Ik was nog nooit eerder alleen geweest, maar ik zocht er een weg doorheen. Ik leerde bidden en probeerde zo goed mogelijk boete te doen voor de afgebrande woestenij achter me. Maar bovenal beoefende ik de voor mij nieuwe kunst van zelfhulp en bood weerstand aan alle kortstondige romantische en seksuele verlokkingen met deze nieuwe, weloverwogen vraag: 'Levert mijn keuze op de lange termijn ook maar *iemand* voordeel op?' Kortom: ik werd volwassen.

Immanuel Kant geloofde dat wij mensen – omdat we emotioneel zo ingewikkeld in elkaar zitten – twee puberteiten doormaken in het leven. De eerste puberteit treedt op wanneer ons lichaam rijp genoeg is voor seks; de tweede wanneer onze *geest* rijp genoeg is voor seks. Tussen deze twee gebeurtenissen kunnen heel wat jaren liggen, al vraag ik me wel af of het niet juist de ervaringen en lessen zijn van onze jeugdige liefdesperikelen die ons emotioneel volwassen maken. Wie van een meisje van twintig vraagt uit zichzelf dingen over het leven te weten waarvoor de meeste vrouwen van veertig talloze jaren nodig hadden om ze te doorgronden, verwacht wel een hoop wijsheid van zo'n jong iemand. Met andere woorden, moeten we niet allemaal het hartzeer en de fouten van een eerste puberteit doormaken voor iemand van ons aan de tweede toe is?

Maar goed, vergevorderd in mijn experiment met eenzaamheid en eigen verantwoordelijkheid ontmoette ik Felipe. Hij was beminnelijk, trouw en attent, en we deden het rustig aan. Dit was geen kalverliefde. En het was ook geen onbesuisde liefde of dweepzucht. Ik geef toe dat het begin van ons liefdesverhaal wel vreselijk romantisch overkwam. Hallo, we ontmoetten elkaar op het tropische eiland Bali, onder de wuivende palmbomen, etc. etc. Je kunt je amper een idyllischer setting indenken. Ik weet nog dat ik het hele dromerige tafereel in een e-mail beschreef die ik naar mijn zus in haar buitenwijk van Philadelphia stuurde. Achteraf gezien was dat waarschijnlijk best wreed van me. Catherine – die de zorg had voor twee kleine kinderen en midden in een ingrijpende renovatie van haar woning zat – antwoordde met één zin: 'Tja, ik was ook van plan dit weekend met mijn Braziliaanse minnaar naar een tropisch eiland te gaan... maar het verkeer werkte niet mee.'

Dus ja, mijn relatie met Felipe bevatte een verrukkelijk element van romantiek, dat ik altijd zal koesteren. Maar het was geen blinde liefde en dit is waarom ik dat weet: omdat ik niet van hem eiste dat hij mijn Grote Bevrijder of mijn Bron Van Alle Leven werd, en evenmin verdween ik onmiddellijk als een verwrongen, onherkenbare, menselijke parasiet in 's mans borstholte.

In die lange periode waarin we naar elkaar toe groeiden bleef ik intact binnen mijn eigen persoonlijkheid en ik stond mezelf toe Felipe te zien als degene die hij was. In elkaars ogen kunnen we mooi en volmaakt en helden hebben geleken, maar ik verloor onze realiteit nooit uit het oog: ik was een liefdevolle maar beschadigde gescheiden vrouw die haar neiging zich in melodramatische romances te storten en onredelijke verwachtingen te koesteren in de hand moest houden; Felipe was een hartelijke, kalende gescheiden vent die zijn alcoholinname en zijn diepgewortelde angst om bedrogen te worden in de hand moest houden. We waren twee niet onaardige mensen die met de littekens rondliepen van heel gemiddelde, diepe, persoonlijke teleurstellingen, en we waren op zoek naar iets wat we zomaar in elkaar zouden kunnen vinden – een bepaalde beminnelijkheid, een bepaalde attentheid, een bepaald verlangen om iemand te vertrouwen en, omgekeerd, vertrouwd te worden.

Tot op de dag van vandaag wil ik Felipe niet opzadelen met de enorme verantwoordelijkheid mij op de een of andere manier compleet te maken. In deze fase van mijn leven heb ik uitgedokterd dat hij me niet compleet kan maken, zelfs niet als hij dat zou willen. Ik heb genoeg incompleetheden van mezelf onder ogen gezien om te begrijpen dat ze puur en alleen aan mij toebehoren. Nu ik achter deze cruciale waarheid ben gekomen, kan ik zeggen waar ik ophoud en de ander begint. Dat klinkt als een gênant simpele truc, maar ik wil echt duidelijk maken dat het me ruim vijfendertig jaar heeft gekost om dat punt te bereiken – de beperkingen te leren kennen van gezonde menselijke intimiteit, zoals zo mooi gedefinieerd door C.S. Lewis toen hij over zijn vrouw schreef: 'Dit wisten we allebei: ik had mijn leed, niet het hare; zij had het hare, niet het mijne.'

Eén plus één wordt, met andere woorden, soms wel degelijk geacht twee te zijn.

⁂

Maar hoe weet ik zeker dat ik nooit meer verliefd word op een ander? Hoe betrouwbaar is mijn hart? Hoe groot is Felipes loyaliteit aan mij? Hoe kan ik ervan op aan dat de verlokkingen van de buitenwereld ons niet uit elkaar zullen drijven?

Dat waren vragen die ik begon te stellen zodra ik besefte dat Felipe en ik – zoals mijn zus ons noemt – 'levenslangers' waren. Eerlijk gezegd maakte ik me minder zorgen over zijn oprechtheid dan over de mijne. Felipe heeft een veel simpeler liefdesverleden dan ik. Hij is hopeloos monogaam: hij kiest iemand en blijft haar moeiteloos trouw; veel meer valt er niet over te zeggen. Hij is in alle opzichten trouw. Als hij eenmaal een favoriet restaurant heeft, gaat hij daar gerust iedere avond eten, zonder ooit behoefte te voelen aan afwisseling. Als hij een film leuk vindt, kan hij er volkomen tevreden honderden keren naar kijken. Als hij gek is op een bepaald kledingstuk, zie je het hem jaren dragen. De eerste keer dat ik schoenen voor hem kocht zei hij lief: 'O, dat is heel aardig van je, schat, maar ik heb al schoenen.'

Felipes eerste huwelijk liep niet stuk op ontrouw (hij had al schoenen, als je begrijpt wat ik bedoel). Zijn relatie raakte bedolven onder een lawine van onfortuinlijke omstandigheden die uiteindelijk het gezin uiteen deden vallen. Dat was betreurenswaardig, want Felipe, daar ben ik oprecht van overtuigd, is gemaakt om zijn hele leven door te brengen met dezelfde vrouw. Hij is loyaal op cellulair niveau. En dat bedoel ik misschien wel heel letterlijk. Binnen de evolutiewetenschap is de theorie in zwang geraakt dat er in de wereld twee soorten mannen zijn: mannen die bestemd zijn om kinderen te verwekken en mannen die bestemd zijn om ze groot te brengen. De eerste soort is promiscue; de tweede is trouw.

Dit is de befaamde 'vaders of versierders'-theorie. In evolutiekringen wordt daarmee niet zozeer een moreel oordeel uitgesproken, als wel verwezen naar iets wat zich op het DNA-niveau afspeelt. Binnen de mannelijke soort schijnt een kleine maar essentiële chemische variatie te bestaan die wordt gekenmerkt door het al dan niet aanwezig zijn van het zogenaamde vasopressinereceptorgen. Mannen die dit gen bezitten zijn over het algemeen betrouwbare seksuele partners, die jarenlang bij dezelfde partner blijven, kinderen grootbrengen en een stabiel gezinsleven leiden. (Laten we zulke mannen 'Harry Trumans' noemen.) Mannen zonder dit gen daarentegen kijken altijd naar andere vrouwen en kunnen de verleiding van seks buiten de deur niet weerstaan. (Laten we hen 'John F. Kennedy's' noemen.)

Een onder vrouwelijke evolutiebiologen circulerende grap is dat het enige aspect van de mannelijke anatomie dat zijn potentiële partner zou moeten boeien, de lengte van zijn vasopressinereceptorgen is. De schaars met het gen bedeelde John F. Kennedy's van deze wereld zwerven rond en verspreiden overal hun zaad, waarmee ze de menselijke DNA-code flink gemengd houden – wat goed is voor de soort, maar niet noodzakelijkerwijs voor de door hen beminde vrouwen die daarna vaak in de steek worden gelaten. Het zijn de genetisch zwaargeschapen Harry Trumans die uiteindelijk vaak de kinderen van de John F. Kennedy's opvoeden.

Felipe is een Harry Truman, en toen ik hem ontmoette had ik het zó gehad met die JFK's, was ik zo moe van hun charme en hartdoorborende grillen dat ik alleen maar die rots van standvastigheid wilde. Maar ik beschouw Felipes fatsoenlijkheid niet als iets vanzelfsprekends, en evenmin laat ik monter al mijn zorgen varen waar het mijn eigen loyaliteit aangaat. De geschiedenis leert dat zo'n beetje iedereen tot zo'n beetje alles in staat is in het domein van liefde en verlangen. In ieders leven doen zich gebeurtenissen voor die onze koppigste trouw op de proef stellen. Misschien is dat ook wel wat we het meest vrezen als we in het huwelijk treden, dat 'gebeurtenissen', in de vorm van een onbeheersbare passie van buitenaf, op een dag de band zullen doen breken.

Hoe bescherm je jezelf daartegen?

De enige troost die ik ooit over dit onderwerp heb gevonden, putte ik uit het werk van Shirley P. Glass, een psychologe die een groot deel van haar carrière wijdde aan de studie van huwelijksontrouw. Haar vraag was steeds: 'Hoe is het gebeurd?' Hoe is het gebeurd dat goede mensen, fatsoenlijke mensen, zelfs Harry Trumanachtige figuren, opeens worden meegezogen in een draaikolk van begeerte, levens en hun gezin verwoestend zonder dat ooit te hebben gewild? We hebben het hier niet over seriële vreemdgangers, maar over betrouwbare mensen die – tegen hun gezonde verstand of morele code in – van het pad dwalen. Hoe vaak hoor je niet iemand zeggen: 'Ik was niet op zoek naar liefde buiten mijn huwelijk, maar *het gebeurde gewoon*'? Als je het zo formuleert, lijkt ontrouw wel een auto-ongeluk, een beijzelde plek in een verraderlijke bocht, wachtend op een nietsvermoedende automobilist.

Maar Glass constateerde door mensen nader aan de tand te voelen over hun overspelige gedrag, dat de kiem voor de buitenechtelijke verhouding vrijwel altijd lang voor de eerste gestolen kus was gelegd. De meeste affaires beginnen, schreef Glass, als een van de echtgenoten een nieuwe vriendschap sluit en er een ogenschijnlijk onschuldige intimiteit ontstaat. Je ziet aanvankelijk het gevaar niet, want wat is er mis met vriendschap? Waarom zouden we er geen vrienden van de andere sekse op na kunnen houden als we getrouwd zijn?

Er is, zoals Glass uitlegde, helemaal *niets* mis met het sluiten van een vriendschap buiten het huwelijk – zolang de 'muren en ramen' van de relatie op hun plek blijven. Glass' theorie is dat ieder gezond huwelijk uit muren en ramen bestaat. De ramen zijn de aspecten van je relatie die open zijn voor de buitenwereld, oftewel de benodigde gaten via welke je relaties onderhoudt met je familie en vrienden; de muren zijn de barrières van vertrouwen waarachter je de persoonlijkste geheimen van je huwelijk bewaart.

Maar wat er vaak gebeurt bij een zogeheten onschuldige vriendschap is dat je vertrouwelijkheden met je nieuwe vriend of vriendin begint te delen die verborgen dienen te blijven binnen je huwelijk. Je onthult dingen over jezelf – je diepste verlangens en frustraties – en het voelt goed om je zo open te stellen. Je gooit een raam open waar eigenlijk een stevige, dragende muur hoort te staan, en algauw merk je dat je je hartsgeheimen bij die vriend of vriendin uit zit te storten. Omdat je niet wilt dat je partner jaloers wordt, vertel je niet waar je met die ander over praat. Daarmee creëer je een probleem: je zet een muur tussen jou en je partner neer waar lucht en licht vrijelijk horen te circuleren. Het hele bouwwerk van jullie echtelijke intimiteit is daarmee opnieuw ingedeeld. De oude muren zijn allemaal vervangen door gigantische panoramaramen; de oude ramen zijn dichtgetimmerd als bij een drugspand. Je hebt zojuist, zonder het zelf door te hebben, de volmaakte blauwdruk voor ontrouw gecreëerd.

Dus tegen de tijd dat je nieuwe vriend of vriendin op een dag in tranen je kantoor binnen loopt omdat er iets naars is gebeurd, en jullie je armen om elkaar heen slaan (slechts troostend bedoeld!) en vervolgens jullie lippen elkaar beroeren en je duizelend beseft dat je van die ander houdt – dat je *altijd* van die ander gehouden hebt! – is het te laat. Want de lont brandt al. En nu loop je echt het risico dat je op een dag (waarschijnlijk heel binnenkort) tussen de puinhopen van je leven staat, tegenover een bedrogen, ontredderde partner (om wie je overigens nog heel veel geeft!), die je tussen je snikken door hortend en stotend probeert uit te leggen dat je hem of haar nooit hebt willen kwetsen, dat je het *niet had zien aankomen.*

En dat is waar. Je had het niet zien aankomen. Maar je hebt er wel naartoe gewerkt, en je had het kunnen tegenhouden als je sneller had ingegrepen. Zodra je merkte dat je een nieuwe vriend of vriendin geheimen toevertrouwde die je eigenlijk alleen met je partner hoort te delen, was er ook – volgens Glass – een veel slimmer en eerlijker pad om te bewandelen. Zij vindt dat je huiswaarts moet keren om je partner erover te vertellen. Het scenario gaat zo'n beetje als volgt: 'Ik wil iets met je bespreken wat me dwarszit. Ik heb deze week tweemaal met Mark geluncht en het trof me dat we al snel heel vertrouwelijk werden. Ik merkte dat ik met hem over dingen praatte waarover ik vroeger alleen met jou praatte. Zulke gesprekken hadden jij en ik aan het begin van onze relatie – en ik heb daar altijd zo van genoten – maar ik ben bang dat we dat ergens onderweg zijn kwijtgeraakt. Ik mis die vertrouwelijkheid met jou. Denk je dat er iets is wat we kunnen doen om onze band nieuw leven in te blazen?'

Soms is het antwoord daarop 'nee'.

Misschien is er niets wat je kunt doen om die band nieuw leven in te blazen. Een vriendin van me sprak ongeveer bovenstaande tekst tegen haar man uit, waarop hij antwoordde: 'Het kan me geen reet schelen met wie jij je tijd doorbrengt.' Het zal niemand verbazen dat dat huwelijk korte tijd later stukliep. (Er viel weinig meer aan te redden, leek me.) Maar als je partner wel voor je openstaat, hoort hij of zij misschien het verlangen achter je bekentenis en zal daar hopelijk goed op reageren, mogelijk zelfs door uiting te geven aan zijn of haar verlangen.

Het kan altijd dat jullie niet in staat zullen blijken de problemen op te lossen, maar in ieder geval weet je dan dat je een oprechte poging hebt gedaan de muren en ramen van je huwelijk op hun plek te houden, en die wetenschap kan opbeurend zijn. Je kunt er tevens mee voorkomen dat je je partner bedriegt, ook al gaan jullie uiteindelijk toch uit elkaar – en dat alleen is al om veel redenen een goede zaak. Zoals een oude vriendin die advocaat is eens opmerkte: 'Geen scheiding in de geschiedenis van de mensheid is er ooit eenvoudiger, milder, sneller of goedkoper op geworden door een buitenechtelijke verhouding.'

Hoe het ook zij, het onderzoek van Glass vervulde me met een bijna euforische hoop. Haar ideeën over huwelijkstrouw zijn niet bepaald complex, maar *ik had nooit eerder over die dingen gelezen.* Ik weet niet of ik ooit het bijna beschamend weldadige concept heb begrepen dat je zelf enigszins kunt bepalen wat er in en om je relatie gebeurt. Ik geneer me om het te moeten toegeven, maar het is waar. Ooit geloofde ik dat begeerte even onbeheersbaar was als een tornado; je kon alleen maar hopen dat hij je huis niet opzoog en in de lucht uit elkaar liet vallen. En de paren van wie de relatie levenslang standhield? In mijn ogen hadden die verschrikkelijk geboft dat ze gespaard waren gebleven voor de tornado. (Het kwam niet in me op te bedenken dat ze waarschijnlijk samen een stormkelder hadden gebouwd onder hun huis, waarin ze zich konden terugtrekken zodra de wind opstak.)

Het menselijk hart mag dan doordrenkt zijn van bodemloos verlangen, en het mag dan op aarde wemelen van de verleidelijke schepselen en andere verrukkelijke opties, toch ziet het ernaar uit dat je intelligente keuzes kunt maken die het risico dat je verliefd wordt op een ander indammen. En als je je zorgen maakt over toekomstige 'problemen' in je huwelijk, helpt het om in te zien dat problemen niet per se iets zijn wat 'gewoon gebeurt'; problemen zijn vaak onnadenkend gekweekt in zorgeloze petrischaaltjes die we her en der achterlaten.

Is dit voor iedereen een waarheid als een koe? Voor mij was het dat niet. Het is kennis die ik ruim tien jaar geleden goed had kunnen gebruiken, toen ik voor het eerst trouwde.

Ik was zo bleu als ik weet niet wat. Soms verbijstert het me om te beseffen dat ik zonder deze nuttige informatie in het huwelijk ben getreden – of eigenlijk helemaal zonder enige nuttige informatie. Terugkijkend op mijn bruiloft moet ik denken aan wat veel vriendinnen van me zeggen over de dag waarop ze met hun eerste kindje naar huis mochten na de bevalling in het ziekenhuis. Er is een moment, vertellen mijn vriendinnen, waarop de verpleegkundige de baby in je armen legt en je je als kersverse moeder opeens met afgrijzen realiseert: O mijn god, gaan ze me dit geval mee naar huis geven? Ik heb geen idee wat ik moet doen! Maar natuurlijk geven ziekenhuizen moeders hun baby mee, omdat wordt aangenomen dat het moederschap *instinctief* is, dat je van nature weet hoe je voor je kind moet zorgen – dat de liefde je dat zal leren – zelfs als je geen enkele ervaring en oefening hebt in deze titanische onderneming.

Volgens mij doen we maar al te vaak dezelfde aanname over het huwelijk. We denken dat als twee mensen echt van elkaar houden, er een intuïtieve intimiteit tussen hen bestaat en hun huwelijk eeuwig zal blijven drijven op de kracht van hun genegenheid. Want *all you need is love*! Of dat dacht ik in mijn jeugd. Je hebt helemaal geen strategieën of hulp of instrumenten of een objectieve blik nodig. En zo gebeurde het dat mijn eerste man en ik trouwden ondanks dat we volkomen onwetend, volkomen onvolwassen en volkomen onvoorbereid waren, simpelweg omdat we zin hadden om te trouwen. We legden onze beloften af zonder ook maar enig inzicht in hoe we onze verbintenis levend en buiten iedere gevarenzone moesten houden.

Is het dan zo gek dat we meteen bij thuiskomst die baby op zijn lieve kleine bolletje lieten vallen?

Nu ik me dus, tien jaar later, voorbereidde op een nieuw huwelijk, leek het me verstandig de zaak met wat meer beleid aan te pakken. Het goede aan de onverwacht lange verlovingstijd die het ministerie van Binnenlandse Veiligheid ons schonk, was dat Felipe en ik uitgebreid de gelegenheid hadden (alle uren van de dag om precies te zijn, vele maanden lang) om de vragen en onzekerheden te bespreken die het huwelijk bij ons opwierp. En dus bespraken we die. Allemaal. Geïsoleerd van onze familie, met z'n tweetjes in afgelegen oorden, tijdens de ene tien uur durende busrit na de andere, was tijd het enige wat we hadden. Dus we praatten en praatten en praatten, Felipe en ik, en kwamen dagelijks een beetje dichter bij de definitieve vorm en inhoud van ons huwelijkscontract.

Elkaar trouw blijven was uiteraard van primair belang. Dat was de enige voorwaarde van ons huwelijk waaraan niet getornd kon worden. We zagen allebei in dat als het vertrouwen eenmaal aan diggelen is geslagen, het lastig en pijnlijk, zo niet onmogelijk, is om het weer aan elkaar te lijmen. (Zoals mijn vader, scheikundig ingenieur, eens over waterverontreiniging zei: 'Het is veel makkelijker en goedkoper om de rivier meteen vanaf het begin schoon te houden dan om hem te zuiveren als hij eenmaal vervuild is.')

Potentieel radioactieve onderwerpen als huishoudelijk werk en klusjes waren redelijk simpel te behandelen; we hadden al samengewoond en waren erachter gekomen dat we de taken moeiteloos en eerlijk verdeelden.

Felipe en ik keken ook hetzelfde aan tegen het krijgen van kinderen (te weten: nee, dank u), en met onze overeenstemming op dit belangrijke onderwerp zetten we al een streep door een waslijst aan potentiële huwelijksconflicten. Gelukkig klikte het eveneens goed tussen ons in bed, dus we voorzagen geen toekomstige belemmeringen op het terrein van de menselijke seksualiteit, en het leek me niet slim naar problemen te gaan zoeken waar die niet bestonden.

Daarmee bleef er één belangrijke kwestie over die een huwelijk echt kan ontwrichten: geld. En op dat gebied bleek er veel te bespreken. Want hoewel Felipe en ik het al snel met elkaar eens zijn over wat belangrijk is in het leven (lekker eten) en wat níet (duur servies waarop dat lekkere eten dient te worden geserveerd), houden we er totaal verschillende waarden en overtuigingen over geld op na. Ik ben altijd behoudend omgegaan met mijn inkomsten, voorzichtig, een dwangmatige spaarder, domweg niet in staat meer uit te geven dan wat er op mijn rekening staat. Ik schrijf dat toe aan de lessen die me zijn geleerd door mijn zuinige ouders, die iedere dag tegemoet traden alsof het de beurskrach van 30 oktober 1929 was, en toen ik zeven werd mijn eerste spaarrekening voor me openden.

Felipe daarentegen is opgevoed door een vader die weleens een mooie auto tegen een vishengel ruilde.

Spaarzaamheid is de staatsreligie van mijn familie, maar Felipe kent die eerbied voor zuinigheid niet. Hij is geïmpregneerd met de risicobereidheid van de geboren ondernemer en kent veel minder angst dan ik om alles te verliezen en weer helemaal opnieuw te beginnen. (Laat me dat anders verwoorden: ik ben in geen honderd jaar bereid alles te verliezen en weer helemaal opnieuw te beginnen.) Bovendien heeft Felipe niet het natuurlijke vertrouwen in financiële instituten dat ik heb. Hij wijt dat, niet geheel ten onrechte, aan het feit dat hij is opgegroeid in een land met een sterk fluctuerende munt; als kind had hij leren tellen door zijn moeder gade te slaan die iedere dag opnieuw haar spaarpotje met Braziliaanse cruzeiro's aan de inflatie aanpaste. Contant geld betekent daarom heel weinig voor hem. Spaarrekeningen nog minder. Bankafschriften zijn niet meer dan 'nullen op een papiertje' die van de ene op de andere dag kunnen verdwijnen, om redenen waar je geen invloed op hebt. Daarom, legde Felipe me uit, bewaarde hij zijn vermogen liever in de vorm van edelstenen, of als onroerend goed, en niet op de bank. Hij maakte me duidelijk dat hij daar nooit anders over zou gaan denken.

Oké. Daar kon ik het mee doen. Maar ik vroeg Felipe wel of hij het dan goedvond dat ik het huishoudbudget beheerde en de vaste lasten betaalde. Ik was er redelijk zeker van dat het energiebedrijf geen maandelijkse storting in amethisten zou accepteren, dus dat betekende dat we een gezamenlijke rekening moesten openen, al was het alleen maar om de facturen te betalen. Hij stemde met het idee in, wat bemoedigend was.

Maar nog bemoedigender was dat Felipe zich bereid toonde onze maanden van reizen te gebruiken om, heel zorgvuldig en heel respectvol, in de loop van die vele lange busritten, samen met mij te werken aan het opstellen van huwelijkse voorwaarden. Hij hechtte er zelfs evenveel waarde aan als ik. Misschien vind je dat raar en moeilijk te begrijpen, maar dan vraag ik je om je in onze situatie te verplaatsen. Ik ben een selfmade vrouw met een creatief, zelfstandig beroep, die altijd haar eigen inkomen heeft verdiend, en die een verleden heeft van het onderhouden van de mannen in haar leven (en die nog steeds knarsetandend cheques uitschrijft aan haar ex), en dus ging dit onderwerp me zeer ter harte. Wat Felipe betreft, niet alleen gebroken na zijn echtscheiding maar ook uitgekleed… nou ja, hem ging het eveneens ter harte.

Ik weet dat er in de media meestal over huwelijkse voorwaarden wordt gesproken als een rijke oudere man gaat trouwen met een mooie jongere vrouw. Het onderwerp heeft altijd iets ranzigs, een wantrouwige 'seks voor geld'-bijklank. Maar Felipe en ik waren noch magnaten noch opportunisten; we hadden gewoon genoeg ervaring om te erkennen dat relaties soms stuklopen, en het zou van een kinderlijke houding getuigen om te doen alsof ons zoiets niet kon overkomen. Bovendien liggen geldkwesties per definitie anders als je op middelbare leeftijd trouwt vergeleken met op jongere leeftijd. We zouden ieder onze bestaande werelden meenemen in dit huwelijk, en die bevatten carrières, ondernemingen, bezittingen, zijn kinderen, mijn royalty's, de edelstenen die hij in de loop der jaren zorgvuldig had vergaard, het pensioen dat ik had opgebouwd sinds ik als twintigjarige serveerster in een cafetaria werkte... en al die waardevolle zaken moesten worden beschouwd, gewogen, besproken.

Hoewel het uitwerken van huwelijkse voorwaarden nou niet de meest romantische manier lijkt om de maanden voor je huwelijk door te brengen, moet je me geloven als ik zeg dat we tijdens die gesprekken een paar heel liefdevolle momenten kenden, vooral wanneer we opkwamen voor elkaars belang. Maar er waren ook tijden waarin het proces een onaangenaam en gespannen tintje kreeg. Er was een grens aan hoe lang we over het onderwerp konden praten voor we even moesten pauzeren, van onderwerp veranderen, of elkaar zelfs een paar uur niet zien. Interessant genoeg stuitten Felipe en ik op precies hetzelfde probleem toen we een paar jaar later samen ons testament opmaakten – een vermoeidheid van het hart die ons voortdurend van de tafel dreef. Het is een naargeestige bezigheid, je voorbereiden op het ergste. En in beide gevallen, zowel bij de testamenten als de huwelijkse voorwaarden, kan ik de keren niet tellen dat ieder van ons 'God verhoede' verzuchtte.

We zetten echter stug door en slaagden erin huwelijkse voorwaarden op te schrijven die ons allebei gelukkig maakten. Of misschien is 'gelukkig' niet helemaal het juiste woord als je net een nooduitgang hebt ontworpen voor een nog jong liefdesavontuur. Je voorstellen dat de relatie kan mislukken is onplezierig, maar we deden het toch. We deden het omdat het huwelijk niet alleen een persoonlijk liefdesavontuur is, maar ook een dwingend maatschappelijk en financieel contract; als dat niet zo was zouden er niet talloze federale en lokale wetten zijn die raken aan onze echtverbintenis. We deden het omdat we wisten dat het beter is je eigen voorwaarden te stellen dan te riskeren dat die later in je leven door ongevoelige vreemden in een onbarmhartige rechtszaal voor je worden bepaald. Maar we aten ons vooral een weg door die rijstebrijberg van pijnlijke financiële gesprekken omdat Felipe en ik in de loop der jaren beiden hard met onze neus op de volgende waarheid zijn gedrukt: *Als je het moeilijk vindt over geld te praten als je in de zevende hemel bent van verliefdheid, probeer dat dan later maar eens te doen, als je ontroostbaar en woedend bent en je liefde gedoofd is.*

God verhoede.

Maakte ik mezelf dan iets wijs als ik hoopte dat onze liefde nooit zou doven?

Durfde ik daar zelfs van te dromen? Tijdens onze reizen besteedde ik een bijna gênante hoeveelheid tijd aan het afvinken van lijstjes met alle dingen die Felipe en ik mee hadden als stel – ik verzamelde onze verdiensten als gelukssteentjes, stopte ze in mijn zakken en liet er mijn vingers over glijden in een constante zoektocht naar geruststelling.

Hielden mijn familie en vrienden niet al van Felipe? Was dat geen belangrijke bevestiging, of zelfs een talisman? Had niet mijn meest wijze en vooruitziende vriendin – de enige vrouw die me jaren eerder had aangeraden niet met mijn eerste man te trouwen – Felipe volledig omarmd als een geschikte partner voor me? Had niet zelfs mijn onbehouwen, negentigjarige grootvader hem gemogen? (De eerste keer dat ze elkaar ontmoetten had opa Stanley Felipe het hele weekend nauwlettend gadegeslagen en aan het slot daarvan zijn oordeel geveld: 'Ik mag je, Felipe,' verklaarde hij. 'Je lijkt me een doordouwer. En dat is je geraden ook, want dit meiske heeft er al heel wat versleten.')

Ik klampte me niet aan die bevestigingen vast omdat ik gerustgesteld wilde worden over Felipe, maar omdat ik gerustgesteld wilde worden over *mezelf*. Juist om de reden die opa Stanley zo openhartig had verkondigd was ik degene wier oordeelsvermogen op liefdesgebied niet helemaal betrouwbaar was. Ik had een lange, bonte geschiedenis achter de rug van extreem slechte beslissingen waar het mannen aanging. Dus verliet ik me op de mening van anderen om mijn zelfvertrouwen over de keuze die ik nu maakte te schragen.

Ik verliet me ook op andere hoopgevende aanwijzingen. Door de twee jaar die we al samen hadden doorgebracht wist ik dat Felipe en ik als paar, zoals psychologen het noemen, 'conflictvermijdend' zijn. Dat is steno voor 'geen van tweeën zal ooit aan de keukentafel met borden naar de ander gooien'. Felipe en ik ruziën zelfs zo weinig dat ik me er vroeger weleens zorgen over maakte. Het wordt als een algemene waarheid beschouwd dat stellen ruzie móeten maken om lucht te geven aan hun grieven. Maar we maakten bijna nooit ruzie. Betekende dit dat we onze ware boosheid en wrok onderdrukten en dat het op een dag allemaal in ons gezicht zou exploderen in een gloeiende golf van razernij en geweld? Zo voelde het niet. (*Natuurlijk* voelde het niet zo; dat zijn de listige methoden van verdringing, toch?)

Maar toen ik dieper in het onderwerp dook, ontspande ik een beetje. Uit nieuw onderzoek is gebleken dat sommige paren jarenlang serieuze conflicten weten te vermijden zonder dat dit ernstige repercussies voor hun relatie heeft. Zulke paren hebben het begrip 'wederzijdse toegeeflijkheid' tot een kunstvorm verheven – ze wringen zich tactvol en behoedzaam in bochten om onenigheid te voorkomen. Dit systeem werkt overigens alleen als *beide* partners toegeeflijke persoonlijkheden zijn. Een huwelijk waarin de ene partner volgzaam is en de andere een dominante bruut of een onverbeterlijke oude tang kun je niet gezond noemen. Een wederzijds meegaande houding kan weer wel een succesvolle huwelijksstrategie opleveren, als dat is wat beide partners willen. Conflictvermijdende stellen laten liever hun grieven vanzelf overgaan dan over elk punt te strijden. Vanuit spiritueel oogpunt trekt dat idee me bijzonder aan. Boeddha leert dat de meeste problemen – als je ze maar genoeg tijd en ruimte geeft – uiteindelijk zichzelf oplossen. Toch heb ik vroeger relaties gehad waarin de problemen zichzelf nooit zouden oplossen, nog niet in vijf achtereenvolgende levens, dus wat wist ik ervan? Het enige wat ik weet, is dat Felipe en ik het prima met elkaar lijken te kunnen vinden. Wat ik je niet kan vertellen is *waarom*.

Het is gewoon een mysterieuze zaak, waarom het met de een wel gaat en met de ander niet. En dat is niet specifiek aan *mensen* voorbehouden! De natuurkenner William Jordan heeft een prachtig boekje geschreven, *Divorce Among the Gulls*, waarin hij vertelt dat onder zeemeeuwen, vogels die paartjes voor het leven zouden vormen, een 'echtscheidingspercentage' van 25 procent voorkomt. Dat wil zeggen dat bij een kwart van de zeemeeuwenpaartjes de eerste relatie misloopt – zo sterk misloopt dat ze uit elkaar moeten gaan wegens onverenigbare karakters. Niemand weet waarom die vogels niet meer met elkaar overweg kunnen, maar duidelijk is dát ze niet meer met elkaar overweg kunnen. Ze wedijveren om voedsel. Ze ruziën over wie het nest moet bouwen. Ze ruziën over wie de eieren moet beschermen. Ze ruziën waarschijnlijk ook over welke kant ze op moeten vliegen. Uiteindelijk slagen ze er niet in gezonde jongen voort te brengen. (Waarom zulke kibbelzieke vogels zich ooit tot elkaar aangetrokken hebben gevoeld, of waarom ze de waarschuwingen van hun vrienden in de wind hebben geslagen, is een raadsel, al ben ik natuurlijk niet de aangewezen persoon om daarover te oordelen!) Maar goed, na een paar seizoenen strijd geven die treurige zeemeeuwenpaartjes het op en gaan op zoek naar een nieuwe partner. En nu komt het: vaak is hun 'tweede huwelijk' volmaakt gelukkig en blijven er veel de rest van hun leven bij elkaar.

Hoe vind je dat? Zelfs onder vogels met hersenen ter grootte van een batterij bestaat zoiets als een basale verenigbaarheid of onverenigbaarheid, die lijkt te rusten, zoals Jordan verklaart, op 'een fundament van psychobiologische verschillen' waarvan de wetenschap nog geen beschrijving heeft kunnen geven. De vogels zijn in staat elkaar vele jaren te verdragen of ze zijn het niet. Zo simpel en zo ingewikkeld ligt het.

Bij de mens is het al niet anders. Sommigen van ons worden gek van elkaar; sommige anderen niet. Misschien zijn er grenzen aan wat je daartegen kunt doen. Emerson schreef dat 'we weinig schuld hebben aan onze slechte huwelijken', waaruit je mag concluderen dat we onze goede huwelijken evenmin al te zeer als onze verdienste mogen beschouwen. Begint tenslotte niet iedere romance op hetzelfde punt – op diezelfde kruising van genegenheid en begeerte waar twee vreemden elkaar tegenkomen en verliefd worden? Hoe kan iemand aan het begin van een relatie voorzien wat de toekomst zal brengen? Een deel moet toch echt aan het toeval worden toegeschreven. Ja, een relatie in stand houden kost tijd en energie, maar ik ken een paar vreselijk aardige stellen die bergen werk hebben verzet om hun huwelijk te redden en uiteindelijk toch de handdoek in de ring hebben moeten gooien, terwijl andere stellen – niet wezenlijk aardigere of betere mensen dan hun buren – vrolijk en zorgeloos met z'n tweetjes door de jaren heen lijken te ronken, als een zelfreinigende oven.

Ik las een keer een interview met een New Yorkse echtscheidingsrechter, waarin ze vertelde dat in de trieste dagen na 11 september een enorm aantal echtparen dat in scheiding lag hun verzoek weer introk. Al die stellen beweerden dat ze zo onder de indruk waren van de tragedie dat ze besloten hadden hun huwelijk op te lappen. Wat ik niet raar vind klinken. Zo'n formaat ramp relativeert ook je pietluttige ruzies over het uitruimen van de vaatwasser, en vervult je met een natuurlijk en onbaatzuchtig verlangen om je oude grieven opzij te zetten en misschien zelfs nieuw leven te verwekken. Het was een nobele drang. Maar, zoals de rechter opmerkte, een halfjaar later waren al die stellen terug in de rechtszaal om de hele scheidingsprocedure opnieuw te doorlopen. Hoe nobel de drang ook, als je iemand echt niet meer in je nabijheid kunt verdragen zal zelfs een terroristische aanslag je huwelijk niet redden.

Wat het onderwerp van die verenigbaarheid betreft, vraag ik me soms ook af of de zeventien jaar die Felipe en ik in leeftijd verschillen niet in ons voordeel werken. Hij beweert steeds dat hij op dit moment in zijn leven een veel betere partner voor me is dan hij twintig jaar geleden ooit voor iemand had kunnen zijn, en ik heb hoe dan ook veel waardering voor (en behoefte aan) zijn volwassenheid. Of misschien zijn we alleen maar extra voorzichtig met elkaar omdat het leeftijdsverschil ons herinnert aan de inherente vergankelijkheid van onze relatie. Felipe is al halverwege de vijftig; ik zal hem niet eeuwig bij me hebben en ik wil de jaren dat ik hem wel heb niet verloren zien gaan in strijd.

Ik weet nog hoe ik toekeek toen mijn grootvader vijfentwintig jaar geleden de as van mijn grootmoeder begroef op de familieboerderij in het noorden van de staat New York. Het was november, een koude avond, en wij, zijn kinderen en kleinkinderen, volgden mijn grootvader te voet door de purperen avondschaduwen over de vertrouwde weilanden naar de kleine zandvlakte in de bocht van de rivier, die hij had uitgekozen als de plaats waar de as van zijn vrouw zou rusten. In één hand droeg hij een lantaarn en er lag een schop op zijn schouder. De grond was bedekt met sneeuw en het kostte opa Stanley moeite om een gat te graven, ook al was de urn maar klein en hij een sterke man. Maar hij hing de lantaarn aan een kale boomtak en spitte gestaag door, en toen was het voorbij. En zo gaat het. Je hebt iemand een tijdje, en dan is hij of zij verdwenen.

Zo zullen wij allen meemaken – alle paren die samen zijn in liefde – dat (als je gelukkig genoeg bent geweest om altijd bij elkaar te blijven) op een dag een van ons de schop en de lantaarn voor de ander zal dragen. We delen allen ons huis met de tijd, die naast ons doortikt en ons herinnert aan ons ultieme lot terwijl we werken aan ons dagelijks leven. Alleen tikt voor sommigen de tijd wel heel hard.

Waarom heb ik het juist nu over die dingen?

Omdat ik van hem hou. Ben ik echt zo ver in mijn boek gekomen zonder dat duidelijk te hebben gemaakt? Ik hou van die man. Ik hou van hem om talloze absurde redenen. Ik hou van zijn stevige, brede hobbitachtige voeten. Ik hou van de manier waarop hij tijdens het koken altijd 'La vie en rose' zingt. (Het hoeft geen betoog dat ik het heerlijk vind dat hij kookt.) Ik hou van hoe hij *bijna* perfect Engels spreekt, maar er, na al die jaren dat het zijn voertaal is, soms nog steeds in slaagt fantastische woorden te verzinnen. ('*Smoothfully*' is een van mijn favorieten, hoewel ik ook zeer gecharmeerd ben van '*lulu-bell*' – Felipes eigen schitterende vertaling van het woord *lullaby*.) Ik hou er ook van dat hij bepaalde Engelse idiomatische uitdrukkingen nooit helemaal onder de knie heeft gekregen. ('*Don't count your eggs while they're still up inside the chicken's ass*' is een prachtig voorbeeld, al ben ik ook een groot fan van '*Nobody sings till the fat lady sings*'.) Ik hou ervan dat Felipe steeds weer per ongeluk de namen van Amerikaanse sterren verhaspelt. ('George Cruise' en 'Tom Pitt' zijn twee sprekende voorbeelden.)

Ik hou van hem en daarom wil ik hem beschermen, zelfs tegen mezelf, als je daar chocola van kunt maken. Ik wilde geen stappen in de aanloop naar ons huwelijk overslaan of een probleem laten liggen dat in een later stadium de kop zou kunnen opsteken en ons beschadigen – hém beschadigen. Bang dat ik, ondanks alle gesprekken en alle research en al het juridisch getouwtrek, toch nog iets belangrijks over het hoofd zou zien, wist ik de hand te leggen op een recent rapport van de Rutgers University getiteld 'Samen alleen: hoe het huwelijk in Amerika verandert', en ging er een beetje mee aan de haal. In dit omvangrijke werk zijn de resultaten ondergebracht van twintig jaar studie naar het huwelijk in Amerika – het meest uitgebreide onderzoek dat ooit naar het instituut is gedaan – en ik nam het tot me alsof het de *I Tjing* was. Ik zocht troost in zijn statistieken, tobde boven grafieken over 'huwelijksveerkracht' en probeerde de gezichten van Felipe en mij te vinden in de kolommen met vergelijkbare-variantieschalen.

Wat ik van het Rutgersrapport begreep (en ik begreep vast niet alles) was dat de onderzoekers trends hebben ontdekt in 'echtscheidingsgevoeligheid', gebaseerd op een aantal harde demografische factoren. Sommige huwelijken lopen domweg meer kans te mislukken dan andere, in een mate die enigszins voorspelbaar is. Een aantal factoren klonk me bekend in de oren. We weten allemaal dat mensen van wie de ouders gescheiden zijn een grotere kans maken later zelf hun huwelijk te beëindigen – alsof echtscheiding erfelijk is – en vaak strekken voorbeelden daarvan zich over meerdere generaties uit.

Maar andere ideeën waren minder bekend, en zelfs geruststellend. Zo had ik altijd begrepen dat mensen die al eens gescheiden zijn statistisch meer kans lopen dat ook hun tweede huwelijk strandt, maar dat blijkt dus dik mee te vallen. Het Rutgersonderzoek toont aan, en dat is bemoedigend, dat veel tweede huwelijken wel degelijk voor de rest van het leven duren. (Net als zeemeeuwen maken sommige mensen de eerste keer een verkeerde keuze, maar hebben meer succes met de volgende partner.) Problemen ontstaan als mensen de destructieve neigingen die ze in het eerste huwelijk vertoonden meenemen naar het volgende, zoals alcoholisme, dwangmatig gokken, psychiatrische aandoeningen, gewelddadig gedrag of rokkenjagen. Met zulke bagage doet het er weinig toe met wie je trouwt, want op den duur loopt je huwelijk hoe dan ook spaak op je eigen disfunctioneren.

En dan heb je nog het beruchte echtscheidingscijfer van vijftig procent in Amerika. Er wordt voortdurend mee gesmeten en wat klinkt het hard. Zoals antropoloog Lionel

Tiger spits opmerkte over dit onderwerp: 'In de gegeven omstandigheden wekt het verbazing dat het huwelijk nog steeds legitiem is. Als bijna de helft van wat dan ook zo rampzalig eindigde, zou de overheid het waarschijnlijk meteen verbieden. Als de helft van de taco's in restaurants dysenterie zouden veroorzaken, als de helft van de mensen die op karate gaan hun hand zouden breken, als al was het maar zes procent van iedereen die in een achtbaan stapt zijn middenoor zou beschadigen, zou het publiek schreeuwen om actie. Maar de meest persoonlijke van alle rampen... doet zich steeds weer opnieuw voor.'

Die vijftig procent zit echter ingewikkelder in elkaar dan het lijkt, als je het cijfer opsplitst naar demografische groepen. De leeftijd van het paar op het moment dat ze met elkaar in het huwelijk treden, lijkt de meest significante omstandigheid. Hoe jonger je trouwt, hoe groter de kans dat je later gaat scheiden. Je hebt zelfs *verrassend* meer kans op echtscheiding als je jong trouwt. Als tiener of jonge twintiger loop je bijvoorbeeld een twee tot drie keer grotere kans dat je huwelijk de mist in gaat dan wanneer je zou wachten tot je in de dertig of veertig bent.

De redenen daarvan liggen zo voor de hand dat ik aarzel om ze op te noemen, uit angst dat ik mijn lezers beledig, maar hier zijn ze toch: heel jonge mensen zijn door de bank genomen onverantwoordelijker, zich minder van zichzelf bewust, zorgelozer en financieel instabieler dan oudere. Dat is er de oorzaak van dat bij mensen die op hun achttiende trouwen het echtscheidingspercentage niet op vijftig maar eerder tegen de vijfenzeventig procent ligt, wat het gemiddelde omhoogtrekt voor alle anderen. Je kunt dus beter niet trouwen als je heel jong bent. De leeftijd van vijfentwintig jaar lijkt de magische scheidslijn. Paren die voor die leeftijd trouwen zijn stukken echtscheidingsgevoeliger dan paren die wachten tot ze zesentwintig of ouder zijn. En hoe verder de leeftijd van de huwelijkskandidaten stijgt, des te geruststellender worden de statistieken. Als je met trouwen wacht tot je ergens in de vijftig bent, wordt de kans dat je ooit een verzoek tot echtscheiding zult indienen statistisch onzichtbaar. Ik vond dat uitermate opbeurend, omdat wij, als je Felipes leeftijd en de mijne bij elkaar optelt en dat getal vervolgens door twee deelt, uitkomen op rond de zesenveertig jaar. Wat de leeftijd als statistische voorspeller betreft, zitten we gebakken.

Maar leeftijd is uiteraard niet de enige factor. Volgens het Rutgersonderzoek wordt de veerkracht van een huwelijk ook bepaald door:

1. *Opleiding.* Hoe hoger je opleiding, des te beter je huwelijk statistisch gesproken is. En vooral: hoe hoger de opleiding van de *vrouw*, des te gelukkiger haar huwelijk is. Vrouwen met een universitaire opleiding en een baan, die relatief laat in hun leven trouwen, hebben onder hun seksegenoten de grootste kans om nooit te scheiden. Dat klinkt als goed nieuws en levert beslist een paar punten in het voordeel van Felipe en mij op.

2. *Kinderen.* De statistieken geven aan dat paren met jonge kinderen melding maken van 'meer onvrede' binnen hun huwelijk dan paren met grote kinderen of paren die helemaal geen kinderen hebben. Met name een baby betekent een enorme aanslag op een relatie, om redenen die ik vast niet hoef uit te leggen aan wie onlangs gezinsuitbreiding heeft gehad. Ik weet niet wat dat voor de toekomst van de wereld in het algemeen betekent, maar voor Felipe en mij was het alweer goed nieuws. Als oudere, hoogopgeleide en babyloze mensen ziet het er goed uit voor Felipe en

mij als paar – in elk geval volgens de bookmakers van Rutgers.

3. *Samenwonen.* Ah, maar hier begint het tij zich tegen ons te keren. Het echtscheidingscijfer bij mensen die al samenwoonden voor het huwelijk blijkt iets hoger te liggen dan bij stellen die pas na hun trouwen gaan samenwonen. Een van de verklaringen die sociologen hiervoor geven, is dat samenwonen voor het huwelijk op een lossere opvatting over de liefde en relaties wijst. Wat de reden ook mag zijn: punt in het nadeel van Felipe en Liz.

4. *Heterogeniteit.* Deze factor deprimeert me, maar hier komt ie: hoe meer verschillen jij en je partner vertonen op het gebied van ras, leeftijd, geloof, etnische afkomst, culturele achtergrond en beroep, hoe groter de kans dat jullie op een dag gaan scheiden. Tegenpolen trekken elkaar aan, maar houden het niet altijd met elkaar vol. Sociologen gaan ervan uit dat deze tendens met de jaren zal afnemen naarmate maatschappelijke vooroordelen slijten, maar voorlopig hebben we daar niet veel aan. Nog een punt in het nadeel van Liz en haar veel oudere, katholiek geboren, Zuid-Amerikaanse zakenman.

5. *Sociale integratie.* Hoe sterker een echtpaar ingebed is in een gemeenschap van vrienden en familie, hoe hechter hun huwelijk zal zijn. Het feit dat tegenwoordig steeds minder Amerikanen hun buren kennen, lid zijn van een sociale vereniging of dicht bij de familie wonen, heeft over de hele linie een sterk destabiliserend effect op het huwelijk gehad. Alweer een punt in het nadeel van Felipe en Liz, die – in de tijd dat Liz het rapport las – met z'n tweetjes in een armoedige hotelkamer in het noorden van Laos woonden.

6. *Godsdienstigheid.* Hoe religieuzer een stel is, des te groter de kans dat ze getrouwd blijven, hoewel het geloof slechts minimaal voordeel biedt. Het echtscheidingspercentage onder wedergeboren christenen in Amerika ligt maar twee procent lager dan onder hun goddelozer buren – misschien omdat paren in de 'Bible Belt' te jong trouwen? Hoe het ook zij, ik weet niet wat de kwestie van godsdienst voor mij en mijn aanstaande betekent. Als je onze persoonlijke denkbeelden over goddelijkheid vermengt, kom je uit op een filosofie die je 'vaag spiritueel' zou kunnen noemen. (In Felipes uitleg: 'De een is spiritueel en de ander is alleen maar vaag.') Het Rutgersrapport bood geen specifieke gegevens over de veerkracht van het huwelijk binnen de gelederen van de vaag-spirituelen. We laten dit onderdeel onbeslist.

7. *Eerlijke verdeling van taken.* Dit is een sappige. Huwelijken die gebaseerd zijn op een traditionele, beperkende opvatting over de rol van de vrouw in huis, zijn vaak minder solide en minder gelukkig dan die waarin de man en vrouw elkaar als gelijken beschouwen en waarin de echtgenoot zijn steentje bijdraagt aan de traditioneel vrouwelijke, ondankbare huishoudelijke taken. Het enige wat ik hierover kan melden is dat ik Felipe een keer tegen een logé hoorde zeggen dat naar zijn mening de plaats van de vrouw in de keuken is… in een makkelijke stoel met haar voeten omhoog en een glas wijn in haar hand terwijl ze kijkt hoe haar man het eten bereidt. Krijg ik hiervoor een paar bonuspunten?

Ik zou zo kunnen doorgaan, maar na een tijdje werd ik toch wel een beetje scheel van al die gegevens. Mijn nicht Mary, statistica aan Stanford University, waarschuwt me er trouwens voor om niet te veel gewicht te hechten aan dit soort studies. Ze zijn blijkbaar niet bedoeld om te lezen als theebladeren. Mary drukt me vooral op het hart huwelijksresearch waarin concepten als 'geluk' worden gemeten met argwaan te bekijken, aangezien geluk niet echt wetenschappelijk kwantificeerbaar is. Als bovendien uit statistisch onderzoek een verband naar voren komt tussen twee factoren (bijvoorbeeld tussen een hogere opleiding en de veerkracht van het huwelijk), wil dat nog niet zeggen dat het één *onomstotelijk* uit het ander volgt. Zoals nicht Mary me er fijntjes op wees, is eveneens uit statistische studies gebleken dat de verdrinkingscijfers in Amerika het hoogst zijn in gebieden waar veel ijs wordt verkocht. Dat betekent duidelijk niet dat het kopen van een ijsje tot verdrinking leidt. Het betekent eerder dat er aan het strand meer ijsjes worden verkocht, en er verdrinken meer mensen in de buurt van een strand, omdat daar nu eenmaal meer water is. Het met elkaar verbinden van de twee volkomen ongerelateerde begrippen 'ijs' en 'verdrinken' is een goed voorbeeld van een drogredenering, en statistische onderzoeken zetten je wat dat betreft regelmatig op een vals spoor. Dat is er waarschijnlijk de oorzaak van dat ik, toen ik op een avond in Laos met het Rutgersrapport voor mijn neus een sjabloon probeerde te ontwerpen voor het minst echtscheidingsgevoelige paar van Amerika, met een nogal frankensteiniaans duo op de proppen kwam.

Zoek allereerst twee mensen van eenzelfde ras, leeftijd, geloof, culturele achtergrond en intelligentieniveau, met ouders die nooit gescheiden zijn. Laat het tweetal pas trouwen als ze een jaar of vijfenveertig zijn, uiteraard zonder dat ze eerst mogen samenwonen. Vergewis je ervan dat ze allebei vurig in God geloven en sterk aan gezinswaarden hechten, maar verbied ze kinderen te krijgen. (Ook moet de man geëmancipeerd zijn.) Breng ze in dezelfde stad onder als hun familie en zie erop toe dat ze vele gezellige uurtjes wijden aan kaarten en bowlen met de buren – althans, als ze niet bezig zijn aan de schitterende carrière te bouwen die hun geweldige hogere opleiding mogelijk heeft gemaakt.

Wie zíjn die mensen?

En waarom zat ik me eigenlijk – zwetend in een bloedhete Laotiaanse hotelkamer – te verdiepen in statistische onderzoeken in een poging een perfect Amerikaans huwelijk samen te stellen? Mijn obsessie deed me denken aan een scène waarvan ik op een mooie zomerdag in Cape Cod getuige was toen ik een wandeling maakte met mijn vriendin Becky. We zagen een jonge moeder die haar fietsende zoontje begeleidde. Het arme joch verzoop zowat in de beschermende uitrusting – helm, kniebeschermers, polsbeschermers, zijwieltjes, oranje waarschuwingsvlaggetjes en een reflecterend vest. Bovendien had de moeder de fiets van het kind letterlijk aan de riem terwijl ze als een dolle achter hem aan rende, zodat hij geen moment buiten haar bereik zou komen.

Mijn vriendin Becky bekeek het tafereel en zuchtte. 'Ik geloof dat ik haar iets moet vertellen,' zei ze. 'Op een dag wordt haar kind gebeten door een teek.'

De crisissituatie waar je uiteindelijk in belandt, is er een waarop je je niet hebt voorbereid.

Met andere woorden, *nobody sings until the fat lady sings*.

Maar kunnen we niet op z'n minst proberen onze risico's te *beperken*? Is er een normale manier waarop je dat kunt doen, zonder neurotisch te worden? Onzeker over hoe ik dat moest aanpakken bleef ik doormodderen met mijn huwelijksvoorbereidingen en probeerde, onder het motto regeren is vooruitzien, met alle toekomstscenario's rekening te houden. Het laatste en belangrijkste wat ik wilde doen, vanuit een hevige drang naar eerlijkheid, was Felipe duidelijk maken wat hij met me kreeg, en met me aanging. Ik wilde hem absoluut niets in de maag splitsen, of hem een verheven en al te verleidelijk beeld van mezelf voorschotelen. Verleiding is de dienares van Begeerte – het enige wat ze doet is *bedriegen*; dat is haar taakomschrijving – en ik wilde niet dat ze deze relatie met bordkartonnen rekwisieten zou optuigen tijdens haar try-outvoorstellingen buiten de stad. Ik was daar zelfs zo op gespitst dat ik op een dag in Laos met Felipe aan de oever van de Mekong ging zitten en hem een lijstje voorlegde met mijn allerslechtste eigenschappen, zodat er geen onduidelijkheid over kon bestaan dat hij gewaarschuwd was. (Als er huwelijkse voorwaarden zijn, waarom dan geen huwelijkse bijsluiter?) Hier volgt een opsomming van mijn meest betreurenswaardige karaktergebreken, of althans dat wat ik na veel wikken en wegen tot een top-vijf had weten terug te brengen:

1. Ik acht mijn mening zeer hoog. Ik ben er doorgaans van overtuigd dat ik het beste weet hoe iedereen in de wereld zijn leven moet leiden, en met name jij zult daar het slachtoffer van zijn.
2. Ik verlang een hoeveelheid toegewijde aandacht die Marie Antoinette zou hebben doen blozen.
3. Ik heb in het leven veel meer enthousiasme dan energie. In mijn geestdrift neem ik gewoonlijk meer hooi op mijn vork dan ik fysiek of emotioneel aankan, waarna ik instort met een voorspelbaar vertoon van plotselinge uitputting. Jij bent degene die me zal moeten opvegen als ik weer eens te hoog heb gereikt en vervolgens in elkaar ben geklapt. Dat zal je op den duur behoorlijk gaan vervelen. Bij voorbaat mijn excuses.
4. Ik ben openlijk trots, zit stiekem vol kritiek en stel me

laf op in conflicten. Al die dingen komen soms tegelijk samen en maken me tot een enorme leugenaar.

5. En mijn meest schandelijke tekortkoming: hoewel het lang duurt voor ik dat punt bereik, zodra ik heb besloten dat ik iemand niet kan vergeven, zal ik dat hoogstwaarschijnlijk ook nooit meer doen – die persoon maar al te vaak voor eeuwig uit mijn leven bannen, zonder waarschuwing, uitleg of een tweede kans.

Het was geen aantrekkelijk lijstje. Het deed me pijn om het te lezen, en ik had mijn karaktergebreken ook nooit eerder zo eerlijk voor iemand op een rijtje gezet. Maar toen ik Felipe deze opsomming van bedroevende eigenschappen voorlegde, hoorde hij me zonder schijnbare onrust aan. Sterker nog, hij glimlachte en vroeg: 'Is er nog iets wat je me over jezelf wilt vertellen wat ik niet al wist?'

'Hou je nog van me?' vroeg ik.

'Nog altijd,' bevestigde hij.

'Hóe?'

Want daar draait het om, toch? Als de aanvankelijke redeloze storm van begeerte is gaan liggen en we zien wie en wat we zijn: onbenullige sterfelijke dwazen, hoe kan iemand van ons het dan opbrengen de ander lief te hebben en te vergeven, laat staan blijvend?

Felipe gaf lange tijd geen antwoord. Toen zei hij: 'Als ik vroeger naar Brazilië ging voor edelstenen, kocht ik vaak iets wat ze een "pakketje" noemen. Een pakketje is een willekeurige partij edelstenen die de delver of groothandelaar, of welke oplichter ook, samenstelt. Een doorsnee pakketje bevat misschien twintig of dertig aquamarijnen. Zo word je geacht goedkoper uit te zijn – als je een heel zootje tegelijk koopt – maar je moet oppassen, want die vent probeert je natuurlijk af te zetten. Hij probeert zijn minderwaardige edelstenen aan jou kwijt te raken door ze samen met een paar hele mooie te verkopen.

Dus toen ik in de juwelenhandel begon,' ging Felipe verder, 'kwam ik geregeld in de problemen omdat ik helemaal opgetogen was over de paar volmaakte aquamarijnen in het pakketje en amper op de troep lette die erbij zat. Nadat ik vaak genoeg mijn neus had gestoten, leerde ik uiteindelijk deze wijze les: je moet de volmaakte edelstenen negeren. Kijk er niet eens een tweede keer naar, want ze verblinden je. Leg ze weg en richt je aandacht op de lelijke. Bestudeer die heel lang en vraag jezelf vervolgens in alle eerlijkheid af: "Kan ik hier wat mee? Kan ik hier iets van maken?" Anders heb je zojuist een kapitaal uitgegeven aan twee prachtige aquamarijnen tussen een hoop waardeloze rommel.

Volgens mij is het met relaties net zo. Iedereen wordt altijd verliefd op de meest perfecte aspecten van elkaars persoonlijkheid. Zo werkt het toch? Het is niet zo moeilijk om van de mooiste kanten van een ander houden. Maar dat is niet erg handig. Je moet bij jezelf te rade gaan of je de slechte eigenschappen kunt accepteren. Kun je open naar de tekortkomingen van je partner kijken en zeggen: "Daar kan ik me wel overheen zetten, ik kan er wel mee uit de voeten"? Want de goeie elementen zullen er altijd zijn en altijd schitteren, maar de rotzooi eronder kan je echt opbreken.'

'Bedoel je dat je wel met mijn waardeloze, armzalige rotzooi uit de voeten kunt?' vroeg ik.

'Wat ik probeer te zeggen, schat, is dat ik je al een hele tijd gadesla en geloof dat ik het hele pakketje kan accepteren.'

'Dank je,' zei ik, en dat meende ik. Ik meende het met elke tekortkoming van mijn wezen.

'Wil je nu mijn slechtste karaktereigenschappen horen?' vroeg Felipe.

Om je de waarheid te zeggen dacht ik op dat moment bij

mezelf: *ik ken je slechtste karaktereigenschappen al, meneertje.* Maar voor ik kon antwoorden legde hij de feiten snel en onomwonden voor me neer, zoals alleen een man dat kan die zichzelf door en door kent.

'Ik ben altijd goed geweest in geld verdienen,' zei hij, 'maar ik heb dat spul nooit leren sparen. Ik drink te veel wijn. Ik was te beschermend als vader en dat zal ik waarschijnlijk ook altijd zijn naar jou toe. Ik ben paranoïde – dat is mijn Braziliaanse inborst – dus steeds als ik een situatie niet helemaal begrijp, ga ik altijd van het ergste uit. Ik ben er vrienden door kwijtgeraakt, en daar zal ik altijd spijt van hebben, maar zo ben ik nu eenmaal. Ik kan ongezellig en prikkelbaar en in mezelf gekeerd zijn. Ik ben een man van vaste gewoonten, wat betekent dat ik saai ben. Ik heb erg weinig geduld met sukkels.' Hij glimlachte, in een poging zijn woorden wat te relativeren. 'Ook kan ik niet naar je kijken zonder met je naar bed te willen.'

'Daar kan ik wel wat mee,' antwoordde ik.

Er is amper een edelmoediger geschenk dat we anderen kunnen geven dan hen onvoorwaardelijk te accepteren, van hen te houden bijna ondanks wie ze zijn. Ik zeg dat omdat het openlijk opnoemen van onze tekortkomingen niet een of andere grappig bedoelde stunt was, maar een oprechte poging de donkere facetten van ons karakter bloot te leggen. Het zijn geen leuke dingen, die karaktergebreken. Ze kunnen schade aanrichten. Ze kunnen een relatie verwoesten. Als ik mijn narcistische behoefte aan aandacht niet in bedwang hou, is die net zozeer in staat een relatie te saboteren als Felipes financiële roekeloosheid, of zijn neiging meteen het ergste te denken als hij zich onzeker voelt. Als we enig zelfbesef hebben, doen we ons uiterste best om die gevaarlijkere kanten van onze natuur onder controle te houden, *maar verdwijnen doen ze niet.* Eveneens een opmerking waard: als

Felipe slechte eigenschappen heeft die hij niet kan veranderen, zou het niet erg verstandig van me zijn te denken dat mij dat wel zal lukken. Het omgekeerde gaat uiteraard ook op. En sommige dingen die we niet in onszelf kunnen veranderen zijn beslist niet fraai om te aanschouwen. Kortom, als iemand je ziet zoals je bent en desondanks van je houdt, is dat een offergift die aan het miraculeuze kan grenzen.

Met alle respect voor Boeddha en de vroegchristelijke celibatairen, maar ik vraag me soms af of al die preken over onthechting en het spirituele belang van monnikachtige eenzaamheid ons niet iets heel essentieels ontzeggen. Misschien ontneemt al die afwijzing van intimiteit ons wel de kans ooit dat zo aardgebonden geschenk te ervaren van moeizame dagelijkse en langdurige vergeving. 'Alle mensen hebben tekortkomingen,' schreef Eleanor Roosevelt. (En als helft van een zeer complex, soms ongelukkig maar uiteindelijk episch huwelijk, wist ze waarover ze het had.) 'Alle mensen voelen behoeften en verleidingen en spanningen. Een man en vrouw die vele jaren hebben samengewoond leren elkaars tekortkomingen kennen; maar ze ontdekken ook wat respect en bewondering verdient in hun levenspartner en in henzelf.'

Misschien is het creëren van een plek in je bewustzijn die groot genoeg is om iemands tegenstellingen – zelfs iemands stupiditeiten – in te bewaren en aanvaarden een soort goddelijke daad. Misschien valt transcendentie niet alleen boven op een eenzame berg of in een kloosteromgeving te bereiken, maar ook aan je eigen keukentafel, in de dagelijkse aanvaarding van je partners meest vermoeiende, irritante karaktereigenschappen.

Ik bedoel niet dat je mishandeling, verwaarlozing, disrespect, alcoholisme, vreemdgaan of minachting moet leren 'tolereren', en ik vind zeker niet dat paren wier huwelijk een stinkende poel van leed is geworden het maar met elkaar moeten zien te rooien. 'Ik wist niet hoeveel lagen verf ik nog op mijn hart kon aanbrengen,' zei een huilende vriendin tegen me nadat ze bij haar man was weggegaan – en wie met ook maar enig gevoel kan haar verwijten dat ze een punt heeft gezet achter die misère? Er zijn domweg huwelijken die in de loop der tijd bederven, en sommige daarvan moeten beëindigd worden. Uit een verrot huwelijk stappen is dus niet noodzakelijkerwijs een teken van moreel onvermogen, maar kan juist het tegengestelde betekenen van opgeven; het is het begin van hoop.

Dus nee, als ik het over 'tolerantie' heb bedoel ik niet dat je maar moet leren leven met een afschuwelijke situatie. Ik bedoel dat je je leven zo grootmoedig moet zien te plooien rond een op zich fatsoenlijk iemand die je soms wel achter het behang kunt plakken. In dat opzicht wordt de huwelijkskeuken een kleine linoleumtempel die je dagelijks bezoekt om vergiffenis te leren schenken, zoals jijzelf graag vergeven wilt worden. Je mag het aards noemen. Het is zeker verstoken van glamourachtige momenten van goddelijke extase. Maar zijn zulke kleine uitingen van tolerantie tegenover je partner niet op een andere manier – op een stille, onmetelijke manier – een wonder?

En zelfs los van onze karaktergebreken bestaan er simpele verschillen tussen Felipe en mij die we allebei zullen moeten accepteren. Hij zal nooit – dat geef ik je op een briefje – meegaan naar yoga, hoe vaak ik hem er ook van zou proberen te overtuigen dat hij het helemaal geweldig zou vinden. (Hij zou het absoluut niet geweldig vinden.) We zullen nooit samen mediteren tijdens een spirituele weekendretraite. Ik zal hem er nooit toe krijgen minder rood vlees te eten of een of andere modieuze reinigingskuur met me te volgen, gewoon voor de lol. Ik zal hem nooit zo kunnen beïnvloeden dat hij zijn temperament wat beheerst, dat soms wel heel erg kan opvlammen. Hij zal nooit aan een *hobby* met me beginnen, daar ben ik zeker van. We zullen nooit hand in hand over de boerenmarkt slenteren of samen de natuur in trekken om wilde bloemen te determineren. En hoewel hij me moeiteloos een hele dag kan aanhoren terwijl ik over mijn liefde voor Henry James vertel, zal hij nooit aan mijn zijde de verzamelde werken van Henry James lezen – dus die intense bron van plezier blijft helaas uitsluitend de mijne.

Zo ook zijn er genoegens in zijn leven die ik nooit met hem zal delen. We zijn in een andere tijd en op een ander halfrond opgegroeid; soms schieten zijn culturele verwijzingen en grappen hun doel mijlenver voorbij. (Of, zo moet ik eigenlijk zeggen, kilometersver.) We hebben nooit samen kinderen grootgebracht, dus Felipe kan niet uren achtereen met zijn partner herinneringen ophalen aan hoe Zo en Erica als klein kind waren, zoals hij mogelijk wel had gedaan als hij al die dertig jaar met hun moeder getrouwd was gebleven. Felipe kan in bijna heilige vervoering raken van goede wijnen, maar iedere kwaliteitswijn is aan mij verspild. Hij spreekt graag Frans; ik versta geen Frans. Hij blijft het liefst de hele ochtend lui met me in bed liggen, maar als ik tegen zonsopgang niet wakker en iets zinnigs aan het doen ben, begint de yankee in me amok te maken. Bovendien zal Felipe nooit zo'n rustig leven met me hebben als hij misschien wel zou willen. Hij is een eenling; ik niet. Net als een hond heb ik behoefte aan de roedel; net als een kat geeft hij de voorkeur aan een stiller huis. Zolang hij met mij getrouwd is, zal zijn huis nooit stil zijn.

En mag ik eraan toevoegen: dit is nog maar een deel van de lijst.

Sommige verschillen zijn belangrijk, andere minder, maar

ze zijn allemaal niet te veranderen. Misschien is vergeving uiteindelijk het enige realistische tegengif dat ons in de liefde wordt aangereikt, om de onvermijdelijke teleurstellingen te bestrijden die intimiteit met zich meebrengt. Wij mensen komen ter wereld – zoals Aristophanes het zo mooi vertelde – met het gevoel dat we in tweeën zijn gezaagd en zoeken wanhopig naar iemand die ons herkent en repareert (of herpaart). Begeerte is de doorgeknipte navelstreng die aan ons vast blijft zitten, altijd blijft bloeden en verlangen naar een smetteloze vereniging. Vergiffenis is de verpleegster die weet dat zulke zuivere verbintenissen onmogelijk zijn, maar dat we misschien toch samen verder kunnen leven, als we beleefd en vriendelijk en voorzichtig genoeg zijn om niet te veel bloed te verspillen.

Er zijn momenten waarop ik bijna de afstand zíe die Felipe van mij scheidt – en die ons altijd zal scheiden – ondanks mijn levenslange hunkering compleet te worden gemaakt door de liefde van een ander, ondanks al mijn pogingen door de jaren heen om iemand te vinden die perfect voor mij is en die op zijn beurt mij toestaat een aan de perfectie rakend wezen te worden. In plaats daarvan blijven onze verschillen en onze tekortkomingen altijd tussen ons in hangen, als een schimmige golf. Maar soms vang ik vanuit mijn ooghoeken een glimp op van Intimiteit zelf, die daar tussen ons in balanceert op de golf van alles wat ons onderscheidt en – de hemel sta ons bij – zowaar kans maakt overeind te blijven.

HOOFDSTUK VIJF

Huwelijk en de vrouw

Vandaag de dag is het probleem dat geen naam heeft hoe je zaken als werk, liefde, huishouden en kinderen moet combineren.

BETTY FRIEDAN, *THE SECOND STAGE*

Tijdens onze laatste week in Luang Prabang ontmoetten we een jongeman die Keo heette.

Keo was een vriend van Khamsy, die het kleine hotelletje aan de Mekong runde waar Felipe en ik al enige tijd verbleven. Nadat ik Luang Prabang volledig had doorkruist, zowel te voet als per fiets, nadat ik meer dan genoeg tijd had besteed aan het bespioneren van de monniken, nadat ik iedere straat en tempel van het stadje had verkend, vroeg ik Khamsy of hij misschien in het bezit was van een Engelssprekende vriend met een auto, die ons mee zou kunnen nemen naar de bergen rond de stad.

Khamsy kwam vervolgens heel aardig met Keo aanzetten, die op zijn beurt heel aardig met de auto van zijn oom kwam aanzetten – en daar gingen we.

Keo was een jongeman van eenentwintig jaar met veel interesses in het leven. Ik weet dat, want het was een van de eerste dingen die hij tegen me zei: 'Ik ben een jongeman van eenentwintig jaar met veel interesses in het leven.' Keo vertelde me ook dat hij geboren was in grote armoede – als de jongste van zeven kinderen in een arm gezin in het armste land van Zuidoost-Azië – maar dat hij altijd de beste van de klas was geweest vanwege zijn enorme leergierigheid. Ieder jaar wordt slechts één leerling tot 'Beste Leerling in de Engelse Taal' uitgeroepen en die Beste Leerling in de Engelse Taal was altijd Keo, en daarom stelden alle leraren Keo graag een vraag in de les, omdat Keo altijd het goede antwoord gaf. Keo verzekerde me tevens dat hij alles af wist van eten. Niet alleen van Laotiaans eten, maar ook van Frans eten, want hij was ooit ober geweest in een Frans restaurant, en nu wilde hij met alle plezier zijn kennis van die onderwerpen met me delen. Bovendien had Keo een poosje met olifanten gewerkt in een olifantenkamp voor toeristen, dus wist hij ook heel veel van olifanten.

Om te laten zien hoeveel, stelde Keo me bij onze eerste ontmoeting meteen een vraag: 'Raad eens hoeveel teennagels een olifant aan zijn voorvoeten heeft.'

Ik gokte op drie.

'Je zit ernaast,' antwoordde Keo. 'Ik sta je toe nog een keer te raden.'

Ik zei vijf.

'Helaas zit je er nog steeds naast,' antwoordde Keo. 'Dus zal ik het je zeggen. Een olifant heeft vier teennagels aan zijn voorvoeten. Maar hoe zit het met zijn achtervoeten?'

Ik zei vier.

'Helaas zit je ernaast. Je mag nog een keer raden.'

Ik zei drie.

'Je zit er nog steeds naast. Een olifant heeft vijf teennagels aan zijn achtervoeten. Goed dan, raad nu eens hoeveel liter water een olifant in zijn slurf kan vasthouden.'

Dat kon ik niet. Ik kon me niet eens een voorstelling maken van hoeveel liter water een olifant in staat was in zijn slurf vast te houden. Maar Keo wist het wel: acht liter! Zoals hij, vrees ik, nog honderden andere feiten over olifanten wist. Een dag met Keo door de Laotiaanse bergen rijden stond dan ook gelijk aan een uitgebreide les in de biologie van dikhuidigen. Maar er waren nog meer onderwerpen waar Keo verstand van had. Zoals hij zorgvuldig verklaarde: 'Het zijn niet alleen feiten en uitleg over olifanten waarvan ik jullie op de hoogte zal stellen. Ik weet ook een hoop van vechtvissen af.'

Want zo'n jongeman van eenentwintig jaar was Keo dus. En dat is de reden waarom Felipe verkoos me verder niet te vergezellen op mijn dagtochtjes buiten Luang Prabang, want een van Felipes overige tekortkomingen (die niet op zijn lijstje vermeld stond) is dat zijn tolerantiedrempel voor vraaggesprekken over olifantenteennagels door al te serieuze jongemannen van eenentwintig jaar erg laag is.

Maar ik mocht Keo. Ik koester een aangeboren genegenheid voor de Keo's van deze wereld. Keo was van nature nieuwsgierig en bevlogen, en hij had geduld met mijn nieuwsgierigheid en mijn bevlogenheden. Wat voor vragen ik hem ook stelde, hoe willekeurig ook, hij was altijd bereid een antwoord te proberen. Soms werden zijn antwoorden geïnspireerd door zijn rijke inzicht in de Laotiaanse geschiedenis, andere keren waren ze wat bondiger. Zo reden we op een middag door een straatarm bergdorp waarvan de huizen een aarden vloer en golfplaten muren met ruw uitgezaagde ramen hadden en geen deur. En toch, zoals me ook al in zo veel andere dorpen op het Laotiaanse platteland was opgevallen, stond er bij veel hutten een dure satellietschotel op het dak. Ik dacht in stilte na over de vraag waarom iemand ervoor zou kiezen te investeren in een satellietschotel voor hij, zeg maar, een deur aanschafte. Uiteindelijk vroeg ik Keo: 'Waarom vinden die mensen het zo belangrijk om een satellietschotel te hebben?'

Hij haalde zijn schouders op en antwoordde: 'Omdat de tv-ontvangst hier slecht is.'

Maar het merendeel van mijn vragen aan Keo ging uiteraard over het huwelijk, aangezien dat dat jaar mijn thema was. Keo wilde me maar al te graag uitleggen hoe er in Laos getrouwd werd. Keo zei dat een bruiloft de belangrijkste gebeurtenis in het leven van een Laotiaan is. Alleen geboortes en sterfgevallen komen erbij in de buurt wat gedenkwaardigheid betreft, maar soms is het moeilijk daarvoor een feestje te plannen. Daarom is een bruiloft altijd een groots gebeuren. Keo zelf, liet hij me weten, had op zijn eigen bruiloft vorig jaar zevenhonderd mensen uitgenodigd. Dat is normaal, zei hij. Zoals de meeste Laotianen heeft Keo, gaf hij toe, 'te veel neven en nichten, te veel vrienden. En we moeten ze allemaal uitnodigen.'

'Kwamen alle zevenhonderd genodigden op je bruiloft?' vroeg ik.

'Nee, hoor,' stelde hij me gerust. 'Er kwamen ruim duizend mensen!'

Want bij een typisch Laotiaanse bruiloft nodigen al die familieleden en al die vrienden weer al hun familieleden en al hun vrienden uit (en gasten van gasten nemen soms ook weer gasten mee), en aangezien de gastheer niemand de deur mag wijzen, kan de boel al snel aardig uit de hand lopen.

'Wil je nu dat ik je feiten en informatie geef over het traditionele huwelijksgeschenk bij een traditioneel Laotiaans huwelijk?' vroeg Keo.

Ik antwoordde dat ik dat heel graag zou willen, en dus begon Keo te vertellen. Als een Laotiaans paar gaat trouwen sturen ze een uitnodiging naar iedere gast. De gasten vouwen die uitnodiging (met hun naam en adres erop) tot een kleine envelop en steken er wat geld in. Op de bruiloftsdag gaan al die envelopjes in een grote houten kist. Deze reusachtige donatie is het kapitaal waarmee het paar zijn nieuwe leven samen begint. Daarom hadden Keo en zijn bruid zo veel mensen op hun trouwerij uitgenodigd: om zich te verzekeren van de hoogst mogelijke geldinjectie.

Later, als het feest afgelopen is, blijft het bruidspaar 's nachts op om het geld te tellen. Terwijl de bruidegom rekent, zit de bruid naast hem met een aantekenboekje en noteert het exacte bedrag dat iedere gast heeft gegeven. Dat doet ze niet om later secure bedankbriefjes te kunnen schrijven (zoals mijn burgerlijke westerse geest onmiddellijk aannam), maar als begin van een nauwkeurige boekhouding. Het aantekenboekje – dat in feite een kasboek is – krijgt een veilige plaats, en zal de jaren erna vele malen worden geraadpleegd. Zodanig dat als vijf jaar later je neef in Vientiane gaat trouwen, je dat oude aantekenboekje erbij pakt en kijkt hoeveel geld je van hem hebt gekregen op je bruiloft, om hem vervolgens hetzelfde bedrag terug te geven ter gelegenheid van zijn huwelijk. Je geeft hem zelfs iets meer geld terug dan je van hem hebt gekregen, bij wijze van rente.

'Aangepast aan de inflatie!' verklaarde Keo trots.

Het geld dat je bij je trouwen krijgt is dus niet echt een geschenk: het is een gedetailleerd omschreven en steeds veranderende lening die van het ene gezin naar het andere vloeit, steeds als een paar samen een nieuw leven begint. Je gebruikt je huwelijksgeld om jezelf op weg te helpen in de wereld, om een stuk land te kopen of een bedrijfje te beginnen, en daarna, als je een bepaalde staat van welvaart hebt bereikt, betaal je dat geld langzaam terug, huwelijk voor huwelijk.

Dat systeem is uitermate zinnig in een land getekend door extreme armoede en economische chaos. Laos heeft het tientallen jaren zwaar te verduren gehad achter het meest restrictieve communistische Bamboe Gordijn van heel Azië, waar de ene onbekwame regering na de andere een financiële politiek van de verschroeide aarde voerde en waar de nationale banken aan corruptie en incompetentie ten onder gingen. Als reactie hierop brachten de mensen hun centen bij elkaar en vormden hun huwelijksplechtigheden om tot een bancair stelsel dat wél goed functioneerde: de enige betrouwbare bank voor – en gerund door – het volk. Dit sociale systeem rust op de collectieve opvatting dat het geld dat je als jong paar bij je trouwen krijgt niet van jou is maar van de gemeenschap, en die gemeenschap moet worden terugbetaald. Met rente. Dit betekent in zekere zin dat je huwelijk evenmin helemaal van jou is; het is ook van de gemeenschap, die dividend verwacht te ontvangen uit je verbintenis. Je huwelijk wordt in feite een onderneming waarin iedereen om je heen een letterlijk aandeel bezit.

Op een middag werd me een duidelijker inzicht in het belang van dat aandeel vergund toen Keo een verre rit met me maakte de bergen van Luang Prabang uit naar een afgelegen dorpje in het laagland, Ban Phanom. Het gehucht wordt bevolkt door de Leu, een etnische minderheid die een paar eeuwen eerder vanuit China naar Laos was gevlucht om te ontsnappen aan vooroordelen en vervolging, en alleen haar zijdewormen en landbouwtechnieken had meegenomen. Een vroegere studievriendin van Keo woonde in het dorp en verdiende nu als weefster haar geld, net als alle andere Leuvrouwen om haar heen. Het meisje en haar moeder hadden erin toegestemd me te ontmoeten en met me over het huwelijk te praten, en Keo had zich bereid verklaard als tolk op te treden.

Het gezin woonde in een schoon, vierkant bamboehuis met een betonnen vloer. Er waren geen ramen, om de felle zon buiten te houden. Eenmaal in het huis gaf dat enigszins het gevoel alsof je in een gigantische rieten naaimand zat, wat ik wel toepasselijk vond in deze cultuur van getalenteerde weefsters. De vrouwen brachten me een krukje om op te zitten en een glas water. Het huis had bijna geen meubels, maar in de woonkamer stonden de kostbaarste bezittingen van het gezin naast elkaar uitgestald in volgorde van belangrijkheid: een gloednieuw weefgetouw, een gloednieuwe motorfiets en een gloednieuwe televisie.

Keo's vriendin heette Joy en haar moeder Ting – een aantrekkelijke, mollige vrouw van in de veertig. Terwijl haar dochter er zwijgend bij zat, bezig met het zomen van een geweven zijden doek, liep haar moeder over van enthousiasme, dus richtte ik mijn vragen aan mams. Ik vroeg Ting naar de huwelijkstradities in haar dorp, waarop ze antwoordde dat het allemaal redelijk eenvoudig was. Als een jongen een meisje leuk vindt, en andersom, komen de ouders bij elkaar om een plan te bespreken. Als alles naar tevredenheid verloopt gaan beide families spoedig daarna langs bij een bijzondere monnik, die de boeddhistische kalender raadpleegt om voor het paar een gunstige huwelijksdatum uit te zoeken. Daarna trouwen de jongelui, waarbij iedereen in de gemeenschap ze geld leent. En die huwelijken houden altijd stand, zoals Ting er meteen op liet volgen, want zoiets als echtscheiding bestaat niet in het dorp Ban Phanom.

Nu had ik op mijn reizen eerder dat soort opmerkingen gehoord. En ik neem ze altijd met een korreltje zout, want er is geen plek op aarde waar 'zoiets als echtscheiding' niet bestaat. Als je een beetje dieper graaft, kom je altijd wel een verhaal tegen over een huwelijk dat is gestrand. Overal. Neem dat maar van me aan. Het doet me denken aan die scène in Edith Whartons *The House of Mirth*, waarin een oude roddeltante uit de hogere kringen opmerkt: 'In iedere familie doet zich wel een echtscheiding en een geval van blindedarmontsteking voor.' (Het 'geval van blindedarmontsteking' was overigens een elegant edwardiaans eufemisme voor 'abortus', en dat komt ook overal voor; en soms waar je dat het allerminst verwacht.)

Maar inderdaad, er zijn samenlevingen waarin echtscheiding een uitermate zeldzame gebeurtenis is. Zo ook in Tings clan. Na enig aandringen gaf ze toe dat een van haar jeugdvriendinnen naar de hoofdstad had moeten verhuizen omdat haar man haar in de steek had gelaten, maar dat was de enige echtscheiding in de afgelopen vijf jaar die ze zich kon herinneren. Hoe het ook zij, vervolgde ze, er is een systeem dat helpt om gezinnen intact te houden. Zoals je je wel kunt voorstellen, moet er in een piepklein, verarmd dorp als dit, waar levens zo essentieel (en financieel) van elkaar afhankelijk zijn, dringende actie worden ondernomen om gezinnen bijeen te houden. Als het misgaat in een huwelijk, vertelde Ting, beschikt de gemeenschap over een viertrapsbenadering om tot een oplossing te komen. Allereerst wordt de vrouw in het wankelende huwelijk aangemoedigd de vrede te herstellen door zich zoveel mogelijk te voegen naar de wil van haar man. 'Een huwelijk functioneert het best met maar één kapitein aan het roer,' zei ze. 'Het is het makkelijkst als de man de kapitein is.'

Ik knikte beleefd, want het leek me het best om het gesprek zo snel mogelijk naar fase twee te laten overgaan.

Maar soms, verklaarde Ting, kan zelfs totale onderworpenheid aan je man niet alle huiselijke conflicten oplossen, en dan moet je de zaak uitbesteden. Op het tweede interventieniveau worden de wederzijdse ouders erbij gehaald, om te kijken of zij iets aan de echtelijke strubbelingen kunnen doen. De ouders overleggen met het paar, en met elkaar, en zo proberen ze als familie een uitweg te vinden.

Als ouderlijk ingrijpen geen uitkomst biedt, komt het stel in de derde interventiefase terecht. Nu moeten ze voor de kring van dorpsoudsten verschijnen – dezelfde mensen die hen in de echt hebben verbonden. De oudsten brengen de kwestie ter sprake in een openbare raadsvergadering. Huwelijksleed wordt daarmee een punt op de gemeentelijke agenda, zoals graffiti of schoolgeld, en iedereen moet meedenken om het paar te verzoenen. Buren dragen allerlei ideeën en oplossingen aan, of bieden zelfs praktische hulp – bijvoorbeeld door jonge kinderen een paar weken in huis te nemen zodat het echtpaar ongestoord aan zijn problemen kan werken.

Pas in fase vier – als al het andere mislukt – wordt erkend dat de zaak hopeloos is. Als de familie het dispuut niet kan beëindigen en als de gemeenschap het dispuut niet kan beeindigen (wat zelden het geval is), dan en alleen dan vertrekt het paar naar de grote stad, buiten de invloedssfeer van het dorp, om het huwelijk te laten ontbinden.

Toen ik Ting over dit alles hoorde vertellen moest ik weer denken aan mijn eigen op de klippen gelopen huwelijk. Ik vroeg me af of mijn ex-man en ik onze relatie hadden kunnen redden als we onze vrije val eerder hadden onderbroken, voor de boel door en door vergiftigd was. Stel dat we een raad van vrienden, familie en buren bijeen hadden geroepen om ons te helpen. Misschien had een tijdige interventie ons weer overeind kunnen trekken, afstoffen en terug naar elkaar leiden. Helemaal aan het eind van ons huwelijk gingen we nog wel een halfjaar in relatietherapie, maar we hadden – zoals ik zo veel therapeuten over hun patiënten heb horen klagen – te laat hulp van buitenaf gezocht en staken er vervolgens te weinig energie in. Eén uur per week in een spreekkamer zitten was als lapmiddel niet sterk genoeg om ons uit de gigantische impasse te halen waarin we op onze echtelijke reis waren aanbeland. Tegen de tijd dat we met ons doodzieke huwelijk naar de dokter gingen, kon ze weinig meer doen dan ons een autopsierapport verstrekken. Maar misschien als we eerder hadden ingegrepen, of met meer vertrouwen...? Of misschien als we hulp hadden gezocht bij onze familie en onze gemeenschap...?

Maar ja, misschien ook niet.

Er was een hoop mis met dat huwelijk. Ik weet niet of we het samen hadden volgehouden, zelfs als heel Manhattan zich ermee had bemoeid. Bovendien hadden we geen culturele sjabloon voor zoiets als interventie door je familie of je gemeenschap. We waren moderne, onafhankelijke Amerikanen die honderden kilometers bij onze familie vandaan woonden. Het zou een bijzonder vreemd en kunstmatig idee voor ons zijn geweest om onze familieleden en buren op te trommelen voor een tribaleraadsvergadering over aangelegenheden die we jarenlang bewust privé hadden gehouden. We hadden net zo goed een kip kunnen offeren in de naam van echtelijke harmonie en hopen dat het daarmee goed zou komen.

Maar goed, er is een grens aan dergelijke overpeinzingen. Je mag jezelf niet toestaan verstrikt te raken in eeuwige spelletjes van zelfkritiek en spijt over dat je huwelijk mislukt is, hoewel ik toegeef dat zulke kwelgedachten moeilijk in bedwang te houden zijn. Om die reden ben ik ervan overtuigd dat de belangrijkste beschermheer van gescheiden mensen Epimetheus moet zijn, een titaan uit de Griekse mythologie die gezegend was – of liever gezegd, vervloekt – met de gave van wijsheid achteraf. Hij was best een aardige kerel, die Epimetheus, maar hij zag alleen dingen helder die al waren gebeurd, wat in deze wereld geen erg nuttige vaardigheid is. (Interessant trouwens is dat Epimetheus getrouwd was, hoewel hij met zijn wijsheid achteraf waarschijnlijk wilde dat hij een ander meisje had gekozen: zijn vrouw was een klein heethoofdje dat Pandora heette. Leuk stel.) Hoe dan ook, op een bepaald moment moet je ophouden jezelf vroegere miskleunen te verwijten – zelfs miskleunen waarvan je achteraf niet kunt begrijpen dat je ze ooit hebt begaan – en de draad van je leven oppakken. Of zoals Felipe een keer, op zijn onnavolgbare manier, zei: 'Laten we niet blijven hangen bij de fouten van vroeger, schat. Laten we ons liever richten op de fouten van de toekomst.'

Zo schoot het die dag in Laos door me heen dat Ting en haar gemeenschap misschien wel een heel zinnige opvatting over het huwelijk koesterden. Uiteraard niet dat gedoe over de echtgenoot als kapitein, maar de gedachte dat er tijden kunnen zijn waarin een gemeenschap niet alleen geld en middelen moet delen om haar onderlinge samenhang te behouden, maar ook een collectief verantwoordelijkheidsgevoel. Misschien moeten al onze huwelijken met elkaar verbonden worden, vervaardigd op een maatschappelijk weefgetouw, om stand te houden. Die dag in Laos maakte ik daarom de volgende mentale aantekening: *Privatiseer je huwelijk met Felipe niet in die mate dat het arm aan zuurstof, geïsoleerd, eenzaam, kwetsbaar wordt...*

Ik was van plan mijn nieuwe vriendin Ting te vragen of ze ooit had bemiddeld in het huwelijk van een van haar buren, als een soort dorpsoudste. Maar halverwege mijn zin onderbrak ze me om te vragen of ik misschien een goede man in Amerika kon vinden voor Joy? De dochter met de universitaire opleiding? Meteen daarop liet Ting me vol trots een van haar dochters prachtige zijden weefsels zien – een wandtapijt met gouden olifanten die over een karmozijnrode ondergrond dansten. Ze vroeg zich af of een man in Amerika niet met een meisje zou willen trouwen dat met haar eigen twee handen zoiets als dit kon maken.

Al die tijd dat Ting en ik in gesprek waren zat Joy zwijgend te naaien, gekleed in een spijkerbroek en T-shirt, haar haar losjes samengebonden in een paardenstaart. Joy luisterde beleefd naar haar moeder, afgewisseld met momenten waarop ze – op die typische manier van dochters – gegeneerd met haar ogen rolde over de opmerkingen van mams.

'Zijn er geen hoogopgeleide Amerikaanse mannen die een aardig Leumeisje zoals mijn dochter als vrouw zouden willen?' vroeg Ting nogmaals.

Ting maakte geen grapje; de spanning in haar stem gaf aan dat ze ergens mee zat. Ik vroeg Keo of hij haar voorzichtig kon vragen wat er aan de hand was en Ting maakte van haar hart geen moordkuil. Er waren de laatste tijd grote problemen in het dorp, zei ze. De oorzaak daarvan lag in het feit dat de jonge vrouwen sinds kort meer geld waren gaan verdienen dan de jonge mannen, en zich ook waren gaan scholen. De vrouwen van deze etnische minderheid zijn uitzonderlijk begaafde weefsters, en nu de westerse toeristen Laos hebben ontdekt willen buitenstaanders hun stoffen kopen. Voor de meisjes uit het dorp levert dat een aardige inkomstenbron op, en ze sparen dat geld vaak vanaf jonge leeftijd. Sommigen – zoals Joy – gebruiken het voor een studie, en daarnaast kopen ze er spullen voor hun familie van, zoals motoren, televisies en nieuwe weefgetouwen, terwijl de jongens uit het dorp allemaal nog boeren zijn die met moeite hun hoofd boven water houden.

Dat was geen sociaal probleem geweest toen *niemand* geld verdiende, maar nu één sekse – de jonge vrouwen – het zo goed deed, was alles uit balans geraakt. Ting zei dat de jonge vrouwen in haar dorp begonnen te wennen aan de gedachte dat ze in hun eigen levensonderhoud konden voorzien, en sommigen van hen stelden het uit om te trouwen. Maar dat was nog niet eens het ergste! Het ergste was namelijk dat – als er tegenwoordig nog jonge mensen trouwden – de mannen er al snel een gewoonte van maakten het geld van hun vrouw uit te geven, wat betekende dat ze niet meer zo hard werkten. De jonge mannen, die daardoor geen gevoel van eigenwaarde ontwikkelden, gleden weg in een leven van drank en gokken. Dat kon de jonge vrouwen, die dit om zich heen zagen gebeuren, bepaald niet bekoren. Zodoende hadden de laatste tijd veel meisjes besloten dat ze helemaal niet wilden trouwen, waarmee het hele sociale systeem van het dorpje op zijn kop werd gezet, met alle spanningen en complicaties van dien. Daarom was Ting bang dat haar dochter nooit zou trouwen (behalve misschien als ik een huwelijk kon regelen met een even hoogopgeleide Amerikaan). En wie moest de stamboom dan voortzetten? En hoe moest het dan verder met de jongens in het dorp, nu de meisjes hun ontgroeid waren? Wat zou er gebeuren met het complexe sociale netwerk van het dorp?

Ting vertelde me dat ze het een 'westers getint probleem' noemde, wat betekende dat ze de krant had gelezen, want dit is bij uitstek een westers probleem, dat al verscheidene generaties in de westerse wereld speelt, sinds de wegen naar de rijkdom toegankelijker werden voor vrouwen. Een van de eerste dingen die veranderen in een maatschappij waarin vrouwen hun eigen inkomen gaan verdienen, is de aard van het huwelijk. Je ziet deze trend in alle landen en bij alle volken. Hoe zelfstandiger een vrouw financieel wordt, hoe later ze trouwt, áls ze dat al doet.

Sommige mensen in Amerika geven op dit fenomeen af. Ze beweren dat het de maatschappij uitholt en dat financiële onafhankelijkheid van de vrouw gelukkige huwelijken om zeep helpt. Maar traditionalisten die nostalgisch terugkijken op het gouden tijdperk waarin de vrouw thuisbleef en voor haar gezin zorgde, en waarin de echtscheidingscijfers een stuk lager waren dan nu, moeten niet vergeten dat veel vrouwen door de eeuwen heen in een slecht huwelijk bleven omdat ze het zich niet konden veroorloven weg te gaan. Zelfs tegenwoordig daalt het inkomen van de gemiddelde Amerikaanse vrouw nog altijd met dertig procent nadat er een einde is gekomen aan haar huwelijk; in het verleden was het nog veel erger. Een oud maar treffend spreekwoord luidt: 'Iedere vrouw is één echtscheiding verwijderd van het bankroet.' Waar moest een vrouw dan héén als ze kleine kinderen had en geen opleiding en geen mogelijkheid om zichzelf te onderhouden? We neigen ertoe culturen te idealiseren waarin echtparen tot hun dood bij elkaar blijven, maar we moeten er niet automatisch van uitgaan dat een levenslang huwelijk ook altijd gelukkig is.

Zo daalden bijvoorbeeld tijdens de Grote Depressie in de jaren dertig de echtscheidingscijfers scherp. De sociaal commentatoren van die tijd schreven deze afname maar al te graag toe aan het romantische denkbeeld dat man en vrouw dichter naar elkaar toe groeien in zware tijden. Ze schilderden een opgewekt beeld van standvastige gezinnen die samen boven hun karige, uit één grauwe kom genuttigde maaltijd gebogen zaten. Diezelfde commentatoren plachten ook te zeggen dat menig gezin zijn auto was kwijtgeraakt om zijn ziel terug te vinden. In werkelijkheid, zoals iedere relatietherapeut je kan vertellen, leggen grote financiële problemen een monsterlijke druk op een huwelijk. Behalve ontrouw en mishandeling is er niets dat een relatie zo snel aantast als armoede, bankroet en schulden. Toen hedendaagse historici nader onderzoek deden naar de gedaalde echtscheidingscijfers tijdens de Grote Depressie, ontdekten ze dat veel Amerikaanse paren bij elkaar waren gebleven omdat ze het zich niet konden permitteren te scheiden. Het was al moeilijk genoeg om in de levensbehoeften van één huishouden te voorzien, laat staan van twee. Veel gezinnen kozen ervoor de Depressie uit te zitten met een laken dat in het midden van de huiskamer was gespannen om man en vrouw van elkaar te scheiden – wat inderdaad een heel depressief beeld is. Andere paren gingen wel uit elkaar, maar hadden het geld niet om het huwelijk officieel te laten ontbinden. Gezinsverlating was endemisch in de jaren dertig. Hele legioenen berooide Amerikaanse mannen lieten hun vrouw en kinderen in de steek, om nooit meer terug te keren (waar denk je dat al die landlopers vandaan kwamen?) en maar heel weinig vrouwen namen de moeite hun man als vermist op te geven toen de volkstelling werd gehouden. Ze hadden belangrijker dingen aan hun hoofd, zoals hoe ze aan eten moesten komen.

Dat extreme armoede tot extreme spanningen leidt hoeft niemand te verbazen. Over heel Amerika zijn de echtscheidingspercentages het hoogst onder laagopgeleide en financieel instabiele volwassenen. Geld brengt uiteraard zijn eigen problemen mee, maar ook opties. Je kunt er kinderopvang van betalen, een aparte wc, vakantie, je bent verlost van ruzies over rekeningen: allemaal dingen die bijdragen aan een stabiel huwelijk. En als vrouwen de hand weten te leggen op hun eigen geld, en als economisch overleven niet langer een motief is om te trouwen, verandert alles. In het jaar 2004 waren ongetrouwde vrouwen de snelst groeiende demografische groep in de Verenigde Staten. Een dertigjarige Amerikaanse vrouw had in 2004 drie keer zo veel kans ongetrouwd te zijn als haar tegenhanger in de jaren zeventig. Ook was de kans veel kleiner dat ze al kinderen had, als ze die al kreeg. Het aantal kinderloze huishoudens in Amerika bereikte in 2008 een hoogtepunt.

Deze verandering wordt uiteraard niet altijd toegejuicht door de maatschappij. In het huidige Japan, waar de best betaalde vrouwen van de industriële wereld wonen (en, niet geheel toevallig, de geboortecijfers de laagste ter wereld zijn), noemen conservatieve maatschappijcritici jonge vrouwen die niet willen trouwen of kinderen krijgen 'parasitaire alleenstaanden', waarmee ze bedoelen dat een ongetrouwde, kinderloze vrouw van alle voordelen van het staatsburgerschap profiteert (bijvoorbeeld welvaart) zonder er iets voor terug te geven (bijvoorbeeld koters). Zelfs in repressieve maatschappijen als het Iran van nu schuiven steeds meer jonge vrouwen het huwelijk en kinderen krijgen voor zich uit en richten zich eerst op een opleiding en carrière. Met de voorspelbaarheid waarmee de dag overgaat in de nacht, keuren conservatieve commentatoren die trend nu al af – één Iraanse regeringsfunctionaris beschreef zulke bewust ongetrouwde vrouwen als 'gevaarlijker dan de bommen en raketten van de vijand'.

Ting liep dus, als moeder op het zich ontwikkelende Laotiaanse platteland, rond met een complex scala van gevoelens over haar dochter. Enerzijds was ze trots op Joys hoge opleiding en weefkunsten, waarmee het gloednieuwe weefgetouw, de gloednieuwe televisie en de gloednieuwe motor waren betaald. Anderzijds begreep Ting weinig van haar dochters heerlijke nieuwe wereld van scholing en geld en onafhankelijkheid. En als ze naar Joys toekomst keek, zag ze alleen maar een verwarrende kluwen van nieuwe vragen. Voor zo'n geletterde, hoogopgeleide, financieel onafhankelijke en beangstigend moderne jonge vrouw was geen precedent in de traditionele Leusamenleving. Wat *doe* je met haar? Hoe kan ze ooit een passende man vinden onder de ongeschoolde boerenjongens uit de buurt? Je kunt een motor in je huiskamer stallen en je kunt een satellietschotel op het dak van je hut plaatsen, maar waar breng je zo'n meisje in godsnaam onder?

Laat me je vertellen hoeveel interesse Joy zelf voor deze discussie toonde: halverwege mijn gesprek met haar moeder stond ze op en kuierde het huis uit, waarna ik haar niet meer heb gezien. Het is me niet gelukt ook maar één woord over het onderwerp huwelijk uit het meisje zelf te krijgen.

Hoewel ik ervan overtuigd ben dat ze daar een uitgesproken mening over koesterde, had ze beslist geen zin erover te babbelen met haar moeder en mij. Joy ging weg om haar tijd op een andere manier te besteden. Je kreeg bijna het gevoel dat ze richting de snackbar op de hoek liep voor sigaretten en daarna misschien een filmpje ging pikken met een stel vriendinnen. Behalve dat er in dit dorp geen snackbar, geen sigaretten en geen bioscoop waren; alleen kippen die rondscharrelden op een stoffige weg.

Dus waar ging dat meisje heen?

Ja, waarheen – maar dat is de hamvraag, of niet soms?

Had ik trouwens al verteld dat Keo's vrouw zwanger was? Sterker nog, ze was uitgerekend in de week dat ik Keo ontmoette en hem inhuurde als mijn tolk en gids. Ik kwam erachter toen Keo opmerkte dat hij heel blij was met de extra inkomsten vanwege de naderende geboorte van het kind. Keo was er enorm trots op dat hij een kind kreeg, en op onze laatste avond in Luang Prabang nodigde hij Felipe en mij voor het eten uit, om ons een kijkje in zijn leven te gunnen en ons voor te stellen aan de jonge, zwangere Noi.

'We kennen elkaar van school,' had Keo over zijn vrouw gezegd. 'Ik vond haar altijd al leuk. Ze is iets jonger dan ik, pas negentien jaar. Ze is heel knap. Hoewel het gek voor me is nu ze een zwangere buik heeft. Ze was altijd zo klein dat ze bijna geen kilo's woog! Nu lijkt het wel of ze alle kilo's tegelijk weegt!'

Dus togen we naar Keo's huis – samen met zijn vriend Khamsy, de hotelhouder, die ons reed – en we gingen er beladen met geschenken heen. Felipe had diverse flessen

Beerlao, het plaatselijke biermerk, bij zich, en ik een paar schattige sekseneutrale babykleertjes die ik op de markt had gevonden en nu aan Keo's vrouw wilde geven.

Keo woonde vlak buiten Luang Prabang, aan het einde van een onverharde weg vol diepe voren. Zijn huis was het laatste in een rijtje eendere huizen voor de jungle begon, en stond op een rechthoekig stuk land van zes bij tien meter. De helft daarvan werd in beslag genomen door betonnen bassins gevuld met de kikkers en vechtvissen die Keo kweekt om het inkomen aan te vullen dat hij verdient als onderwijzer en gelegenheidsgids. De kikkers die hij te koop aanbiedt zijn om te eten. Zoals hij trots verklaarde, ze leveren hem ongeveer vijfentwintigduizend *kip* (tweeënhalve dollar) per kilo op en er gaan gemiddeld drie tot vier kikkers in een kilo, omdat deze exemplaren nogal fors zijn. Dus het is een aardige bijverdienste. Daarnaast heeft hij ook de vechtvissen, die hij voor vijfduizend kip (vijftig dollarcent) per stuk verkoopt en die zich lustig voortplanten. Hij slijt de vechtvissen aan plaatselijke bewoners, die geld inzetten op de aquatische gevechten. Keo vertelde dat hij als jochie begonnen was met het kweken van vechtvissen, indertijd al op zoek naar een manier om wat extra geld te verdienen zodat hij zijn ouders niet tot last zou zijn. Hoewel Keo niet graag opschept, moest hij toch even kwijt dat hij misschien wel de beste kweker van vechtvissen in heel Luang Prabang was.

Keo's huis nam de rest van het terrein in beslag – het gedeelte dat niet vol stond met kikker- en vissenbassins –, wat erop neerkwam dat de woning zelf zo'n dertig vierkante meter was. De muren bestonden uit bamboe en triplex en het dak was van golfplaat. De enige kamer van het huis was onlangs in tweeën gedeeld, om een woonvertrek en een slaapvertrek te creëren. De tussenwand was niet meer dan een triplex afscheiding, die Keo netjes had behangen met pagina's uit Engelstalige kranten als de *Bangkok Post* en de *Herald Tribune*. (Felipe vertelde me later dat Keo volgens hem 's avonds ieder woord van zijn behang ligt te lezen, altijd bezig zijn Engels op te vijzelen.) Er was maar één gloeilamp, die in de woonkamer hing. Er was ook een betonnen badkamertje met een hurktoilet en een wasbak. Op de avond van ons bezoek zaten er kikkers in de wasbak, omdat de bassins buiten vol zaten. (Er is een bijkomend voordeel van het kweken van honderden kikkers, legde Keo uit: 'In deze buurt zijn wij de enigen die geen last van muggen hebben.') De keuken was buiten het huis, onder een klein afdak, en had een keurig aangeveegde aarden vloer.

'Op een dag schaffen we een echte keukenvloer aan,' zei Keo, met de zelfverzekerdheid van een voorstadsbewoner die meedeelt dat hij op een dag een serre aan de huiskamer gaat bouwen. 'Maar ik moet eerst nog wat meer verdienen.'

Er was geen tafel in het huis, en stoelen evenmin. Buiten in de keuken stond een kleine houten bank, en onder die bank lag de piepkleine hond van het gezin, die een paar dagen daarvoor had gejongd. De puppy's waren zo groot als woestijnratten. Het enige aan Keo's bescheiden levensstijl waarover hij met schaamte sprak was dat zijn hond zo klein was. Hij leek het bijna een gebrek aan vrijgevigheid te vinden om zijn gasten aan zo'n onderkruipsel voor te stellen, alsof het geringe formaat van zijn hond geen gelijke tred hield met Keo's positie in het leven, of in elk geval niet met zijn aspiraties.

'We lachen haar altijd uit omdat ze zo klein is. Het spijt me dat ze niet groter is,' verontschuldigde hij zich. 'Maar het is wel een leuke hond, hoor.'

Er was ook een kip. De kip woonde in het keuken/verandagedeelte en zat met een dun touwtje aan de muur vast, zodat ze wat kon rondscharrelen zonder te ontsnappen. Ze had een kleine kartonnen doos, en daarin legde ze elke dag een ei. Toen Keo ons zijn hen en haar kartonnen doos toonde deed hij dat als een herenboer, met een trots uitgestrekte arm: 'En dit is onze kip!'

Op dat moment ving ik vanuit mijn ooghoeken een glimp op van Felipe en zag een serie opeenvolgende emoties over zijn gezicht trekken: genegenheid, medelijden, nostalgie, bewondering en een beetje droefheid. Felipe komt uit een arm gezin in het zuiden van Brazilië en was – net als Keo – altijd een trotse ziel. Felipe is overigens nog steeds een trotse ziel, die anderen graag vertelt dat hij 'platzak' geboren is, niet 'arm', om duidelijk te maken dat hij zijn armoede altijd als een tijdelijke staat had beschouwd (alsof hij, toen hij nog maar een hulpeloos baby'tje was, toevallig wat krap bij kas zat). En net als Keo gaf Felipe al jong blijk van een strijdvaardig ondernemerschap. Al op zijn negende rook Felipe zijn eerste grote zakelijke kans, toen het hem opviel dat er altijd auto's bleven steken in een diepe plas onder aan een heuvel in zijn woonplaats Porto Alegre. Hij riep de hulp in van een vriendje en samen wachtten ze de hele dag aan de voet van de heuvel om vastzittende auto's weer uit de plas te duwen. Iedere bestuurder gaf de jongens een kleine beloning voor hun moeite en daarvan werd menig Amerikaans stripboek aangeschaft. Op tienjarige leeftijd deed Felipe in schroot en stroopte de stad af naar afgedankt ijzer, messing en koper, waar hij geld voor opstreek. Op zijn dertiende verkocht hij dierenbotten (die hij uit de vuilnisbakken van de plaatselijke slagerijen en slachthuizen haalde) aan een lijmfabrikant, en het was deels van dat geld dat hij zijn eerste overzeese bootreis betaalde. Als hij van kikkervlees en vechtvissen had geweten, kun je van me aannemen dat hij zich ook in die handel had gestort.

Tot die avond had Felipe geen tijd gehad voor Keo. De opdringerigheid van mijn gids irriteerde hem mateloos. Maar iets in Felipe ging overstag zodra hij Keo's huis in zich opnam, en het behang van krantenpapier, en de aangeveegde aarden vloer, en de kikkers in de badkamer, en de kip in de doos, en het miezerige hondje. En toen Felipe kennismaakte met Keo's vrouw, Noi, die zelfs nog petieterig was in haar vergevorderde 'alle kilo's tegelijk'-zwangerschap, en die zich zo inspande om een maaltijd voor ons te koken boven één enkel gasvlammetje, zag ik zijn ogen vochtig worden van emotie, hoewel hij te beleefd was om iets anders aan Noi kenbaar te maken dan vriendelijke belangstelling voor haar kookkunst. Ze nam Felipes lof verlegen in ontvangst. ('Ze spreekt wel Engels,' zei Keo. 'Maar ze is te verlegen om te oefenen.')

Toen Felipe de moeder van Noi ontmoette – een minuscule en toch majestueuze dame in een versleten blauwe sarong die slechts werd voorgesteld als 'grootmoeder' – volgde mijn aanstaande echtgenoot een diepgeworteld persoonlijk instinct en maakte een buiging voor het vrouwtje. Dit edele gebaar toverde een heel lichte glimlach tevoorschijn op het gezicht van grootmoeder (rond haar ooghoeken) en ze reageerde met een bijna onwaarneembaar knikje, waarmee ze subtiel te kennen gaf: 'Uw buiging heeft me genoegen gedaan, meneer.'

Ik hield op dat moment zoveel van Felipe, misschien wel meer dan ik ooit van hem gehouden had.

Ik moet hier even vertellen dat Keo en Noi, hoewel ze geen meubels bezaten, wel drie luxeapparaten in huis hadden. Er was een televisie met ingebouwde stereo-installatie en dvd-speler, een koelkastje en een ventilator. Toen we binnenkwamen had Keo de drie apparaten allemaal op volle kracht aanstaan, om ons te verwelkomen. De ventilator blies; de koelkast maakte zoemend ijs voor ons bier; op de televisie schetterden cartoons.

Keo vroeg: 'Willen jullie liever muziek luisteren of cartoons kijken tijdens het eten?'

Ik antwoordde dat we liever muziek luisterden, als hij het niet erg vond.

'Willen jullie liever westerse hardrockmuziek luisteren,' vroeg hij, 'of zachte Laotiaanse muziek?'

Ik bedankte hem voor zijn attentheid en antwoordde dat zachte Laotiaanse muziek prima was.

Keo zei: 'Dat is geen probleem voor me. Ik heb perfecte zachte Laotiaanse muziek die jullie mooi zullen vinden.' Hij zette Laotiaanse liefdesliedjes op, maar op een extreem hoog volume, om de kwaliteit van zijn stereosysteem te demonstreren. Om dezelfde reden richtte Keo de ventilator recht in ons gezicht. Hij had tenslotte die comfortabele gemakken en wilde ons er ten volle van laten profiteren.

Het was dus een behoorlijk lawaaierige avond, maar dat was helemaal niet zo erg, want die lawaaierigheid gaf de avond een feestelijke sfeer, en dat feestje wilden we best meevieren. Al snel zaten we allemaal Beerlao te drinken en elkaar verhalen te vertellen en te lachen. Althans, Felipe, Keo, Khamsy en ik zaten te drinken en te lachen; Noi, die op alle dagen liep en last leek te hebben van de hitte, dronk geen bier en hield ons zwijgend gezelschap, zo nu en dan verzittend op de harde aarden vloer als haar vorige houding te oncomfortabel werd.

Grootmoeder dronk wel bier, maar ze lachte niet veel met ons mee. Ze sloeg ons enkel gade met een tevreden en kalme blik. Grootmoeder, zo vernamen we, was een rijstteelster uit een gebied in het noorden bij de Chinese grens. Ze stamde van een lange lijn van rijsttelers en had tien kinderen gebaard (van wie Noi de jongste was), die ze allemaal in haar eigen huis ter wereld had gebracht. We kregen dit alles alleen maar te horen omdat ik haar rechtstreeks naar het verhaal van haar leven vroeg. Met Keo als tolk vertelde ze ons dat haar huwelijk – op zestienjarige leeftijd – enigszins 'onvoorzien' was geweest. Ze was met een man getrouwd die op doorreis was in het dorp. Hij had in het huis van haar ouders overnacht en was verliefd op haar geworden. Een paar dagen na de komst van de vreemdeling waren ze getrouwd. Ik probeerde grootmoeder een paar vervolgvragen te stellen over hoe zij tegen het huwelijk aankeek, maar meer dan deze feiten kreeg ik niet uit haar los: rijstteelster, onvoorzien huwelijk, tien kinderen. Ik wilde vreselijk graag weten waar 'onvoorzien' huwelijk geheimtaal voor kon zijn (er waren in mijn familie veel vrouwen die 'onvoorzien' hadden moeten trouwen), maar verdere informatie bleef uit.

'Ze is er niet aan gewend dat mensen belangstelling tonen voor haar leven,' legde Keo uit, en dus liet ik het onderwerp rusten.

De hele avond bleef ik echter steelse blikken naar grootmoeder werpen en de hele avond was het net alsof ze van een grote afstand naar ons keek. Ze straalde een glinsterende bovenaardsheid uit, gekenmerkt door een zo stille en gereserveerde houding dat ze soms bijna echt leek te verdwijnen. Hoewel ze recht tegenover me zat, hoewel ik haar steeds makkelijk had kunnen aanraken met een uitgestrekte hand, voelde het alsof ze zich ergens anders ophield en ons allemaal aankeek vanaf een goedgunstige troon ergens ver weg op de maan.

Keo's huis was weliswaar klein, maar zo schoon dat je er van de vloer kon eten, en dat deden we ook. We gingen op een bamboemat zitten en deelden de maaltijd, waarbij we rijst tot balletjes draaiden in onze handen. Naar goed Laotiaans gebruik dronken we allemaal uit hetzelfde glas, dat werd doorgegeven van oud naar jong. En dit aten we: heerlijk pittige meervalsoep, groene-papajasalade in een rokerige vissaus, kleefrijst en – uiteraard – kikkers. De kikkers waren het trots aangeboden hoofdgerecht, aangezien dit Keo's eigen kweek was, waar we dus ook heel wat van moesten eten. Ik had in het verleden kikkers gegeten (nou ja, *kikkerbilletjes*), maar dit was anders. Dit waren reuzenkikkers – enorme, stevige, vlezige brulkikkers –, in grote stukken gesneden als een stoofkip en vervolgens met huid en botten en al gekookt. Het vel was het moeilijkste deel van de maaltijd om naar binnen te werken, omdat dat, zelfs na het koken, nog zo overduidelijk een kikkervel bleef: gevlekt, rubberachtig, amfibisch.

Noi hield ons nauwlettend in de gaten. Ze sprak weinig tijdens de maaltijd, behalve om ons er op een bepaald moment aan te herinneren: 'Niet alleen de rijst eten, eet ook het vlees,' want vlees is kostbaar en we waren gewaardeerde gasten. Dus kauwden we ons braaf een weg door al die repen rubberachtig kikkervlees, inclusief het vel en af en toe een botje. Felipe vroeg tot twee keer toe of hij nog een keer mocht opscheppen, wat Noi vol onverholen plezier deed blozen en glimlachen naar haar zwangere buik. Hoewel ik wist dat Felipe nog liever zijn eigen gebraden schoen zou eten dan nog één hap gekookte brulkikker te nemen, hield ik op dat moment weer verschrikkelijk veel van hem om zijn goedheid.

Waar je die man ook mee naartoe neemt, dacht ik trots, *je kunt er altijd van op aan dat hij weet hoe hij zich moet gedragen.*

Na het eten speelde Keo een paar video's af van traditionele Laotiaanse bruiloftsdansen, ter lering en vermaak. Op de video's viel een groepje stijve Laotiaanse vrouwen te bewonderen die op een discopodium dansten, zwaar opgemaakt en gekleed in een glitterende sarong. Hun dans bestond uit weinig meer dan wat handengekronkel, met een op hun gezicht gestolde glimlach. We keken hier een halfuur in aandachtige stilte naar.

'Het zijn allemaal uitstekende, professionele danseressen,' liet Keo ons ten slotte weten, waarmee hij de vreemde hypnose verbrak. 'De zanger wiens stem je op de achtergrond hoort is heel beroemd in Laos, net als jullie Michael Jackson in Amerika. En ik heb hem ontmoet.'

Keo had een onschuld over zich die bijna hartbrekend was om te aanschouwen. Zijn hele gezin leek een puurheid te bezitten die ik nooit eerder had meegemaakt. Ondanks de televisie, de koelkast en de ventilator bleven ze onaangetast door de moderne tijd, of in elk geval onaangetast door de gladheid van de moderne tijd. Er waren een paar elementen die ontbraken in de conversatie van Keo en zijn familie: ironie, cynisme, sarcasme en arrogantie. Ik ken Amerikaanse kinderen van vijf die uitgekookter zijn dan dit gezin. Sterker nog, álle Amerikaanse kinderen van vijf die ik ken zijn uitgekookter dat dit gezin. Ik had hun hele huis wel in verbandgaas willen wikkelen om ze tegen de wereld te beschermen – een handeling waarvoor, gezien de grootte van hun huis, helemaal niet zo veel verbandgaas nodig zou zijn geweest.

Na de dansvoorstelling zette Keo de televisie uit en bracht ons gesprek weer op de dromen en voornemens die hij en Noi koesterden voor hun leven samen. Als het kind er was zouden ze uiteraard meer geld nodig hebben, en daarom had Keo een plan voor de uitbreiding van zijn kikkervleesbedrijfje. Hij vertelde dat hij op een dag graag een kikkerkas met klimaatbeheersing zou ontwerpen, waarin de ideale omstandigheden van de zomer – het voortplantingsseizoen van kikkers – zouden worden nagebootst, maar dan het hele jaar door. Die uitvinding, waarvan ik begreep dat het een soort broeikas was, zou technieken omvatten als 'nepregen en nepzon'. Die nepweersomstandigheden zouden de kikkers doen geloven dat het ook in de winter zomer was. Dat zou heel gunstig zijn, aangezien de winter een moeilijke tijd is voor kikkerkwekers. Iedere winter gaan Keo's kikkers in winterslaap (of, zoals hij het noemde, in 'meditatie') en in die tijd eten ze niet, waardoor ze sterk vermageren en de 'kikkervlees per kilo'-handel opeens niet meer zo'n goede handel is. Maar als het Keo lukte het hele jaar door kikkers te kweken, en als hij de enige in Luang Prabang was die dat kon, zou het een bloeiende handel worden en dat zou de welvaart van het hele gezin verhogen.

'Dat klinkt als een uitstekend idee, Keo,' zei Felipe.

'Het was Nois idee,' antwoordde Keo en iedereen keek weer naar Keo's vrouw, de aantrekkelijke Noi, pas negentien jaar oud en haar gezicht zo klam van de hitte, ongemakkelijk gezeten op de aarden vloer, haar buik vol met baby.

'Je bent geniaal, Noi!' riep Felipe uit.

'Dat ís ze ook!' stemde Keo in.

Noi moest zo blozen van deze loftuitingen dat ze er bijna flauw van viel. Ze was niet in staat onze blik te ontmoeten, maar je zag dat ze zich bewust was van de eer die haar werd bewezen, ook al durfde ze die niet in de ogen te kijken. Je zag dat ze besefte hoezeer haar man haar waardeerde. De knappe, jonge, inventieve Keo had zo'n hoge dunk van zijn vrouw dat hij het niet kon laten over haar op te scheppen tegen zijn gerespecteerde etensgasten! Bij zo'n openbare erkenning van haar belangrijkheid leek de timide Noi uit te dijen tot tweemaal haar normale omvang (en ze wás al tweemaal haar normale omvang met het kind dat elk moment geboren kon worden). Echt waar, één imposant moment lang leek de aanstaande moeder zo opgetogen, zo opgezwollen, dat ik bang was dat ze weg zou zweven en zich bij haar moeder voegen op de maan.

❧

Dit alles zette me, toen we die avond terugreden naar ons hotel, aan het denken over mijn grootmoeder en haar huwelijk.

Mijn oma Maude – die onlangs zesennegentig is geworden – komt van een lange lijn van mensen wier welstandsniveau meer dat van Keo en Noi benaderde dan het mijne. De voorouders van oma Maude waren immigranten uit het noorden van Engeland die in huifkarren naar het midden van Minnesota trokken, waar ze de eerste onvoorstelbare winters in primitieve plaggenhutten woonden. Alleen door zich halfdood te werken wisten ze land te verwerven, bouwden daar kleine houten huizen op, toen grotere huizen, breidden geleidelijk hun veestapel uit, en gedijden.

Mijn grootmoeder aanschouwde in januari 1913, halverwege een koude prairiewinter, thuis het levenslicht. Ze kwam ter wereld met een potentieel levensbedreigende afwijking: een ernstig gespleten gehemelte en een hazenlip. Het was al bijna april voor de spoorlijnen zo ver waren ontdooid dat Maudes vader de baby mee kon nemen naar Rochester voor haar eerste voorlopige operatie. Tot die tijd waren mijn overgrootouders er op de een of andere manier in geslaagd het kind in leven te houden, ondanks dat ze niet aan de borst kon drinken. Mijn grootmoeder weet tot op de dag van vandaag niet hoe haar ouders haar hebben gevoed, maar ze vermoedt dat het iets te maken heeft gehad met een stuk rubberslang dat haar vader van de melkstal had geleend. Mijn grootmoeder vertelde me onlangs dat ze er spijt van heeft dat ze haar moeder niet méér heeft gevraagd over die eerste paar moeilijke maanden van haar leven, maar dit was geen familie waarin de mensen bleven stilstaan bij nare herinneringen of pijnlijke gesprekken aanmoedigden, en dus kwam het onderwerp nooit ter sprake.

Hoewel mijn grootmoeder niet iemand is die klaagt, moet ze heel wat te overwinnen hebben gehad in haar leven. Natuurlijk hadden de mensen om haar heen het ook zwaar, maar Maude torste de extra last van haar lichamelijke aandoening, die haar blijvende spraakproblemen en een zichtbaar litteken in het midden van haar gezicht had opgeleverd. Het zal niemand verbazen dat ze vreselijk verlegen was. Om deze redenen werd wijd en zijd aangenomen dat mijn grootmoeder nooit zou trouwen. Die gedachte hoefde niet hardop te worden uitgesproken; iedereen wist het gewoon.

Maar zelfs uit het meest onfortuinlijke lot kunnen bijzondere voordelen geboren worden. Bij mijn grootmoeder was het voordeel dat ze als enig lid van haar familie behoorlijk onderwijs kreeg. Maude mocht zich scholen omdat ze dat *nodig* had, om later, als ongehuwde vrouw, in haar eigen levensonderhoud te kunnen voorzien. De jongens gingen allemaal rond hun veertiende op het land werken, en ook de meisjes maakten zelden hun middelbare school af (ze waren vaak al getrouwd en hadden een kind voor ze hun diploma konden halen), maar Maude werd in de kost gedaan bij een gezin in de stad en ontpopte zich tot een ijverige leerlinge. Ze blonk uit op school. Ze hield met name van geschiedenis en Engels en hoopte op een dag lerares te worden; ze maakte bij mensen thuis schoon om geld te verdienen voor de pedagogische academie. Toen sloeg de Grote Depressie toe en kwamen de kosten van de opleiding ver buiten haar bereik te liggen. Maar Maude bleef werken, en haar inkomsten maakten haar tot een van de zeldzaamste schepselen die er in dat tijdperk in Midden-Minnesota bestonden: een zelfstandige jonge vrouw die zichzelf onderhield.

Die jaren van mijn grootmoeders leven, toen ze net van

de middelbare school af was, hebben me altijd gefascineerd, omdat haar pad zo verschilde van dat van iedereen om haar heen. Ze *beleefde* dingen in de echte wereld, in plaats van meteen aan een gezin te beginnen. Maudes eigen moeder verliet vaak niet meer dan één keer in de maand de boerderij, wanneer ze naar de stad ging (en nooit in de winter) om basisvoorraden aan te vullen, zoals meel, suiker en stoffen. Maude daarentegen trok na de middelbare school helemaal in haar eentje naar Montana, waar ze als serveerster in een restaurant cowboys koffie en taart voorzette. Dat was in 1931. Ze deed exotische en ongewone dingen, waarvan geen enkele vrouw in haar familie zich zelfs maar een voorstelling kon maken dat ze die ooit zou doen. Ze liet (voor twee hele dollars) haar haar knippen en er een chique permanent in zetten door een echte kapper, op een echt treinstation. Ze kocht een wulpse, slanke gele jurk voor zichzelf bij een echte winkel. Ze ging naar de bioscoop. Ze las boeken. Ze kreeg een lift van Montana terug naar Minnesota in de achterbak van een pick-up van Russische immigranten met een knappe zoon van haar leeftijd.

Eenmaal thuis van haar avontuur in Montana vond ze een baantje als huishoudster en secretaresse van een rijke oudere vrouw, mevrouw Parker, die dronk en rookte en lachte en enorm van het leven genoot. Mevrouw Parker, zo vertelt mijn grootmoeder me, 'durfde zelfs te vloeken', en ze gaf feestjes die zo extravagant waren (de beste biefstukken, de beste boter en heel veel drank en sigaretten) dat je nooit zou hebben gedacht dat er in de wereld een Depressie woedde. Bovendien was mevrouw Parker gul en royaal, en ze gaf vaak haar goede kleren door aan mijn grootmoeder, die twee keer zo slank was als de oudere vrouw, dus ze kon helaas niet altijd profiteren van dit letterlijk grote gebaar.

Mijn grootmoeder werkte hard en spaarde. Ik moet dat

hier benadrukken: *ze had haar eigen spaargeld.* Ik denk dat je diverse generaties van Maudes voorouders zou kunnen afzoeken zonder een vrouw te vinden die erin geslaagd was zelfstandig geld te sparen. Ze legde zelfs een apart potje aan om een operatie te bekostigen die haar hazenlip minder opvallend zou hebben gemaakt. Maar in mijn ogen laat haar jeugdige onafhankelijkheid zich het best samenvatten door één symbool: een schitterende bordeauxrode jas met een kraag van echt bont die ze aan het begin van de jaren dertig voor twintig dollar had gekocht. Dat was een ongekende uitspatting voor een vrouw van die familie. Mijn overgrootmoeder kon geen woord uitbrengen bij het idee dat je zo'n astronomisch bedrag verspilde aan... een jas. Nogmaals, ik denk dat je met de stofkam door de stamboom van mijn familie zou kunnen gaan en vóór Maude nooit een vrouw zou vinden die ooit zoiets schitterends en duurs voor zichzelf had gekocht.

Als je mijn grootmoeder tegenwoordig naar die aankoop vraagt, beginnen haar ogen nog steeds te twinkelen van plezier. Die bordeauxrode jas met de kraag van echt bont was het mooiste wat Maude ooit in haar leven had bezeten – sterker nog, het was het mooiste wat ze ooit in haar leven zou bezitten – en ze kan zich nog steeds het zinnelijke gevoel herinneren van het bont dat tegen haar hals en kin aan streek.

Later dat jaar, waarschijnlijk toen ze diezelfde fraaie jas aanhad, ontmoette Maude een jonge boer, Carl Olson, wiens broer haar zus het hof maakte, en Carl – mijn grootvader – werd verliefd op haar. Carl was geen romantische man, geen poëtische man en al helemaal geen rijke man. (Zijn bezittingen vielen in het niet bij haar bescheiden spaarrekening.) Maar hij was ontstellend knap en een harde werker. De gebroeders Olson waren allemaal knap en werkten allemaal hard. Mijn grootmoeder viel voor hem. Al spoedig was Maude Edna Morcomb, zeer tot ieders verbazing, *getrouwd*.

De conclusie die ik altijd uit dit verhaal trok, als ik er in het verleden over nadacht, was dat haar huwelijk het einde van de zelfstandigheid betekende van Maude Edna Morcomb. Tot ongeveer 1975 was haar leven na haar trouwen er een van grote ontberingen en zware arbeid. Niet dat ze niet gewend was aan werken, maar alles werd al heel snel heel zwaar. Ze verhuisde van de mooie woning van mevrouw Parker (geen biefstukken, geen feestjes, geen *sanitair* meer) naar de familieboerderij van mijn grootvader. Carls voorouders waren sobere Zweedse immigranten, en het jonge paar moest de kleine boerenwoning delen met de vader en jongere broer van mijn grootvader. Maude was de enige vrouw op de boerderij, dus kookte ze en deed het huishouden voor de drie mannen, en gaf vaak ook nog de boerenknechten te eten. Toen met Roosevelts programma voor de elektrificatie van het platteland de stad eindelijk stroom kreeg, wilde haar schoonvader alleen peertjes aanschaffen met het laagste wattage, en die gingen zelden aan.

Maude voedde de eerste vijf – van zeven – kinderen op in dat huis. Mijn moeder is er geboren. De eerste drie kinderen werden in één enkele kamer grootgebracht, onder één gloeilamp, net zoals Keo en Noi dat met hun kinderen zullen doen. (Haar schoonvader en zwager hadden ieder een kamer voor zichzelf.) Toen de oudste zoon van Maude en Carl, Lee, ter wereld kwam, betaalden ze de dokter met een slachtkalf. Er was geen geld. Er was nooit geld. Maudes spaargeld – dat bestemd was voor haar reconstructieve operatie – was al lang geleden opgegaan aan de boerderij. Toen haar oudste dochter, mijn tante Marie, werd geboren, verknipte mijn grootmoeder haar zo gekoesterde bordeauxrode jas met de kraag van echt bont en gebruikte het materiaal om er een kerstpakje voor het nieuwe kind van te naaien.

En dat is naar mijn idee altijd de krachtigste metafoor geweest voor wat het huwelijk met mijn mensen doet. Met 'mijn mensen' bedoel ik de vrouwen van mijn familie, met name de vrouwen van moederskant – mijn afkomst en mijn erfgoed. Want wat mijn grootmoeder met haar jas deed (het mooiste wat ze ooit zou bezitten) is wat alle vrouwen van haar generatie (en daarvoor) deden voor hun familie en hun man en hun kinderen. Ze verknipten de mooiste en trotste delen van zichzelf en gaven het allemaal weg. Ze vormden nieuwe patronen uit wat van hen was en pasten die aan voor anderen. Zij hadden niets nodig. Ze waren de laatsten die 's avonds eten namen en iedere ochtend de eersten die opstonden en de koude keuken verwarmden om aan een nieuwe dag van klaarstaan voor alle anderen te beginnen. Dat was het enige wat ze kenden. *Geven* was het sleutelwoord in hun leven, het leidende principe.

Het verhaal van de bordeauxrode jas met de kraag van echt bont maakt me altijd aan het huilen. En als ik je zou vertellen dat het niet voorgoed mijn gevoelens over het huwelijk heeft bepaald, of dat het niet een klein, stil verdriet in me heeft geplant over wat het instituut van het huwelijk een goede vrouw kan afnemen, zou ik tegen je liegen.

Maar ik zou ook tegen je liegen – of je in elk geval essentiële informatie onthouden – als ik niet zou onthullen dat het verhaal nog een staartje had. Een paar maanden voor Felipe en ik door het ministerie van Binnenlandse Veiligheid werden veroordeeld tot trouwen, ging ik naar Minnesota om mijn grootmoeder op te zoeken. Ik zat naast haar terwijl ze aan een sprei haakte en me verhalen vertelde. Toen vroeg ik haar iets wat ik haar nog nooit eerder had gevraagd: 'Wat was de gelukkigste periode van je leven?'

Diep in mijn hart dacht ik het antwoord al te weten. Het was begin jaren dertig geweest, toen ze bij mevrouw Parker woonde en elegant gekapt rondliep in een slanke gele jurk en een op maat gemaakte bordeauxrode jas. Dat moest het antwoord wel zijn, toch? Maar dat is nou het probleem met grootmoeders. Ondanks alles wat ze aan anderen geven, blijven ze zich het recht voorbehouden om hun eigen mening over hun eigen leven te koesteren. Want oma Maude zei namelijk: 'De gelukkigste periode van mijn leven waren de eerste jaren van mijn huwelijk met je grootvader, toen we op de Olsonboerderij woonden.'

Laat me je er nog even aan herinneren: ze hadden *niets*. Maude was min of meer de slavin van drie volwassen mannen (norse Zweedse boeren ook nog, die zich doorgaans aan elkaar liepen te ergeren), en ze zat met haar dreumesen en hun doorweekte stoffen luiers in één koude, slechtverlichte kamer opgepropt. Met iedere zwangerschap werd ze bleker en zwakker. De Depressie raasde rond de boerderij. Haar schoonvader weigerde sanitair aan te laten leggen in huis. Enzovoort, enzovoort...

'Oma,' zei ik terwijl ik haar jichtige handen in de mijne nam, 'hoe kan dát nou de gelukkigste periode zijn geweest?'

'Toch was het zo,' zei ze. 'Ik was gelukkig omdat ik een gezin had. Ik had een man. Ik had kinderen. Ik had nooit durven dromen dat me dat in mijn leven gegund zou zijn.'

Ik geloofde haar, hoezeer haar woorden me ook verbaasden. Maar dat ik haar geloofde, wilde nog niet zeggen dat ik haar begreep. Pas op de avond, maanden later, toen ik in Laos bij Keo en Noi at, begon ik iets van mijn grootmoeders antwoord over het grootste geluk in haar leven te begrijpen. Toen ik daar op de aarden vloer zat en naar Noi keek, die ongemakkelijk bewoog rond haar zwangere buik, was ik vanzelfsprekend ook allerlei veronderstellingen gaan maken over haar leven. Ik had medelijden met Noi vanwege de moeilijkheden die ze op haar pad vond door zo jong te trouwen en ik maakte me zorgen over hoe ze haar kind moest opvoeden in een huis dat al bezet werd door een horde brulkikkers. Maar toen Keo erover opschepte hoe slim zijn jonge vrouw wel niet was (met al die fantastische ideeën over broeikassen!) en toen ik de blijdschap over het gezicht van die jonge vrouw zag glijden (een vrouw die zo bedeesd was dat ze ons de hele avond amper in de ogen had gekeken), kwam ik plotseling mijn grootmoeder tegen. Ik *kende* plotseling mijn grootmoeder, weerspiegeld in Noi, op een manier waarop ik haar nooit eerder had gekend. Ik wist hoe mijn grootmoeder er als jonge vrouw en moeder moet hebben uitgezien: trots, vitaal, gewaardeerd. Waarom was Maude zo gelukkig in 1936? Ze was om dezelfde reden gelukkig als Noi in 2006: omdat ze wist dat ze onmisbaar was in iemands leven. Ze was gelukkig omdat ze een partner had, en omdat ze samen iets aan het opbouwen waren, en omdat ze diep geloofde in wat ze aan het opbouwen waren, en omdat het haar verbaasde dat zij in zo'n onderneming betrokken werd.

Ik zal mijn grootmoeder of Noi niet beledigen met insinuaties dat ze eigenlijk naar iets hogers hadden moeten streven in hun leven (naar iets wat meer in de buurt kwam van mijn ambities en idealen wellicht). Ik zal ook nooit zeggen dat een verlangen om in het centrum van hun mans leven te staan op een abnormaal trekje wijst in die vrouwen. Zowel Noi als mijn grootmoeder kent haar eigen geluk, en ik maak een eerbiedige buiging voor hun ervaringen. Wat ze kregen, zo lijkt het, is precies wat ze altijd hadden gewild.

Nou, dat is dan geregeld.

Of misschien toch niet?

Want ik moet – om het nog wat verwarrender te maken – ook vertellen wat mijn grootmoeder die dag in Minnesota aan het eind van ons gesprek tegen me zei. Ze wist dat ik kort ervoor verliefd was geworden op een man die Felipe heette en ze had gehoord dat het serieus aan het worden was tussen ons. Maude is geen opdringerige vrouw (in tegenstelling tot haar kleindochter), maar we hadden vertrouwelijk met elkaar gepraat en misschien voelde ze zich daarom vrij om me openhartig te vragen: 'Hoe zie je de toekomst met die man?'

Ik antwoordde dat ik dat nog niet wist, behalve dat ik bij hem wilde blijven omdat hij aardig, liefdevol en een steun was en omdat hij me gelukkig maakte.

'Maar gaan jullie...' Haar stem stierf weg.

Ik maakte de zin niet voor haar af. Ik wist waar ze naar hengelde, maar in die tijd was ik niet van plan ooit weer een huwelijk aan te gaan, dus ik zweeg, in de hoop dat ze het onderwerp zou laten rusten.

Na een korte stilte probeerde ze het nog eens. 'En nemen jullie ook...'

Weer gaf ik geen antwoord. Het was niet mijn bedoeling onbeleefd of terughoudend te zijn. Ik wist alleen dat ik geen kinderen zou krijgen, en ik wilde haar niet teleurstellen.

Maar toen choqueerde die vrouw van bijna een eeuw oud me. Mijn grootmoeder wierp haar handen in de lucht en zei: 'Ach, ik kan het je net zo goed meteen vragen! Nu je die aardige man hebt ontmoet, ben je hoop ik toch niet van plan te trouwen en kinderen te krijgen en te stoppen met schrijven?'

Hoe moet ik dat plaatsen?

Wat moet ik concluderen als volgens mijn grootmoeder de gelukkigste beslissing van haar leven is geweest dat ze haar leven opgaf voor haar man en kinderen, om vervolgens in één adem door te zeggen dat ze niet wil dat ik dezelfde keuze maak? Ik weet niet hoe ik dat met elkaar moet verenigen, behalve door te geloven dat beide verklaringen gemeend en waar zijn, ook al lijken ze in volkomen tegenspraak met elkaar. Ik vind dat een vrouw die al zo lang leeft als mijn grootmoeder wel enige tegenstrijdigheden en mysteries mag hebben. Zoals de meesten van ons heeft deze vrouw er massa's. Bovendien zijn wat het onderwerp vrouwen en het huwelijk aangaat makkelijke conclusies met een lantaarntje te zoeken en zijn de wegen in alle richtingen geplaveid met raadsels.

Om iets van dit onderwerp – vrouwen en het huwelijk – te ontrafelen moeten we beginnen met het naakte, koude feit dat het huwelijk minder heilzaam is voor vrouwen dan voor mannen. Ik heb dat niet verzonnen en ik zeg het ook niet graag, maar het is de droeve waarheid, die telkens weer door studies wordt ondersteund. Mannen heeft het huwelijk als instituut daarentegen wel altijd uitermate goed gedaan. Als je een man bent is, volgens de statistieken, trouwen de slimste keuze die je kunt maken – aangenomen dat je graag een lang, gelukkig, gezond en welvarend bestaan wilt. Getrouwde mannen doen het verbluffend veel beter in het leven dan alleenstaande mannen. Getrouwde mannen leven langer dan alleenstaande mannen; getrouwde mannen vergaren meer rijkdom dan alleenstaande mannen; getrouwde mannen blinken meer uit in hun carrière dan alleenstaande mannen; getrouwde mannen lopen een aanzienlijk kleinere kans een gewelddadige dood te sterven dan alleenstaande mannen; getrouwde mannen beschrijven zichzelf als veel gelukkiger dan alleenstaande mannen; en getrouwde mannen krijgen minder vaak te maken met alcoholisme, drugsverslaving en depressie dan alleenstaande mannen.

'Er kan geen systeem zijn ontworpen dat het menselijk geluk opzettelijker ondermijnt dan het huwelijk,' schreef Percy Bysshe Shelley in 1813, maar hij zat er helemaal naast, of in elk geval wat het *mannelijke* menselijk geluk betreft. Er zijn nogal wat dingen, statistisch gesproken, waarbij een man wint door te trouwen.

Triest genoeg moet ik constateren dat het andersom niet opgaat. De hedendaagse getrouwde vrouw heeft het niet beter in het leven dan haar alleenstaande tegenhanger. Getrouwde vrouwen in Amerika leven niet langer dan alleenstaande vrouwen; getrouwde vrouwen vergaren niet zo veel rijkdom als alleenstaande vrouwen (alleen al door in het huwelijk te treden lever je gemiddeld zeven procent van je salaris in); getrouwde vrouwen maken minder carrière dan alleenstaande vrouwen; getrouwde vrouwen zijn lang niet zo gezond als alleenstaande vrouwen; getrouwde vrouwen lijden vaker aan depressie dan alleenstaande vrouwen; en getrouwde vrouwen lopen een grotere kans een gewelddadige dood te sterven dan alleenstaande vrouwen – meestal door toedoen van hun man, wat ons met onze neus op de grimmige realiteit drukt dat, statistisch gezien, de gevaarlijkste persoon in het leven van de gemiddelde vrouw haar eigen man is.

Dit alles samen maakt wat verbaasde sociologen de 'onbalans in huwelijksprofijt' noemen, een nette benaming voor de naargeestige conclusie dat vrouwen er doorgaans bij verliezen als ze het jawoord uitspreken terwijl mannen flinke winst boeken.

Voordat we nu allemaal huilend onder ons bureau kruipen – wat ik wilde doen toen ik deze conclusie las – moet ik iedereen geruststellen dat de situatie aan het verbeteren is. Naarmate in de loop der jaren meer vrouwen zelfstandig worden neemt de onbalans af, en er is een aantal factoren dat de onrechtvaardige situatie behoorlijk kan rechttrekken. Hoe hoger de opleiding van een getrouwde vrouw, hoe meer ze verdient, hoe later in het leven ze trouwt, hoe minder kinderen ze baart en hoe meer hulp haar man haar biedt in het huishouden, des te hoger de kwaliteit van haar leven zal zijn. Als er ooit een goed moment in de westerse geschiedenis was voor een vrouw om een echtgenote te worden, is het waarschijnlijk dit. Als je wilt dat je dochter een gelukkige volwassene wordt, kun je haar in een gesprek over haar toekomst het beste aanmoedigen zich zo hoog mogelijk te scholen, een huwelijk zo lang mogelijk uit te stellen, haar eigen inkomen te verdienen, het aantal kinderen dat ze krijgt te beperken en een man te zoeken die het niet erg vindt om de badkuip schoon te maken. Dan heeft je dochter kans op een leven dat bijna even gezond en rijk en gelukkig is als dat van haar toekomstige man zal zijn.

Bijna.

Want zelfs al is de kloof smaller geworden, de onbalans blijft bestaan. Met dat als gegeven wil ik stilstaan bij de mysterieuze vraag waarom zo veel vrouwen nog steeds zo intens naar het huwelijk verlangen terwijl dat keer op keer onevenredig nadelig voor hen uitvalt. Je kunt aanvoeren dat die vrouwen misschien de statistieken niet kennen, maar ik denk niet dat het zo eenvoudig ligt. Er is iets anders aan de hand met vrouwen en het huwelijk – iets diepers, iets emotionelers, iets wat een openbare voorlichtingscampagne (TROUW NIET VOOR JE TEN MINSTE DERTIG JAAR OUD EN FINANCIEEL STABIEL BENT!!!) waarschijnlijk niet kan veranderen of beïnvloeden.

Verbijsterd over die paradox kaartte ik in een e-mail de kwestie aan bij een paar vriendinnen van me in de Verenigde Staten, vriendinnen van wie ik wist dat ze graag een man wilden. Hun diepe behoefte aan een huwelijksverbintenis was iets wat ikzelf nooit had ervaren en daarom nooit echt had begrepen, maar nu wilde ik het door hun ogen zien.

'Hoe zit dat?' vroeg ik.

Ik kreeg een paar bedachtzame antwoorden terug, en een paar grappige. Eén vrouw schreef een lange beschouwing over haar wens een man te vinden die, zoals ze het elegant verwoordde, de rol zou vervullen van 'de medegetuige naar wie ik altijd heb verlangd in het leven'. Een andere vriendin zei dat ze een gezin wilde stichten met iemand, 'al was het alleen maar voor het hebben van een baby. Ik wil die grote borsten van me eindelijk weleens gebruiken voor het doel waarvoor ze bestemd zijn.' Maar vrouwen kunnen ook een relatie hebben en kinderen krijgen zonder te trouwen, dus waarom die specifieke hang naar een echtverbintenis?

Toen ik de vraag nogmaals stelde, antwoordde een andere alleenstaande vriendin: 'De wens om te trouwen heeft alles te maken met het verlangen me *uitverkoren* te voelen.' Ze voegde eraan toe dat, hoewel het idee om samen met een ander een leven op te bouwen haar zeker aantrok, waar ze echt van droomde een bruiloft was, een openbare aangelegenheid 'die ondubbelzinnig aan iedereen, maar vooral aan mezelf, zal bewijzen dat ik waardevol genoeg ben om door iemand voor altijd gekozen te zijn'.

Je kunt zeggen dat mijn vriendin gehersenspoeld is door de Amerikaanse media, die haar onophoudelijk een fantasie van vrouwelijke perfectie voorschotelen (de stralende bruid in de witte japon, in een wolk van kant en bloemen, omringd door bezorgde hofdames), maar die verklaring wil er niet helemaal bij me in. Mijn vriendin is een intelligente, belezen, nadenkende, geestelijk gezonde volwassene; ik geloof niet dat Disneyfiguren of soaps haar hebben geleerd te verlangen naar wat zij verlangt. Ik geloof dat ze daar geheel uit zichzelf toe is gekomen.

Ik vind ook niet dat ze veroordeeld moet worden omdat ze zo'n bruiloft wil. Mijn vriendin is iemand met een groot hart. De liefde die ze te geven heeft is door de wereld maar zelden geëvenaard, als die al werd beantwoord. Daardoor worstelt ze met een paar ernstige onvervulde emotionele verlangens en twijfels over haar eigenwaarde. Welk verlossender beeld zou ze in zo'n geval kunnen oproepen dan een plechtigheid in een mooie kerk, waar alle aanwezigen haar zullen zien als een prinses, een maagd, een engel, de schat der schatten? Wie kan het haar kwalijk nemen dat ze – *al is het maar één keer* – wil weten hoe dat voelt?

Ik hoop dat ze het zal meemaken, met de juiste persoon uiteraard. Gelukkig is mijn vriendin mentaal stabiel genoeg dat ze niet de deur uit is gehold en met de eerste de beste totaal ongeschikte vent is getrouwd om zo haar bruiloftsfantasieën te verwezenlijken. Maar er moeten andere vrouwen zijn die wel die ruil hebben gemaakt – die hun toekomstige welzijn (en zeven procent van hun inkomen en, niet te vergeten, een paar jaar van hun levensverwachting) hebben ingeleverd om één middag lang het onomstotelijke bewijs van hun waarde aan de wereld te kunnen tonen. En ik zeg weer: ik ga zo'n drang niet belachelijk maken. Als iemand die zelf altijd als kostbaar beschouwd heeft willen worden en die in dat opzicht vaak domme dingen heeft gedaan om de ander uit te testen, *snap ik het*. Maar ik weet ook dat met name wij vrouwen heel hard ons best moeten doen om onze fantasieën zo scherp mogelijk van onze werkelijkheid gescheiden te houden, en dat het soms jaren kan duren voor we in staat zijn een rationeel onderscheid te maken.

Ik denk aan mijn vriendin Christine, die – op de avond voor haar veertigste verjaardag – besefte dat ze haar echte leven steeds had uitgesteld, wachtend op de ratificatie van een trouwdag die het haar mogelijk zou maken zichzelf als een volwassene te zien. Omdat ze nooit naar het altaar was geschreden in een witte jurk en sluier had ook zij zich nooit *uitverkoren* gevoeld. Jarenlang had ze plichtmatig geleefd – werken, sporten, eten, slapen – en al die tijd had ze stilletjes gewacht. Maar toen haar veertigste verjaardag naderde en geen enkele man naar voren was gekomen om haar tot zijn koningin te kronen, realiseerde ze zich hoe absurd al dat wachten was. Nee, het ging nog verder dan absurd: het was een gevangenschap. Ze werd gegijzeld door een denkbeeld dat ze de 'Tirannie van de Bruid' noemde, en ze besloot de betovering te verbreken.

En dat deed ze zo: op de ochtend van haar veertigste verjaardag ging mijn vriendin Christine bij zonsopgang naar de noordelijke Grote Oceaan. Het was een koude, bewolkte dag. Niets romantisch aan. Ze bracht een houten bootje mee dat ze met haar eigen handen had gemaakt. Ze vulde het bootje met rozenblaadjes en rijst – parafernalia van een symbolische bruiloft. Ze liep tot aan haar borst het koude water in en stak het bootje in brand. En toen duwde ze, als daad van persoonlijke bevrijding, het bootje van zich af, en daarmee haar hardnekkigste fantasieën over het huwelijk. Christine vertelde me later dat ze zich, terwijl het getij de (nog altijd brandende) Tirannie van de Bruid meevoerde, machtig had gevoeld, transcendentaal, alsof ze zichzelf over een cruciale drempel heen had gedragen. Ze was eindelijk met haar eigen leven getrouwd, en geen seconde te vroeg.

Zo kun je het dus aanpakken.

Maar eerlijk gezegd is er in de geschiedenis van mijn eigen familie niemand te vinden die mij dat voorbeeld van zo dapper en bewust voor jezelf te kiezen had kunnen geven. Ik heb nooit zoiets als Christines bootje gezien toen ik opgroeide. Ik heb nooit een vrouw actief met haar leven zien trouwen. De vrouwen door wie ik het meest ben beïnvloed (mijn moeder, grootmoeders, tantes) zijn allemaal in de meest traditionele zin van het woord getrouwd, en allemaal hebben ze, zo moet ik erkennen, veel van zichzelf opgegeven bij die ruil. Een socioloog hoeft mij niks te vertellen over de 'onbalans in huwelijksprofijt'; ik was daar al in mijn kindertijd getuige van.

Bovendien hoef ik niet ver te zoeken om die onbalans te verklaren. De grote ongelijkheid tussen man en vrouw is in mijn familie in elk geval altijd het voortbrengsel geweest van de buitenproportionele mate waarin de vrouwen bereid zijn zichzelf op te offeren voor hun dierbaren. Zoals de psycholoog Carol Gilligan schreef: 'Het gevoel compleet te zijn lijkt bij vrouwen verstrengeld met een ethiek van zorgzaamheid, waardoor ze zichzelf alleen als vrouw zien binnen de band die ze met anderen hebben.' Die extreme drift naar verstrengeling heeft de vrouwen van mijn familie vaak tot keuzes gebracht die slecht voor hen waren – tot het herhaaldelijk opofferen van hun eigen gezondheid, tijd of belangen voor wat zij als het grotere goed beschouwen – misschien om steeds een noodzakelijk gevoel van bijzonder zijn, van uitverkorenheid, van verbondenheid te bekrachtigen.

Ik vermoed dat dit ook bij veel andere families het geval is. Natuurlijk weet ik dat er uitzonderingen en anomalieën bestaan. Ik ken persoonlijk gezinnen waarin de man meer opgeeft dan de vrouw, of meer tijd aan het grootbrengen van de kinderen en het huishouden besteedt dan de vrouw, of meer van de traditionele, koesterende rol van de vrouw op zich neemt, maar ik kan die gezinnen op de vingers van één hand tellen. (Een hand die ik nu overigens opsteek in een bewonderend en respectvol saluut aan die mannen.)

Maar de percentages van de laatste Amerikaanse volkstelling liegen er niet om. In het jaar 2000 waren er zo'n 5,3 miljoen fulltime moeders in Amerika, tegenover slechts zo'n 140.000 fulltime vaders. Dat betekent dus dat van het totale aantal thuisblijvende ouders maar 2,6 procent man is. Terwijl ik dit schrijf is dat onderzoek al bijna tien jaar oud, dus laten we hopen dat de ratio aan het veranderen is. Maar deze kan wat mij betreft niet snel genoeg veranderen. En zo'n zeldzaam schepsel – de vader die moedert – komt niet voor in de geschiedenis van mijn familie.

Ik snap niet helemaal waarom de vrouwen met wie ik verwant ben zich zo sterk wijden aan de verzorging van anderen, of waarom ikzelf zo'n grote dosis van die drang heb geërfd – de drang om altijd voor iedereen klaar te staan, uitgebreide vangnetten voor anderen te creëren, soms zelfs tot mijn eigen nadeel. Is zulk gedrag aangeleerd? Overgeërfd? Biologisch bepaald? Wordt het van je verwacht? Je hoort altijd maar twee verklaringen voor die vrouwelijke neiging tot zelfopoffering, die ik geen van beide erg bevredigend vind. Of het zou in de genetische opmaak van vrouwen zitten om verzorgsters te zijn, of vrouwen zouden door een onrechtvaardige, patriarchale wereld zijn *wijsgemaakt* dat het in hun genetische opmaak zit om verzorgsters te zijn. Deze twee tegenovergestelde zienswijzen betekenen dat we de onzelfzuchtigheid van vrouwen altijd of verheerlijken of pathologiseren. Vrouwen die alles opgeven voor anderen worden als toonbeelden van deugd of als sukkels beschouwd, als heiligen of dwazen. Ik heb met geen van beide verklaringen veel op, want ik zie de gezichten van mijn vrouwelijke familieleden niet in een van die beschrijvingen. Ik weiger te aanvaarden dat het verhaal van vrouwen niet genuanceerder ligt.

Kijk bijvoorbeeld naar mijn moeder. En geloof me, ik héb naar mijn moeder gekeken, iedere dag sinds ik wist dat ik weer ging trouwen, aangezien ik van mening ben dat je minimaal een poging moet doen het huwelijk van je moeder te begrijpen voor je zelf de grote stap zet. Psychologen zeggen dat wie de emotionele erfenis van een familiegeschiedenis in kaart wil brengen, tot zeker drie generaties terug moet gaan voor informatie. Je moet als het ware het verhaal in 3D bekijken, waarbij elke dimensie een zich ontwikkelende generatie vertegenwoordigt.

Terwijl mijn grootmoeder een typische boerenvrouw uit het Depressietijdperk was, behoorde mijn moeder tot die generatie vrouwen die ik 'feministische voorloopsters' noem. Mam was nét te oud om deel te nemen aan de emancipatiebeweging in de jaren zeventig. Ze was opgevoed met de opvatting dat een vrouw om precies dezelfde reden trouwde en kinderen kreeg als waarom je je handtas op je schoenen afstemde: omdat je dat nu eenmaal deed. Mijn moeder werd tenslotte in de jaren vijftig volwassen, in een periode waarin de populaire relatiedokter Paul Landes predikte dat iedere volwassene in Amerika hoorde te trouwen, 'behalve zieke, zwaar gehandicapte, misvormde, emotioneel labiele en geestelijk gestoorde mensen'.

In een poging mezelf in die tijd te verplaatsen, duidelijker te begrijpen met welke verwachtingen van het huwelijk mijn moeder is opgevoed, bestelde ik op internet een oude propagandafilm uit 1950, getiteld *Het huwelijk voor moderne mensen*. De film, uitgebracht door McGraw-Hill, was gebaseerd op de wetenschappelijke kennis en research van dr. Henry A. Bowman, voorzitter van de afdeling Thuis en Gezin, Instituut van Huwelijkseducatie, Stephens College, Missouri. Toen ik op deze relikwie stuitte dacht ik: *nu zullen we het beleven*, en ik ging er eens goed voor zitten om me te laten vermaken door een hoop smakeloze, kitscherige, naoorlogse kletskoek over de heiligheid van huis en haard, verbeeld door keurig gekapte acteurs met parelsnoeren en stropdassen die zich koesterden in de stralende gloed van hun modelkinderen.

Maar de film verraste me. Het verhaal begint met een gewoon ogend stel, onopvallend gekleed, dat kalm en ernstig zit te praten op een parkbankje. Buiten beeld spreekt een betrouwbare mannenstem over hoe lastig en beangstigend het kan zijn voor een jong stel 'in het Amerika van vandaag' om zelfs maar aan trouwen te denken, nu het leven zo hard is geworden. Onze steden worden geplaagd door 'een maatschappelijke vloek die achterbuurten heet', deelt de verteller mee, en we leven allemaal in 'een onbestendige tijd, een tijd van onrust en verwarring, met de constante dreiging van oorlog'. De economie is onrustig en 'terwijl de kosten van het levensonderhoud stijgen wordt het moeilijker een inkomen te verdienen'. (Hier zien we een jongeman neerslachtig langs een bord naast de deur van een kantoorgebouw lopen met daarop de tekst: GEEN BANEN BESCHIKBAAR, U HOEFT NIET TE SOLLICITEREN.) Intussen 'eindigt van elke vier huwelijken er één in echtscheiding'. Geen wonder dat stellen het zo moeilijk vinden de stap te zetten naar een huwelijk. 'Het is geen lafheid die mensen doet aarzelen,' vertelt de stem, 'maar de grimmige realiteit.'

Ik kon amper mijn oren geloven. 'Grimmige realiteit' was niet wat ik verwacht had te horen. Was dat decennium niet onze gouden eeuw geweest, Amerika's zoete echtelijke paradijs, waarin gezin, werk en huwelijk zuivere en simpele idealen waren? Maar in deze film werd gesuggereerd dat in ieder geval een aantal stellen vragen bij het huwelijk had die in 1950 niet simpeler waren dan ze ooit zijn geweest.

De film belicht met name het verhaal van Phyllis en Chad, een pasgetrouwd stel dat de eindjes aan elkaar probeert te knopen. Als we Phyllis voor het eerst ontmoeten, staat ze in de keuken de afwas te doen. Maar de voice-over laat ons weten dat een paar jaar daarvoor deze jonge vrouw nog 'objectglaasjes kleurde in het pathologisch laboratorium van de universiteit, haar eigen brood verdiende, haar eigen leven leidde'. Phyllis was een werkende vrouw geweest met een voltooide universitaire opleiding, zo krijgen we te horen, en ze had van haar baan gehouden. ('Een ongetrouwde vrouw zijn was geen sociale schande zoals in de tijd waarin onze ouders hen oude vrijsters noemden.') Terwijl de camera Phyllis volgt die boodschappen doet, legt de stem uit: 'Phyllis trouwde niet omdat ze dat moest. Ze had er ook nee tegen kunnen zeggen. Moderne vrouwen als Phyllis zien het huwelijk als een vrijwillige staat. Keuzevrijheid: het is een modern privilege en een moderne verantwoordelijkheid.' Phyllis, zo wordt ons meegedeeld, is een huwelijk aangegaan omdat ze de voorkeur gaf aan een gezin boven een carrière. Het was haar eigen keuze en ze staat er nog steeds achter, hoewel ze daarmee een aanzienlijk offer heeft gebracht.

Weldra echter zien we tekenen van spanning.

Phyllis en Chad blijken elkaar te hebben ontmoet tijdens het college wiskunde op de universiteit, 'waar zij hogere cijfers haalde. Maar nu is híj ingenieur en zíj huisvrouw.' We zien Phyllis op een middag plichtsgetrouw de overhemden van haar man strijken. Maar dan wordt de aandacht van onze heldin afgeleid als haar oog op de ontwerpen valt die haar man heeft gemaakt voor een grote architectuurwedstrijd. Ze pakt haar rekenliniaal erbij en begint de door hem genoteerde getallen te controleren, zoals hij ook van haar verwacht. ('Ze weten allebei dat zij beter is in wiskunde dan hij.') Ze vergeet de tijd en gaat zo op in haar rekenwerk dat ze de rest van het strijkgoed laat liggen, maar dan herinnert ze zich opeens dat ze een afspraak heeft bij het consultatiebureau, waar ze gaat praten over haar (eerste) zwangerschap. In het vuur van haar wiskundige berekeningen was ze het kindje in haar buik totaal vergeten.

Lieve hemel, dacht ik, *wat voor jaren '50-huisvrouw is dat?*

'Een doorsnee,' geeft de verteller me te kennen, alsof hij mijn vraag had gehoord. 'Een moderne.'

Ons verhaal gaat verder. Die avond zitten de zwangere Phyllis, het wiskundebrein, en haar knappe man Chad samen een sigaretje te roken in hun piepkleine appartement. (Ach, die verse nicotinesmaak van jaren '50-zwangerschappen!) Samen werken ze aan Chads technische plannen voor het nieuwe gebouw. De telefoon gaat. Het is een vriend van Chad; hij wil samen met hem naar de film. Chad kijkt met een vragende blik naar Phyllis. Maar Phyllis zegt dat ze het liever niet heeft. De deadline voor de inzending is volgende week en de ontwerpen moeten worden afgemaakt. Ze hebben er beiden zo hard aan gewerkt! Maar Chad wil écht die film zien. Phyllis houdt voet bij stuk; hun hele toekomst steunt op deze opdracht! Chad kijkt teleurgesteld, bijna op het kinderlijke af. Maar uiteindelijk geeft hij toe, een beetje mokkend, en laat zich letterlijk door Phyllis terug naar de tekentafel duwen.

Onze alwetende verteller, die de scène analyseert, is het ermee eens. Phyllis is geen zeur, zegt hij. Ze heeft het recht om te eisen dat Chad thuisblijft en een project voltooit waarmee ze een flinke sprong vooruit kunnen maken in de wereld.

'Ze heeft haar carrière voor hem opgegeven,' deelt onze verteller met sonore stem mee, 'en ze wil daar iets voor terugzien.'

Kijkend naar de film was ik in de greep van een vreemde combinatie van schaamte en ontroering. Ik schaamde me dat het nooit eerder in me was opgekomen dat Amerikaanse paren in de jaren vijftig dit soort gesprekken konden hebben. Waarom had ik klakkeloos het conventionele nostalgische beeld overgenomen dat dit tijdperk een 'simpeler tijd' was geweest? Welke tijd is ooit simpel geweest voor degenen die hem doormaken? Ook was ik geraakt door het feit dat de filmmakers Phyllis op hun eigen bescheiden wijze verdedigden met de volgende essentiële boodschap aan de jonge bruidegoms van Amerika: 'Je mooie, intelligente bruid heeft net alles voor je opgegeven, makker, en dat offer kun je maar beter erkennen door hard te werken en haar een leven van welvaart en zekerheid te bieden.'

Bovendien roerde het me dat deze onverwacht sympathieke reactie op het offer van de vrouw afkomstig was van een zo onmiskenbaar mannelijke en gezaghebbende figuur als dr. Henry A. Bowman, voorzitter van de afdeling Thuis en Gezin, Instituut van Huwelijkseducatie, Stephens College, Missouri.

Al met al had ik graag willen weten hoe het er twintig jaar later met Phyllis en Chad voor zou staan, als de kinderen ouder waren en de welvaart verworven was en Phyllis hoegenaamd geen leven had buiten de deur en Chad zich begon af te vragen waarom hij in de afgelopen jaren zo veel geneugten had opgegeven om een goede en trouwe kostwinner te zijn – alleen maar om nu beloond te worden met een gefrustreerde vrouw, rebelse tienerkinderen, een uitzakkend lijf en een saaie baan. Want waren dit niet de vragen die eind jaren zeventig in gezinnen door heel Amerika explodeerden en zo veel huwelijken lieten ontsporen? Had Bowman – of wie dan ook in de jaren vijftig – ooit de culturele storm kunnen voorzien die eraan zat te komen?

Nou, veel succes, Chad en Phyllis!

Veel succes, iedereen!

Veel succes, mijn vader en moeder!

Want hoewel mijn moeder zich misschien zelf als een jaren '50-bruid zou hebben gedefinieerd (ondanks het feit dat ze in 1966 getrouwd was voerden haar ideeën over het huwelijk terug op Mamie Eisenhower), bepaalde de geschiedenis dat ze tot een jaren '70-echtgenote zou uitgroeien. Ze was nog maar vijf jaar getrouwd en haar dochters waren amper uit de luiers toen de grote feministische golf Amerika overspoelde en alle aannames over huwelijk en zelfopoffering waarmee ze was opgevoed aan het wankelen bracht.

Laat duidelijk zijn dat het feminisme zich niet van de ene dag op de andere aandiende, zoals het weleens lijkt. Het is heus niet zo dat op een ochtend in de tijd van Nixon vrouwen in de hele westerse wereld wakker werden, besloten dat ze er genoeg van hadden en de straat op gingen. Tientallen jaren voor de geboorte van mijn moeder circuleerden er al feministische denkbeelden door Europa en Noord-Amerika, maar het was – ironisch genoeg – de ongekende economische welvaart in de jaren vijftig die de omwenteling van de jaren zeventig ontketende. Want toen eenmaal op brede schaal aan de eerste levensbehoeften van hun gezin was voldaan, konden de vrouwen zich meer specifiek gaan bezighouden met onderwerpen als maatschappelijk onrecht en zelfs hun eigen emotionele verlangens. Ook bestond er nu een omvangrijke middenklasse in Amerika (mijn moeder was een van de nieuwkomers daarvan: opgegroeid in een arm gezin, opgeleid tot verpleegster en getrouwd met een scheikundig ingenieur) en binnen die middenklasse schonken arbeidsbesparende uitvindingen als de wasmachine, koelkast, voorbewerkt voedsel, confectiekleding en warm kraanwater (gemakken waarvan mijn oma Maude in de jaren dertig alleen maar kon dromen) vrouwen voor het eerst in de geschiedenis tijd voor zichzelf, of in elk geval een béétje tijd.

Bovendien hoefde door de massamedia een vrouw niet meer in een grote stad te wonen om revolutionaire nieuwe ideeën te horen; de kranten, televisie en radio brachten nieuwerwetse maatschappelijke concepten bij je thuis in Iowa. Dus een enorme groep gewone vrouwen beschikte nu over de tijd (evenals de gezondheid, de onderlinge contacten en de geletterdheid) om vragen te stellen als: 'Wacht even, wat wil ik nu echt van het leven? Wat wil ik voor mijn dochters? Waarom zet ik die man nog steeds elke avond een maaltijd voor? Stel dat ik ook buitenshuis wil werken. Mag ik een opleiding volgen, zelfs als mijn man ongeschoold is? Waarom is het me trouwens niet geoorloofd mijn eigen bankrekening te openen? En is het echt nodig dat ik alsmaar kinderen blijf krijgen?'

Die laatste vraag was de belangrijkste en heeft de grootste verandering teweeggebracht. Er waren sinds de jaren twintig enkele vormen van geboortebeperking beschikbaar in Amerika (althans, voor niet-katholieke, getrouwde vrouwen met geld), maar pas in de tweede helft van de twintigste eeuw, met de uitvinding en brede beschikbaarheid van de pil, veranderde pas de hele maatschappelijke discussie over het krijgen van kinderen en het huwelijk. Zoals de historica Stephanie Coontz schreef: 'Tot vrouwen toegang kregen tot veilige en effectieve anticonceptie, die hen in staat stelde zelf te bepalen wanneer ze kinderen kregen en hoeveel, konden ze maar tot op zekere hoogte een eigen richting geven aan hun leven en hun huwelijk.'

Mijn grootmoeder baarde zeven kinderen, mijn moeder kreeg er slechts twee. Dat is een gigantisch verschil, al van de ene op de andere generatie. Mijn moeder had ook een stofzuiger en stromend water in huis, dus het leven was voor haar over het algemeen een stuk makkelijker. Dat bood mijn moeder een snipper vrije tijd waarin ze over andere dingen kon nadenken, en tegen de jaren zeventig waren er veel andere dingen om over na te denken. Mijn moeder heeft zichzelf nooit als feministe gezien, dat wil ik hier even gezegd hebben. Toch was ze niet doof voor de geluiden van de feministische revolutie. Als opmerkzaam middelste kind uit een groot gezin was mijn moeder altijd een goede luisteraar geweest, en reken maar dat ze heel zorgvuldig luisterde naar alles wat er werd gezegd over vrouwenrechten, waarvan veel haar zinnig in de oren klonk. Voor het eerst werden er openlijk denkbeelden besproken waarover ze zelf al een hele tijd in stilte had zitten peinzen.

Voorop stonden vragen over het lichaam van de vrouw en haar seksuele gezondheid, en de daarmee vervlochten dubbele moraal. Tijdens haar jeugd in de kleine boerengemeenschap in Minnesota had mijn moeder jaar in jaar uit, in het ene gezin na het andere, zich akelige drama's zien voltrekken waarin een jong meisje onvermijdelijk zwanger raakte en 'moest trouwen'. Sterker nog, zo kwamen de meeste huwelijken tot stand. Maar iedere keer dat het gebeurde – *werkelijk iedere keer* – werd het beschouwd als een vreselijk schandaal voor de familie en als een publieke vernedering voor het meisje zelf. Steeds weer gedroeg de gemeenschap zich alsof er nooit eerder zoiets schokkends was voorgevallen, en al helemaal niet vijfmaal per jaar, in alle mogelijke gezinnen.

En toch deelde de jongeman in kwestie – de bevruchter – nooit in de schande. Hem werd doorgaans toegestaan de grote onschuldige uit te hangen, of zelfs het slachtoffer van de verleidingskunsten van het meisje, dat hem mogelijk bewust had willen strikken. Als hij met haar trouwde had ze geluk gehad, vond men. Het was bijna een daad van barmhartigheid. Als hij niet met haar trouwde, werd het meisje voor de duur van haar zwangerschap naar elders gestuurd, terwijl de jongen op school bleef, of op de boerderij, en zijn leven voortzette alsof er niets was gebeurd. In de ogen van de gemeenschap was het alsof de jongen helemaal niet in de kamer aanwezig was geweest tijdens de geslachtsdaad. Zijn rol in de conceptie was merkwaardig, welhaast bijbels, onbevlekt.

Mijn moeder had die drama's zien gebeuren in haar vormende jaren en was al op jonge leeftijd tot een redelijk wereldwijze conclusie gekomen: dat een maatschappij waarin de kuisheid van de vrouw *alles* betekent en die van de man *niets* krom en onethisch is. Ze had nooit zulke specifieke woorden aan haar gevoelens daarover verbonden, maar toen begin jaren zeventig vrouwen hun stem verhieven, hoorde ze deze denkbeelden voor het eerst uitgesproken worden. Tussen alle andere punten op de feministische agenda – gelijke arbeidskansen, gelijke toegang tot scholing, gelijke wettelijke rechten, meer gelijkheid tussen man en vrouw – was het die ene kwestie van seksuele rechtvaardigheid die mijn moeder echt aan het hart ging.

Gesterkt door haar overtuigingen ging ze werken bij Planned Parenthood in Torrington in Connecticut. Ze nam die baan toen mijn zus en ik nog vrij jong waren. Ze was op haar verpleegkundige vaardigheden aangenomen, maar het waren haar aangeboren managerskwaliteiten die haar tot een onmisbaar lid van het team maakten. Het duurde niet lang of mijn moeder coördineerde het hele Planned Parenthood-kantoor, dat bij iemand in de huiskamer was opgestart, maar al snel uitgroeide tot een echte gezondheidskliniek. Het waren onstuimige dagen. Ik heb het over een tijd waarin je nog als een afvallige werd beschouwd als je openlijk over anticonceptie of – de hemel verhoede – abortus sprak. Toen ik werd verwekt waren condooms nog illegaal in Connecticut, en een plaatselijke bisschop had kort daarvoor tegenover de wetgevers verklaard dat als voorbehoedsmiddelen vrij beschikbaar zouden komen, de staat binnen vijfentwintig jaar 'een rokende puinhoop' zou zijn.

Mijn moeder hield van haar werk. Ze stond aan de frontlinie van een revolutie in de gezondheidszorg en brak alle regels door openlijk over menselijke seksualiteit te praten, te ijveren voor de oprichting van een Planned Parenthoodkliniek in alle regio's van de staat, jonge vrouwen aan te moedigen zelf over hun lichaam te beslissen, mythes en geruchten over zwangerschap en geslachtsziekten te ontkrachten, preutse wetten te bestrijden en – bovenal – vermoeide moeders (en vermoeide vaders net zo goed) opties aan te bieden die nooit eerder beschikbaar waren geweest. Het was alsof ze via haar werk een manier had gevonden om het leed te compenseren van al die nichten en tantes en vriendinnen en buurvrouwen die nooit iets te kiezen hadden gehad. Mijn moeder had haar hele leven hard gewerkt, maar deze baan – deze *carrière* – werd een uitdrukking van haar diepste wezen, en ze genoot er met volle teugen van.

Maar toen, in 1976, stopte ze ermee.

Ze nam haar besluit in de week dat ze een belangrijk congres had in Hartford en mijn zus en ik allebei waterpokken kregen. We waren indertijd respectievelijk tien en zeven jaar oud, en uiteraard konden we niet naar school. Mijn moeder vroeg mijn vader of hij twee dagen vrij wilde nemen om op ons te passen, zodat zij het congres kon bijwonen. Dat wilde hij niet.

Moet je horen, ik wil hier niet mijn vader aan de schandpaal nagelen. Ik hou met hart en ziel van die man, en ik moet er te zijner verdediging bij zeggen: *hij heeft naderhand zijn spijt betuigd*. Maar net zoals mijn moeder een jaren '50-bruid was geweest, was mijn vader een jaren '50-bruidegom. Hij had nooit om een buitenshuis werkende vrouw gevraagd, of verwacht die te krijgen. Evenmin had hij de feministische beweging uitgenodigd om zich in zijn tijd aan te dienen, en hij koesterde geen specifieke belangstelling voor het onderwerp vrouw en seksuele gezondheid. Al met al kon hij weinig enthousiasme opbrengen voor mijn moeders baan. Wat zij als een carrière beschouwde, zag hij als een hobby. Hij had er geen bezwaar tegen dat ze die hobby uitoefende, zolang het maar niet botste met zijn leven. Haar baantje werd haar dus gegund, als ze ook al het andere bleef doen in huis. En er viel een hoop te doen bij ons thuis, want mijn ouders hadden niet alleen opgroeiende kinderen maar ook een boerenbedrijfje. Tot het waterpokkenincident was mijn moeder er op de een of andere manier in geslaagd de hele boel draaiende te houden. Ze had fulltime gewerkt, de tuin verzorgd, het huishouden gedaan, de maaltijden gekookt, de kinderen opgevoed, de geiten gemolken, en was nog steeds iedere avond volledig beschikbaar geweest voor mijn vader als hij om halfzes thuiskwam. Maar toen de waterpokken toesloegen en mijn vader geen twee dagen van zijn leven wilde opgeven om te helpen met de kinderen, werd het haar ineens te veel.

Die week hakte mijn moeder de knoop door. Ze nam ontslag en besloot thuis te blijven bij mijn zus en mij. Het was niet zo dat ze nooit meer buitenshuis zou werken (ze had in onze jeugd altijd wel een parttime baantje) maar haar *carrière* was voorbij. Zoals ze me later uitlegde, had ze het gevoel gehad dat haar een keuze werd geboden: ze kon een gezin hebben of een roeping, maar ze wist niet hoe ze die twee moest combineren zonder de steun en aanmoediging van haar echtgenoot. Dus nam ze ontslag.

Het mag duidelijk zijn dat het een dieptepunt was in haar huwelijk. Als ze een andere vrouw was geweest, had het voorval zelfs het einde ervan kunnen betekenen. Er waren rond 1976 een hoop vrouwen in de kennissenkring van mijn moeder die bij hun man weggingen, om soortgelijke redenen. Maar mijn moeder is niet iemand van overhaaste besluiten. Ze observeerde stilletjes en aandachtig de werkende moeders die een streep zetten onder hun huwelijk, om te beoordelen of ze na hun scheiding beter af waren. Eerlijk gezegd zag ze niet altijd een aanmerkelijke verbetering. Die vrouwen waren tijdens hun huwelijk moe en vol innerlijke onrust geweest, en nu ze gescheiden waren leken ze nog steeds moe en vol innerlijke onrust. Het scheen mijn moeder toe dat ze hun oude problemen vaak alleen maar vervangen hadden door een serie nieuwe – zoals nieuwe vriendjes en nieuwe echtgenoten die misschien niet eens zo'n verbetering waren. Los van dat alles was (en is) mijn moeder in de kern een vrij conservatieve vrouw. Ze geloofde in de heiligheid van het huwelijk. En ze hield nog steeds van mijn vader, ook al was ze boos op hem, en ook al had hij haar diep teleurgesteld.

Dus nam ze haar beslissing, hield haar huwelijksbelofte gestand, en verpakte dat als volgt: 'Ik heb voor mijn gezin gekozen.'

Is het een open deur als ik zeg dat heel veel vrouwen voor dezelfde keuze hebben gestaan? Om de een of andere reden moet ik aan de vrouw van Johnny Cash denken. 'Ik had meer platen kunnen maken,' zei June op een laat tijdstip in haar leven, 'maar ik wilde een huwelijk.' Er zijn eindeloos veel van dit soort verhalen. Ik noem ze het 'New England Kerkhofsyndroom'. Op elk kerkhof in New England waar twee of drie eeuwen geschiedenis liggen vind je clusters met grafstenen – vaak in een keurig rijtje – van het ene jonggestorven kind uit een gezin na het andere, de ene winter na de andere, soms jaren achtereen. Baby's stierven. Ze stierven bij bosjes. En de moeders deden wat ze moesten doen: ze begroeven wat ze hadden verloren, rouwden, en slaagden er op de een of andere manier in de draad op te pakken om weer een winter te overleven.

De vrouw van nu heeft uiteraard niet meer met zulke bittere verliezen te kampen, althans niet stelselmatig, althans niet letterlijk, of althans niet *jaarlijks*, zoals veel van onze voorouders dat wel hadden. Dat is een zegen. Maar verbind daar niet de conclusie aan dat het leven tegenwoordig per definitie gemakkelijk is of nooit meer gepaard gaat met gevoelens van verdriet en verlies. Ik denk dat veel vrouwen van nu, onder wie mijn moeder, een compleet New Englandkerkhof in zich meevoeren, waarop ze zwijgend – in keurige rijtjes – de persoonlijke dromen hebben begraven die ze voor hun gezin lieten varen. Ook de nooit opgenomen liedjes van June Carter Cash rusten op dat stille kerkhof, naast mijn moeders bescheiden maar bijzonder waardige carrière.

En zo passen die vrouwen zich aan hun nieuwe realiteit aan. Ze rouwen op hun eigen manier – vaak onzichtbaar – en gaan verder. In mijn familie zijn de vrouwen in elk geval heel goed in het slikken van teleurstellingen om daarna weer door te gaan. Ze hebben, zo lijkt het wel, een bepaald talent om van vorm te veranderen, te smelten en vervolgens om de behoeften van hun partner heen te vloeien, of de behoeften van hun kinderen, of de behoeften die worden ingegeven door de alledaagse realiteit. Ze passen zich aan, glijden, aanvaarden. Ze zijn machtig in hun kneedbaarheid, bijna op het bovenmenselijke af. Ik ben opgegroeid met een moeder die iedere ochtend veranderde in wat de dag van haar vroeg. Ze maakte vinnen aan als ze vinnen nodig had, nam vleugels als de vinnen niet meer van pas kwamen, was razendsnel als er snelheid was geboden en toonde een fabelachtig geduld in omstandigheden die meer subtiliteit vereisten.

Mijn vader bezat niets van die flexibiliteit. Hij was een man, een ingenieur, onveranderlijk en constant. Hij was altijd hetzelfde. Hij was *papa*. Hij was het rotsblok in de beek. We bewogen ons allemaal om hem heen, maar vooral mijn moeder deed dat. Ze was kwikzilver, het tij. Door haar extreme aanpassingsvermogen kon ze de best mogelijke wereld voor ons creëren binnen haar huis. Ze besloot ontslag te nemen en thuis te blijven omdat ze dacht dat dat het beste was voor haar gezin, en ik moet zeggen dat het ons inderdaad goed deed. Toen mijn moeder ontslag nam werd ons leven (behalve het hare dan) een stuk leuker. Mijn vader had weer een fulltime vrouw en Catherine en ik een fulltime moeder. Mijn zus en ik waren niet dol geweest op de periode waarin mijn moeder voor Planned Parenthood werkte. In die tijd bestond er in onze woonplaats nog geen goede buitenschoolse opvang, dus gingen we 's middags vaak naar dan weer de ene dan weer de andere buurvrouw. Afgezien van het feit dat we er heerlijk televisie konden kijken (bij ons thuis kenden we de ontzaglijke luxe van een televisie niet) hadden Catherine en ik een hekel aan die ad-hocregelingen. We waren dus eerlijk gezegd blij toen mijn moeder haar dromen opgaf en thuisbleef om voor ons te zorgen.

Maar bovenal hebben mijn zus en ik naar mijn mening onnoemelijk geprofiteerd van mijn moeders beslissing om getrouwd te blijven met onze vader. Scheiden doet lijden, zeker voor kinderen; het kan ze blijvende psychische littekens bezorgen. Dat is ons bespaard gebleven. Wij hadden een moeder die alle aandacht voor ons had, die ons opving als we thuiskwamen van school, die overzicht hield op ons dagelijks leven en die het eten op tafel had staan als onze vader thuiskwam van zijn werk. In tegenstelling tot veel van mijn vriendinnen die uit een gebroken gezin komen, hoefde ik nooit kennis te maken met de kwallige nieuwe vriendin van mijn vader; Kerstmis werd altijd op dezelfde plek gevierd; een gevoel van continuïteit in het gezin maakte dat ik me op mijn huiswerk kon concentreren in plaats van op het leed van mijn familie... en daardoor gedijde ik.

Toch wil ik hier wel kwijt – om het voor eeuwig in druk vast te leggen, al was het alleen maar om mijn moeder te eren – dat een hoop voordelen die ik als kind heb mogen beleven, gebouwd zijn op de as van haar persoonlijke offer. Hoewel ons gezin als geheel enorm profiteerde van mijn moeders beslissing haar carrière te beëindigen, blijft het een feit dat dit niet per se opging voor haar eigen, persoonlijke leven. Uiteindelijk deed ze precies wat haar voorgangsters altijd hadden gedaan: ze naaide winterjasjes voor haar kinderen uit het overgebleven materiaal van haar verzwegen hartenwensen.

En dat is nu precies mijn probleem met de ethisch-conservatieven in Amerika die lopen te zaniken dat de meest heilzame omgeving voor een kind een gezin is met twee ouders en met de moeder in de keuken. Als ik – als iemand die van deze formule heeft mogen profiteren – toegeef dat de kwaliteit van mijn leven inderdaad verhoogd is door deze gezinsstructuur, willen die ethisch-conservatieven dan alsjeblieft (voor één keertje!) toegeven dat er altijd een buitenproportionele last mee op de schouders van de vrouw is gelegd? Zo'n structuur vereist dat moeders zichzelf wegcijferen tot ze bijna onzichtbaar zijn, om die ideale omgeving voor hun gezin te creëren. En zouden dezelfde ethisch-conservatieven – in plaats van moeders alleen maar predikaten als 'heilig' en 'nobel' toe te kennen – bereid zijn op een dag deel te nemen aan een bredere discussie over hoe we als maatschappij kunnen bouwen aan een wereld waarin kinderen gezond op kunnen groeien en gezinnen kunnen gedijen zonder dat vrouwen er hun ziel en zaligheid voor hoeven opgeven?

Sorry dat ik zo tekeerga.

Dit is gewoon iets waar ik me echt druk om kan maken.

Misschien juist omdat ik heb gezien welke prijs de vrouwen die ik liefheb en bewonder voor het moederschap hebben betaald, voel ik nu, bijna veertig jaar oud, geen enkel verlangen naar een eigen kind.

Dit is uiteraard een vrij belangrijke kwestie als je op het punt staat in het huwelijk te treden, en dus moet ik die hier behandelen, al was het alleen maar omdat trouwen en kinderen krijgen intrinsiek met elkaar verbonden zijn in onze cultuur en in ons hoofd. Je wordt verliefd, je gaat trouwen en enige tijd later loop je achter de kinderwagen, zo gaat het toch? *Matrimonium*, dat Latijn is voor huwelijk, is afgeleid van het woord *mater*, oftewel 'moeder'. Het huwelijk wordt niet *patrimonium* genoemd. Het woord *matrimonium* houdt een veronderstelling van moederschap in, alsof het de kinderen zijn die het huwelijk veroorzaken. Feitelijk is dat ook vaak het geval. Door de geschiedenis heen hebben heel wat paren gedwongen moeten trouwen vanwege een onbedoelde zwangerschap, maar soms werd juist bewust met trouwen gewacht tot de vrouw in verwachting raakte, om er zeker van te zijn dat het huwelijk rendement zou opleveren. Hoe kon je erachter komen of je toekomstige bruid of bruidegom vruchtbaar was als je geen proefritje maakte? Dit was een bekend fenomeen in de vroege Amerikaanse koloniale samenleving, waarin – zoals de historica Nancy Cott ontdekte – veel kleine gemeenschappen zwangerschap als een stigmavrij, sociaal geaccepteerd signaal beschouwden dat het moment gekomen was voor een jong stel om zich wettig met elkaar te verbinden.

In de huidige tijd en met alom verkrijgbare anticonceptie is de hele voortplantingskwestie echter een stuk genuanceerder en lastiger komen te liggen. Tegenwoordig is het niet langer 'kinderen leiden tot een huwelijk' en ook niet per definitie 'een huwelijk leidt tot kinderen', maar er zijn drie cruciale vragen voor in de plaats gekomen: wanneer, hoe en of. Als jij en je partner het op deze punten niet eens zijn, kan dat het echtelijk leven bijzonder compliceren, want vaak zijn je gevoelens erover niet voor onderhandeling vatbaar.

Ik kan daar uit eigen pijnlijke ervaring over meepraten, want mijn eerste huwelijk is voor een groot deel stukgelopen op het kindervraagstuk. Mijn toenmalige echtgenoot had altijd aangenomen dat we op een dag samen kinderen zouden krijgen. Hij had volkomen het recht om dat aan te nemen, aangezien ik dat zelf ook altijd had gedaan, hoewel ik niet helemaal zeker wist *wanneer* ik ze dan wilde. Het vooruitzicht van een zwangerschap en moeder worden had nog comfortabel ver weg geleken op mijn trouwdag; het was een gebeurtenis die zich ergens 'in de toekomst', 'op het juiste moment' en 'als we er allebei klaar voor waren' zou voordoen. Maar de toekomst nadert soms sneller dan verwacht en het juiste moment dient zich niet altijd even helder aan. De problemen in mijn huwelijk deden me er al snel aan twijfelen of deze man en ik er ooit echt klaar voor zouden zijn om een uitdaging als het grootbrengen van kinderen het hoofd te bieden.

Bovendien, hoewel ik het altijd als vanzelfsprekend had beschouwd dat ik ooit moeder zou worden, vervulde de werkelijkheid – naarmate die dichterbij kwam – me alleen maar met angst en zorgen. Met het klimmen der jaren merkte ik dat niets in me schreeuwde om een baby. Mijn baarmoeder leek niet voorzien van die beruchte tikkende klok. Anders dan bij veel van mijn vriendinnen ging er geen steek van verlangen door me heen wanneer ik een kind zag. (Er ging daarentegen wel een steek van verlangen door me heen wanneer ik een goed antiquariaat zag.) Iedere ochtend onderwierp ik mezelf aan een soort CT-scan, zoekend naar een zwangerschapswens, zonder die ooit te vinden. Ik voelde geen drang, en ik geloof dat het grootbrengen van kinderen met een drang gepaard moet gaan, gestuurd moet zijn door een gevoel van verlangen en zelfs van lotsbestemming, omdat het zo'n immens belangrijke taak is. Ik heb dat verlangen bij andere mensen gezien; ik weet hoe het zich manifesteert. Maar ik heb het nooit gevoeld.

Ook ontdekte ik met de jaren dat ik steeds meer van mijn werk als schrijfster ging houden, en ik wilde nog geen uur van mijn inspiratie opgeven. Net als Jinny in *The Waves* van Virginia Woolf voelde ik soms 'duizend capaciteiten' in me opwellen, en ik wilde ze allemaal vangen en ze stuk voor stuk benutten. Tientallen jaren geleden noteerde de romanschrijfster Katherine Mansfield in een van haar jeugddagboeken: 'Ik wil werken!' en die nadruk van haar, dat letterlijk onderstreepte gepassioneerde verlangen, raakt mij zo veel jaren later nog altijd in mijn hart.

Ook ik wilde werken. Ongestoord. Blijmoedig.

Maar hoe zou ik dat voor elkaar krijgen met een baby? Steeds meer in paniek gebracht door die vraag en me maar al te bewust van het groeiende ongeduld van mijn toenmalige echtgenoot, bracht ik twee bezeten jaren door met het interviewen van alle mogelijke vrouwen – getrouwd, single, kinderloos, artistiek, type oermoeder – en vroeg ze naar hun keuzes en de gevolgen van hun keuzes. Ik hoopte dat hun reacties mijn vragen konden beantwoorden, maar ze bleken zo'n breed spectrum van ervaringen te bestrijken dat ik er alleen nog maar meer van in de war raakte.

Zo vertelde een vrouw (een thuiswerkende kunstenares) me: 'Ik had aanvankelijk ook mijn twijfels, maar zodra mijn kind geboren was verdween al het andere in mijn leven naar de achtergrond. Nu bestaat er niets belangrijkers voor me dan mijn zoon.'

Maar een andere vrouw (iemand die ik zou omschrijven als

een van de beste moeders die ik ooit heb ontmoet, met heel leuke, succesvolle, volwassen kinderen) schokte me met de volgende bekentenis: 'Als ik er nu op terugkijk, ben ik er helemaal niet zo van overtuigd dat mijn leven op enige manier beter is geworden van mijn keuze om een gezin te stichten. Ik heb te veel opgegeven, en daar heb ik spijt van. Natuurlijk ben ik gek op mijn kinderen, maar om je de waarheid te zeggen wou ik soms dat ik al die verloren jaren terug kon krijgen.'

Een stijlvolle, charismatische zakenvrouw die aan de Westkust woonde zei daarentegen tegen me: 'Het enige waar niemand me voor had gewaarschuwd toen ik aan kinderen begon was dit: zet je schrap voor de gelukkigste jaren van je leven. Dat heb ik nooit zien aankomen. De vreugde van het moederschap is net een lawine geweest.'

Maar ik praatte ook met een dodelijk vermoeide alleenstaande moeder (een getalenteerd schrijfster), en zij merkte op: 'Er is niets zo ambivalent als het opvoeden van een kind. Soms overweldigt het me hoe iets tegelijkertijd zo vreselijk en zo dankbaar kan zijn.'

Een andere creatieve vriendin van me zei: 'Ja, je raakt een hoop vrijheden kwijt. Maar als moeder krijg je er ook een nieuwe vrijheid voor terug: de vrijheid om onvoorwaardelijk, met heel je hart, van een ander te houden. Dat is ook een vrijheid die de moeite waard is om te ervaren.'

Weer een andere vriendin, die haar baan als redactrice had opgegeven om zich volledig te richten op de zorg voor haar drie kinderen, waarschuwde me daarentegen: 'Denk goed na over je beslissing, Liz. Het is al moeilijk genoeg om moeder te zijn als je weet dat je kinderen wilt. Begin er niet aan voor je daar honderd procent zeker van bent.'

Maar een andere vrouw, die er zelfs met drie kinderen in slaagt haar prachtige carrière bloeiend te houden en die soms haar kroost meeneemt als ze naar het buitenland moet voor zaken, zei weer: 'Ga er gewoon voor. Zo moeilijk is het niet. Je moet je alleen verzetten tegen alle krachten die je vertellen wat allemaal niet meer kan nu je moeder bent.'

Ik was echter ook diep geroerd toen ik een beroemde fotografe ontmoette, nu in de zestig, die deze simpele opmerking tegen me maakte over het onderwerp kinderen: 'Ik heb ze nooit gehad, liefje. En ik heb ze ook nooit gemist.'

Zien jullie hier een patroon?

Ik niet.

Want er was geen patroon. Er was alleen een heel stel slimme vrouwen die voor zichzelf tot een bevredigend antwoord probeerden te komen, die op hun eigen instincten afgingen. Of ikzelf ooit moeder zou moeten worden was duidelijk geen vraag die een van deze vrouwen voor me kon oplossen. Die keuze zou ik zelf moeten maken. En het belang van mijn keuze was torenhoog. Meedelen dat ik geen kinderen wilde, betekende effectief het einde van mijn huwelijk. Er waren ook andere redenen waarom ik uit dat huwelijk stapte (sommige aspecten van onze relatie waren te ridicuul voor woorden), maar het kindervraagstuk was de genadeslag. Er is op dat gebied tenslotte geen compromis mogelijk. Dus hij was ziedend; ik huilde; we gingen uit elkaar.

Maar dat is weer een ander boek.

Met deze voorgeschiedenis moet het niemand verbazen dat ik, na een paar jaar alleen te zijn geweest, Felipe ontmoette en verliefd werd op hem: een oudere man met twee mooie, volwassen kinderen, die totaal niet geïnteresseerd was in een tweede leg. Het is ook niet toevallig dat Felipe verliefd werd op mij: een kinderloze vrouw in de laatste jaren van haar vruchtbaarheid, die dol was op zijn kinderen maar totaal niet geïnteresseerd was om zelf moeder te worden.

Die opluchting – de overweldigende opluchting die we voelden toen we erachter kwamen dat we geen van beiden de ander tot het ouderschap gingen dwingen – zoemt nog steeds aangenaam rond in ons gezamenlijke leven. Ik kan er nog steeds niet helemaal over uit. Om de een of andere reden had ik nooit rekening gehouden met de mogelijkheid dat ik een mannelijke levensgezel zou mogen hebben zonder dat er van me verwacht werd ook kinderen te krijgen. Het idee dat de kinderwagen onvermijdelijk volgt op verliefd worden en trouwen had zich zo vastgezet in mijn bewustzijn dat het me niet was opgevallen dat je kon afzien van het kinderwagengedeelte, en dat niemand – in ieder geval niet in ons land – je daarvoor zou arresteren. En het feit dat ik er met Felipe twee fantastische, volwassen stiefkinderen bij kreeg, was een bonusgeschenk. Felipes kinderen hebben mijn liefde en mijn steun nodig, maar niet mijn moederlijke zorg; die hadden ze lang voor ik het toneel betrad al uitvoerig gekregen. Maar het mooiste van alles is dat ik door Felipes kinderen in mijn eigen familiekring te introduceren de ultieme generatiestunt heb uitgehaald: ik schonk mijn ouders een extra stel kleinkinderen zonder daar zelf kinderen voor te hoeven krijgen. Zelfs nu voelt de vrijheid en rijkdom daarvan bijna als een mirakel aan.

Mijn vrijstelling van het moederschap heeft het me ook mogelijk gemaakt precies het soort mens te worden waartoe ik in mijn ogen was voorbestemd: niet alleen schrijfster, niet alleen reizigster, maar ook – op een heerlijke manier – tante. Een kinderloze tante welteverstaan, waarmee ik in extreem goed gezelschap verkeer, want hier volgt een verbazend feit dat ik ontdekte tijdens mijn onderzoek naar het huwelijk: als je allerhande menselijke populaties bekijkt, in alle culturen en op alle continenten (zelfs onder de meest enthousiaste kinderkrijgers in de geschiedenis, zoals de Ieren van de negentiende eeuw of de hedendaagse Amish), kom je erachter dat een constante tien procent van de vrouwen in zo'n populatie geen kinderen krijgt. Het percentage daalt nooit verder dan dat, ongeacht de populatie. Sterker nog, het percentage vrouwen dat zich nooit voortplant ligt in de meeste samenlevingen doorgaans veel hóger dan tien procent – en niet alleen tegenwoordig in de ontwikkelde westerse wereld, waar het aantal kinderloze vrouwen rond de vijftig procent zweeft. In de jaren twintig kreeg in Amerika maar liefst drieëntwintig procent van de volwassen vrouwen geen kinderen. (Vind je dat niet schokkend hoog voor zo'n conservatief tijdperk, nog vóór de opkomst van de gelegaliseerde geboortebeperking? Toch was het zo.) Dus het cijfer kan aardig oplopen. Het daalt echter nooit onder de tien procent.

Maar al te vaak worden degenen onder ons die ervoor kiezen geen moeder te worden beschuldigd van onvrouwelijk of onnatuurlijk of egoïstisch gedrag, maar de geschiedenis leert dat er altijd vrouwen zijn geweest die door het leven gingen zonder kinderen te krijgen. Veel van die vrouwen lieten het moederschap bewust aan zich voorbijgaan, hetzij door seks met mannen te vermijden hetzij door zorgvuldige toepassing van wat de victoriaanse dames 'voorzorgende maatregelen' noemden. (De zusterschap heeft altijd haar geheimen en talenten gehad.) Er waren natuurlijk ook ongewild kinderloze vrouwen, omdat ze onvruchtbaar of ziek of ongetrouwd waren, of vanwege een algeheel tekort aan beschikbare mannen na een grote oorlog. Wat de redenen ook waren, wijdverspreide kinderloosheid is niet zo'n modern fenomeen als we vaak denken. Het aantal vrouwen in de geschiedenis dat nooit moeder is geworden is zo hoog (zo *consequent* hoog) dat ik nu vermoed dat een bepaalde mate van kinderloosheid een evolutionaire aanpassing van het menselijk ras is. Wellicht is het niet alleen volkomen legitiem voor een aantal vrouwen om zich nooit voort te planten, maar zelfs ook nodig. Het is alsof we als soort een overvloed aan verantwoordelijke, meelevende, kinderloze vrouwen *nodig* hebben om de gemeenschap op diverse manieren te ondersteunen. Kinderen baren en opvoeden vreet zo veel energie dat de vrouwen die wel moeder worden al snel gesloopt kunnen raken door die loodzware taak, als ze al niet in het kraambed overlijden. Misschien moeten we daardoor wel over extra vrouwen beschikken, vrouwen aan de zijlijn met volop energie, klaar om bij te springen als het nodig is. Kinderloze vrouwen zijn met name altijd van belang geweest in de samenleving omdat ze vaak de zorg op zich nemen voor degenen die niet hun officiële biologische verantwoordelijkheid zijn; geen andere groep doet dat in zulke grote mate. Kinderloze vrouwen hebben altijd weeshuizen en scholen en ziekenhuizen geleid. Ze zijn vroedvrouwen en nonnen en zetten zich in voor liefdadige doelen. Ze verplegen de zieken en vaak worden ze onmisbaar op het slagveld van het leven. Letterlijk, in sommige gevallen. (Denk aan Florence Nightingale.)

Zulke kinderloze vrouwen – laten we ze de 'Tantebrigade' noemen – is helaas in de geschiedenis nooit echt veel eer bewezen. Ze worden egoïstisch, frigide, zielig genoemd. Ook bestaat er een nare volkswijsheid over kinderloze vrouwen die ik moet ontkrachten, namelijk dat ze dan misschien wel een vrij en gelukkig en vol leven leiden als ze jong zijn, maar dat ze spijt zullen krijgen van hun keuze als ze oud zijn, want ze sterven helemaal alleen en depressief en vol bitterheid. Misschien kende je dat cliché? Om even de feiten op een rijtje te zetten: er is *nul* sociologisch bewijs gevonden om het te staven. Uit recent onderzoek in Amerikaanse bejaardenhuizen waarin het geluksniveau van oudere vrouwen zonder kinderen vergeleken werd met dat van vrouwen die wel kinderen hadden, blijkt dat eerstgenoemde groep zich niet speciaal ellendiger of vrolijker voelde dan de andere. Wat die vrouwen daarentegen zonder uitzondering ongelukkig maakt, ontdekten de onderzoekers, is armoede en een slechte gezondheid. Of je kinderen hebt of niet, het recept lijkt duidelijk: zet geld opzij, flos je tanden, doe je autogordel om, blijf in vorm, en dan zul je op een dag een gelukkig oud vrouwtje zijn, dat kan ik je garanderen.

Alsjeblieft, een gratis advies van je tante Liz.

Omdat ze geen nakomelingen hebben verdwijnen kinderloze tantes wel vaak na één generatie al uit de herinnering, snel vergeten, hun leven even kortstondig als dat van een vlinder. Maar bij leven zijn ze vitaal, en ze kunnen zelfs een heldenrol vervullen. In de recente geschiedenis van mijn eigen familie bestaan er aan beide kanten verhalen van werkelijk fantastische tantes die te hulp schoten bij een ramp. Deze vrouwen, die vaak juist vanwege hun kinderloosheid een hogere opleiding hadden kunnen volgen en kunnen sparen, beschikten over het geld en het medeleven om voor noodzakelijke operaties te betalen, de familieboerderij te redden of een kind in huis te nemen van wie de moeder ernstig ziek was geworden. Een vriendin van me noemt die tantes ‘reserveouders’, en de wereld is er vol mee.

Zelfs binnen mijn eigen gemeenschap zie ik waar ikzelf soms van groot belang ben geweest als lid van de Tantebrigade. Het is niet alleen mijn werk om mijn neefje en nichtje te verwennen (hoewel ik die taak zeer serieus opvat), maar ook om een rondtrekkende tante te zijn voor de wereld – een ambassadeurstante – die komt waar hulp gewenst is, in welk gezin dan ook. Er zijn mensen die ik heb kunnen helpen, soms jaren achtereen heb ondersteund, omdat ik niet verplicht ben, zoals een moeder dat wel is, al mijn geld en energie in de fulltime opvoeding van een kind te steken. Er zijn allemaal sporttenues en rekeningen van de orthodontist en universitaire opleidingen die ik nooit hoef te betalen, waarmee ik geld overhoud om breder over de gemeenschap te verspreiden. Op die manier voed ook ik het leven. Er zijn vele manieren om het leven te voeden, en neem van mij aan dat ze stuk voor stuk essentieel zijn.

Jane Austen schreef eens aan een familielid dat kort daarvoor was verblijd met haar eerste neefje: 'Ik heb altijd zoveel mogelijk gewezen op het belang van tantes. Nu jij tante bent geworden, ben je een vrouw van enig gewicht.' Jane wist waarover ze het had. Ze was zelf een kinderloze tante, gekoesterd door haar nichten en neven als iemand bij wie je geheimen veilig waren, en altijd herinnerd om haar 'klaterende lach'.

Over schrijvers gesproken, vanuit mijn enigszins vooringenomen standpunt voel ik de noodzaak hier te vermelden dat Leo Tolstoj en Truman Capote en de gezusters Brontë allen zijn opgevoed door hun kinderloze tantes, nadat hun biologische moeder was overleden of hen in de steek had gelaten. Tolstoj beweerde dat zijn tante Toinette hem het meest had beïnvloed in zijn leven, omdat ze hem 'de morele vreugde van de liefde' had geleerd. De historicus Edward Gibbon, al wees op jonge leeftijd, is opgevoed door zijn dierbare kinderloze tante Kitty. John Lennon werd opgevoed door zijn tante Mimi, die de jongen ervan overtuigde dat hij ooit een groot muzikant zou worden. F. Scott Fitzgeralds loyale tante Annabel bood aan zijn universitaire opleiding te bekostigen. Frank Lloyd Wrights eerste bouwwerk ontwierp hij in opdracht van zijn tantes Jane en Nell, twee beminnelijke oude vrijsters die een kostschool in Spring Green in Wisconsin leidden. Coco Chanel, die als kind haar ouders had verloren, is grootgebracht door haar tante Gabrielle, die haar leerde naaien – een nuttige vaardigheid voor het meisje, dat zal iedereen het met me eens zijn. Virginia Woolf is sterk beïnvloed door haar tante Caroline, een ongehuwde quakervrouw die haar leven wijdde aan liefdadigheid, stemmen in haar hoofd hoorde en tegen geesten sprak, en die, zoals Woolf zich jaren later herinnerde, 'een soort moderne profetes' leek.

Weet je nog dat cruciale moment in de literaire geschiedenis waarop Marcel Proust een hap neemt van zijn beroemde madeleinecakeje en vervolgens zo overstelpt wordt door nostalgische gevoelens dat hij geen andere keuze heeft dan het meerdelige epische werk *À la recherche du temps perdu* te schrijven? Die hele vloedgolf van eloquente nostalgie was veroorzaakt door Marcels herinnering aan zijn dierbare tante Léonie, die in zijn jeugd iedere zondag na de kerk haar madeleines met hem deelde.

En heb je je ooit afgevraagd hoe Peter Pan er in het echt uitzag? Zijn schepper, J.M. Barrie, beantwoordde in 1911 die vraag voor ons. Voor Barrie kan Peter Pans beeld en wezen en zijn altijd vrolijke humeur over de hele wereld worden aangetroffen, wazig weerspiegeld 'in het gezicht van vele vrouwen die geen kinderen hebben'.

Dát is de Tantebrigade.

Die beslissing van me – de beslissing om me bij de Tantebrigade aan te sluiten en niet bij het Mamakorps – onderscheidt me van mijn eigen moeder, en ik had het gevoel dat ik daar nog in het reine mee moest komen. Dat is waarschijnlijk de reden dat ik, tijdens mijn reizen met Felipe, op een avond mijn moeder belde vanuit Laos, in een poging antwoord te krijgen op een paar laatste vragen die waren blijven hangen over haar leven en haar keuzes, en hoe die zich verhielden tot mijn leven en mijn keuzes.

We praatten langer dan een uur. Mijn moeder was rustig en bedachtzaam, zoals altijd. Ze leek niet verbaasd over mijn vragen, sterker nog, ze reageerde alsof ze had gewacht op het moment dat ik ze zou stellen. Er misschien wel *jaren* op had gewacht.

Het eerste wat ze deed was me eraan herinneren: 'Ik heb geen spijt van de dingen die ik voor jullie heb gedaan toen jullie kinderen waren.'

'Heb je er geen spijt van dat je het werk hebt opgegeven waarvan je hield?' vroeg ik.

'Ik weiger met spijt te leven,' antwoordde ze (wat niet direct een antwoord op mijn vraag was, maar het voelde wel als een oprecht begin). 'Er was zoveel om van te genieten in de jaren die ik thuis doorbracht met mijn twee meiden. Ik ken jullie op een manier waarop je vader jullie nooit zal kennen. Ik heb jullie zien groeien. Het was een voorrecht jullie volwassen te zien worden. Dat had ik niet willen missen.'

Ook herinnerde mijn moeder me eraan dat ze al die jaren met dezelfde man getrouwd was gebleven omdat ze zielsveel van mijn vader houdt – een goed punt en een dat ik gaarne accepteer. Het is waar dat mijn ouders niet alleen kameraden zijn, maar elkaar ook op het lichamelijke vlak goed liggen. Ze hebben een heel fysieke relatie: ze wandelen, fietsen en leiden hun boerenbedrijf samen. Ik weet nog dat ik een keer in de winter 's avonds laat naar huis belde vanaf de universiteit en ze buiten adem aan de telefoon kreeg. 'Wat hebben jullie uitgespookt?' vroeg ik en mijn moeder antwoordde met een hoog stemmetje van het lachen: 'We hebben gesleed!' Ze waren er stiekem met de tobogan van hun tienjarige buurjongetje vandoor gegaan en hadden middernachtelijke afdalingen gemaakt van de bevroren heuvel achter ons huis, mijn moeder op de rug van mijn vader, gillend van het adrenalineplezier, terwijl hij de slee door het maanlicht stuurde. Welke mensen van middelbare leeftijd dóen dat nog?

Er is tussen mijn ouders altijd een seksuele aantrekkingskracht geweest, al vanaf de dag dat ze elkaar ontmoetten. 'Hij leek op Paul Newman,' vertelt mam over hun eerste ontmoeting, en toen mijn zus mijn vader een keer vroeg naar zijn favoriete herinnering aan onze moeder aarzelde hij niet om te antwoorden: 'Ik heb altijd gehouden van je moeders aangename vormen.' Hij houdt daar nog steeds van. Mijn vader grijpt altijd naar mijn moeders lichaam als ze langsloopt in de keuken, zit haar altijd te bekijken, haar benen te bewonderen, naar haar te verlangen. Ze slaat hem met gespeelde geschoktheid van zich af: 'John! Hou op!' Maar je merkt dat ze van de aandacht geniet. Ik heb ze altijd zo met elkaar zien omgaan en ik denk dat het een zeldzaam geschenk is: weten dat je ouders het ook lichamelijk goed met elkaar hebben. Een groot deel van het huwelijk van mijn ouders, zo herinnerde mijn moeder me eraan, heeft zich dus altijd ergens buiten de rede schuilgehouden, diep in hun seksualiteit. En die mate van intimiteit onttrekt zich aan iedere vorm van uitleg of discussie.

Dan is er de kameraadschap. Mijn ouders zijn ruim veertig jaar getrouwd en weten nu in grote lijnen wel hoe ze het met elkaar willen hebben. Ze leven volgens een soepele routine, hun gewoonten gepolijst door de tijd. Als planeten draaien ze elke dag in hetzelfde kringetje om elkaar heen: koffie, hond, ontbijt, krant, tuin, rekeningen, huishoudelijk werk, radio, lunch, boodschappen, hond, avondeten, lezen, hond, bed... en bis.

De dichter Jack Gilbert (helaas geen familie) schreef dat het huwelijk is wat zich afspeelt 'tussen het gedenkwaardige'. Hij zei dat veel mensen, als ze jaren later op hun huwelijk terugkijken, misschien na de dood van hun partner, zich alleen 'de vakanties en de crises' kunnen herinneren – de hoogte- en dieptepunten. De rest vermengt zich in een wazige vlek van dagelijkse monotonie. Maar het is precies die wazige monotonie, zegt de dichter, waaruit het huwelijk bestaat. Het huwelijk ís die tweeduizend niet van elkaar te onderscheiden gesprekken, gevoerd tijdens tweeduizend niet van elkaar te onderscheiden ontbijten, waar intimiteit ronddraait als een langzaam molenrad. Hoe meet je de waarde van het zo vertrouwd zijn met iemand – zo door en door gekend te worden, zo'n voortdurende aanwezigheid te zijn dat je uitgroeit tot een nauwelijks nog waarneembare levensbehoefte, als lucht?

Ook was mijn moeder zo netjes om me er die avond, toen ik haar vanuit Laos belde, aan te herinneren dat ze bepaald geen heilige is en dat mijn vader eveneens delen van zichzelf heeft moeten opgeven om met haar getrouwd te blijven. Zoals mijn moeder grootmoedig toegaf, is ze niet altijd de makkelijkste om mee getrouwd te zijn. Mijn vader heeft moeten leren dulden om continu te worden gemanipuleerd door een hypergeorganiseerde vrouw. In dat opzicht passen die twee extreem slecht bij elkaar. Mijn vader neemt het leven zoals het komt; mijn moeder stuurt het leven. Een voorbeeld: toen mijn vader op een dag in de garage bezig was, joeg hij per ongeluk een vogeltje van het nest tussen de dakspanten. Het angstige en verwarde beestje streek neer op de rand van mijn vaders hoed. Omdat hij het niet nog een keer wilde laten schrikken bleef mijn vader op de vloer van de garage zitten tot het vogeltje zowat een uur later besloot weg te vliegen. Dat is mijn vader ten voeten uit. Zoiets zou mijn moeder nooit overkomen. Ze heeft het veel te druk om verdwaasde vogeltjes toe te staan op haar hoofd te blijven zitten terwijl er allemaal klussen wachten. Mam laat zich niet ophouden door een vogel.

Het is waar dat mijn moeder meer van haar persoonlijke ambities heeft opgegeven in haar huwelijk dan mijn vader heeft gedaan, maar tegelijkertijd eist ze er ook een stuk meer van dan hij ooit zal doen. Hij accepteert haar veel meer zoals ze is dan zij hem. ('Ze is de beste Carole die er bestaat,' zegt hij vaak, terwijl je het gevoel krijgt dat mijn moeder vindt dat haar echtgenoot een veel betere man zou kunnen en misschien wel zou moeten zijn.) Ze loopt hem voortdurend te commanderen, al zijn haar methoden zo subtiel en charmant dat je dat niet altijd doorhebt, maar je kunt van me aannemen dat mam altijd aan de touwtjes trekt.

Ze heeft die karaktereigenschap niet van vreemden. Alle vrouwen in haar familie doen het. Ze zetten werkelijk ieder aspect van hun mans leven naar hun hand en vervolgens, zoals mijn vader graag opmerkt, *weigeren ze pertinent dood te gaan*. Geen man is in staat een Olsonbruid te overleven. Dit is een simpel biologisch gegeven. Ik overdrijf niet: het is nog nooit gebeurd, niet dat iemand zich kan herinneren. ('Ik waarschuw je,' zei mijn vader aan het begin van onze relatie tegen Felipe, 'als je een leven wilt met Liz, moet je nu je grenzen aangeven en ze voor eeuwig verdedigen.') Mijn vader grapte eens – al was het geen echte grap – dat mijn moeder zo'n vijfennegentig procent van zijn leven beheerst. En het gekke is, mijmerde hij, dat zij veel meer van streek is over de vijf procent van zijn leven die hij niet wil opgeven dan hij is over de vijfennegentig procent die ze volledig domineert.

Robert Frost schreef dat 'een man deels moet opgeven een man te zijn' om in het huwelijk te treden, en ik kan dat niet ontkennen waar het mijn familie aangaat. Ik heb al menige pagina volgeschreven over het huwelijk als instrument om vrouwen te onderdrukken, maar we mogen niet vergeten dat het huwelijk ook vaak een instrument is om mannen te onderdrukken. Het huwelijk is een harnas van beschaving dat een man aan een serie verplichtingen koppelt en daarmee zijn rusteloze energie in toom houdt. Traditionele samenlevingen erkennen sedert lang dat er niets is waar een gemeenschap zo weinig aan heeft als een grote groep alleenstaande, kinderloze jongemannen (behalve uiteraard in hun erkend nuttige rol van kanonnenvoer). Wereldwijd hebben alleenstaande jongemannen hoofdzakelijk de naam hun geld te verbrassen aan hoeren en drank en gokken en luiheid: ze dragen niets bij. Je moet zulke beesten in bedwang houden, ze verantwoordelijk maken – althans, dat is altijd de redenering geweest. Je moet die jongemannen zover krijgen dat ze hun kinderlijke gedragingen afzweren en de stap naar volwassenheid zetten, dat ze gezinnen en bedrijven opbouwen en interesse kweken voor hun omgeving. Talloze culturen huldigen als een oude waarheid dat er geen beter instrument bestaat om een onverantwoordelijke jongeman plichtsgevoel bij te brengen dan een goede, degelijke vrouw.

Dat was zeker het geval bij mijn ouders. 'Ze heeft me afgericht,' is mijn vaders samenvatting van hun liefdesrelatie. Over het algemeen heeft hij daar vrede mee, maar soms – bijvoorbeeld tijdens een familiebijeenkomst, omringd door zijn sterke vrouw en zijn al even sterke dochters – kan mijn vader opeens sprekend op een verblufte oude circusbeer lijken, die maar niet begrijpt hoe iemand hem zo heeft kunnen temmen, of hoe het komt dat hij daar zo hoog op een vreemde eenwieler balanceert. Hij doet me op zulke momenten aan Zorba de Griek denken, die, toen hem werd gevraagd of hij ooit getrouwd was, antwoordde: 'Ben ik geen man? Natuurlijk ben ik getrouwd geweest. Vrouw, huis, kinderen – de hele rampzalige mikmak!' (Zorba's melodramatische angst herinnert me overigens aan het curieuze feit dat binnen de Grieks-orthodoxe kerk het huwelijk niet zozeer als sacrament wordt beschouwd maar als een *heilig martelaarschap* – waarbij de achterliggende gedachte is dat een succesvol langdurig menselijk partnerschap een zekere dood van het zelf vereist voor de betrokkenen.)

Mijn ouders zijn in hun huwelijk allebei met die beperking, dat kleine gevoel van 'zelfdood', geconfronteerd; ik weet dat het zo is. Maar ik ben er ook weer niet zeker van of ze altijd bezwaar hadden tegen elkaars aanwezigheid. Toen ik mijn vader een keer vroeg wat voor dier hij graag in zijn volgende leven zou willen zijn, als er een volgend leven was, antwoordde hij zonder aarzeling: 'Een paard.'

'Wat voor paard?' vroeg ik, terwijl ik hem voor me zag als een wild over de prairie galopperende hengst.

'Een vriendelijk paard,' antwoordde hij.

Prompt stelde ik het beeld in mijn hoofd bij. Nu zag ik een *lieve* hengst voor me die wild over de prairie galoppeerde.

'Wat voor vriendelijk paard?' vroeg ik door.

'Een ruin,' meldde hij.

Een *gecastreerd* paard! Dat was een onverwachte wending. Het beeld in mijn hoofd veranderde ingrijpend. Nu stelde ik me mijn vader voor als een zachtaardig trekpaard dat gedwee voor de wagen liep met mijn moeder op de bok.

'Waarom een ruin?' vroeg ik.

'Ik heb ontdekt dat het leven dan gewoon makkelijker is,' antwoordde hij. 'Neem dat maar van me aan.'

En dus ís het leven ook makkelijker voor hem geweest. In ruil voor de bijna castrerende ketenen waarin het huwelijk mijn vaders persoonlijke vrijheden heeft geslagen ontving hij stabiliteit, welvaart, aanmoediging in zijn carrière, schone en verstelde overhemden die als bij toverslag in zijn kastladen verschijnen, een stevige maaltijd aan het eind van een dag hard werken. Daar staat tegenover dat hij voor mijn moeder heeft gewerkt en haar trouw is geweest en een goede vijfennegentig procent van de tijd toegeeft aan haar wensen, en haar alleen van zich af duwt als ze een beetje te dicht in de buurt komt van de totale wereldheerschappij. De voorwaarden van dat contract moeten voor beiden acceptabel zijn, want – zoals mijn moeder me eraan herinnerde toen ik haar vanuit Laos belde – ze zijn nu al meer dan veertig jaar getrouwd.

Uiteraard zal mijn eigen huwelijk hoogstwaarschijnlijk op andere voorwaarden zijn gebaseerd. Zoals gezegd, terwijl mijn grootmoeder een traditionele boerenvrouw was en mijn moeder een feministische voorloopster, groeide ik op met totaal nieuwe ideeën over de instituten van het huwelijk en het gezin. De relatie die ik vermoedelijk met Felipe opbouw is er een die mijn zus en ik het 'vrouwloze huwelijk' noemen, dat wil zeggen dat in ons huishouden straks niemand de traditionele rol van de vrouw op zich zal nemen (of *uitsluitend* op zich nemen). De ondankbaarder taken die altijd op de schouders van de vrouw terechtkwamen worden eerlijker verdeeld. En aangezien er zich geen kinderen aandienen kun je het ook een 'moederloos huwelijk' noemen, een vorm van echtverbintenis die mijn grootmoeder en moeder duidelijk niet ervaren hebben. Zo ook zal het kostwinnerschap niet volledig Felipes verantwoordelijkheid zijn, zoals dat wel die van mijn vader en grootvader was; sterker nog, waarschijnlijk zal ik altijd het leeuwendeel van het inkomen verdienen. Misschien zullen we in dat opzicht ook zoiets als een 'manloos huwelijk' hebben. Een vrouwloos, kinderloos en manloos huwelijk... er zijn in de geschiedenis niet veel van dat soort verbintenissen geweest, dus we hebben niet echt een model om ons naar te richten. Felipe en ik zullen gaandeweg zelf de regels en grenzen van ons verhaal moeten verzinnen.

Alhoewel. Misschien moeten álle mensen wel gaandeweg de regels en grenzen van hun verhaal verzinnen.

Hoe dan ook, toen ik mijn moeder die avond over de telefoon vanuit Laos vroeg of ze door de jaren heen gelukkig is geweest in haar huwelijk, verzekerde ze me dat ze het over het algemeen heel prettig had gehad met mijn vader. Toen ik haar vroeg wat de gelukkigste periode van haar leven was geweest antwoordde ze: 'Nu. Samen met je vader leven, gezond, geen geldzorgen, vrij. Je vader en ik doen overdag onze eigen dingen en dan zien we elkaar 's avonds weer aan de eettafel. Na al die jaren zitten we daar nog steeds uren te praten en te lachen. Het is echt zo fijn.'

'Wat geweldig,' zei ik.

Het was even stil.

'Mag ik iets zeggen waarvan ik hoop dat het je niet beledigt?' vroeg ze aarzelend.

'Ga je gang.'

'Om heel eerlijk te zijn begon het leukste deel van mijn leven toen jullie waren opgegroeid en het huis uit waren.'

Ik begon te lachen (*Nou, bedankt, mam!*), maar ze sprak met dringende stem over mijn gelach heen. 'Ik meen het serieus, Liz. Er is iets wat je van me moet weten: ik heb mijn hele leven kinderen opgevoed. Ik ben opgegroeid in een groot gezin en ik moest voor Rod en Terry en Luana zorgen toen ze klein waren. Op mijn tiende ging ik er al regelmatig midden in de nacht uit om iemand te verschonen die in bed had geplast. Dat was mijn vroegste jeugd. Ik had nooit tijd voor mezelf. En als tiener paste ik op de kinderen van mijn oudere broer, terwijl ik ondertussen ook nog mijn huiswerk probeerde te maken. Later had ik mijn eigen gezin om groot te brengen en daar heb ik zo veel van mezelf voor moeten inleveren. Toen jij en je zus eindelijk naar de universiteit gingen, was dat het eerste moment van mijn leven waarop ik niet meer de verantwoordelijkheid had voor kinderen. Ik genoot ervan. Ik kan je niet vertellen hoe enorm ik ervan geniet. Je vader helemaal voor mezelf te hebben, de tijd aan mezelf te hebben... dat was iets totaal nieuws voor me. Ik ben nog nooit zo gelukkig geweest.'

Oké, dacht ik met een golf van opluchting. *Dus ze heeft zich met haar leven verzoend. Mooi.*

Weer was het even stil.

Toen voegde mijn moeder er plotseling aan toe, op een toon die ik nooit eerder van haar had gehoord: 'Maar ik wil je nog wel iets anders zeggen. Er zijn tijden waarin ik mezelf verbied om na te denken over de beginjaren van mijn huwelijk en alles wat ik heb moeten opgeven. Als ik daar te lang bij stilsta, eerlijk waar, word ik zo boos dat ik ervan duizel.'

O.

De logische eindconclusie is derhalve...???

Het werd me langzaam duidelijk dat hier misschien nooit een logische eindconclusie zou zijn. Mijn moeder is er waarschijnlijk lang geleden mee gestopt logische eindconclusies te trekken over haar bestaan, nadat ze afscheid had genomen (zoals velen van ons dat na een bepaalde leeftijd moeten) van de onschuldige fantasie dat je recht hebt op ongemengde gevoelens over je eigen leven. Als ik ongemengde gevoelens wilde hebben over mijn moeders leven om mijn angsten over het huwelijk te sussen, vrees ik dat ik aan het verkeerde adres was. Het enige wat ik zeker wist, was dat mijn moeder een manier had gevonden om een *voldoende* zachte rustplaats voor zichzelf in te richten op het rotsige veld van tegenstrijdigheden waar intimiteit huist. Daar, in een *voldoende* mate van tevredenheid, vertoeft ze.

En ze liet mij uiteraard achter met de vraag hoe ik op een dag zo'n zorgvuldige leefomgeving voor mezelf kon creëren.

HOOFDSTUK ZES

Huwelijk en zelfstandigheid

Het huwelijk is een prachtig iets.
Maar het is ook een voortdurende strijd
om morele superioriteit.
MARGE SIMPSON

In oktober 2006 reisden Felipe en ik al een halfjaar rond en het moreel begon in te zakken. We hadden de heilige Laotiaanse stad Luang Prabang weken geleden verlaten, na al haar schatten uitputtend te hebben verkend, en onze tocht op even willekeurige wijze als daarvoor hervat; zo doodden we de tijd, lieten we de uren en dagen voorbijgaan.

We hadden gehoopt zo onderhand thuis te zijn, maar er zat nog steeds geen beweging in onze immigratiezaak. Felipes toekomst hield zich op in een soort voorgeborchte waarvan we enigszins irrationeel waren gaan denken dat ze er nooit meer uit zou komen. Afgesneden van zijn bedrijfsvoorraad in Amerika, niet bij machte plannen te maken of geld te verdienen, volkomen afhankelijk van het Amerikaanse ministerie van Binnenlandse Veiligheid (en van mij) om over zijn lot te beslissen, voelde hij zich met de dag hulpelozer. Dit was geen ideale situatie. Want als er iets is wat ik in de loop der jaren over mannen heb geleerd, is het wel dat gevoelens van hulpeloosheid meestal niet het beste in ze naar boven halen. Felipe was al geen uitzondering. Hij werd met de dag nerveuzer, opvliegender, ongeduriger en gespannener.

Felipe vertoont zelfs in alledaagse omstandigheden weleens de hebbelijkheid om uit te vallen tegen mensen van wie hij vindt dat ze zich onbeschoft gedragen of dat ze afbreuk doen aan de kwaliteit van zijn leven. Hij doet het zelden, maar ik wou dat hij het nooit deed. Ik heb die man over de hele wereld en in vele talen zijn afkeuring zien blaffen tegen stuntelende stewardessen, onbekwame taxichauffeurs, gewetenloze verkopers, apathische obers en ouders van zich misdragende kinderen. Zwaaien met de armen en met stemverheffing spreken maken soms deel uit van dergelijke scènes.

Ik betreur dat.

Als iemand die is opgevoed door een kalme, beheerste Midwesterse moeder en een zwijgzame yankeevader ben ik genetisch en cultureel incapabel om met Felipes eerder klassiek Braziliaanse versie van conflictoplossing om te gaan. Mijn familieleden zouden nog niet eens zo praten tegen iemand die hen op straat beroofde. Bovendien, steeds als ik Felipe in het openbaar vuur zie spugen, verstoort dat mijn zo gekoesterde persoonlijke verhaal over wat een ridderlijke, zachtaardige man ik heb uitgekozen om te beminnen, en eerlijk gezegd kun je me nergens zo mee op de kast krijgen als daarmee. Als er één vernedering is die ik niet waardig zal verdragen, is het wel als mensen gaan rotzooien met mijn meest gekoesterde persoonlijke verhalen over hen.

Erger nog, mijn innige verlangen naar een wereld waarin iedereen de dikste maatjes is, zorgt er, samen met mijn bijna pathologische empathie voor de underdog, vaak voor dat ik Felipes slachtoffers ga verdedigen, wat alleen maar bijdraagt aan de spanning. Terwijl hij geen greintje tolerantie aan de dag legt tegenover idioten en onbenullen, ben ik van mening dat achter iedere onbenullige idioot een heel lieve persoon schuilgaat die een slechte dag heeft. Dit kan tot wrijving leiden tussen Felipe en mij, en de keren dát we ruziemaken is het meestal hierover. Hij heeft me nooit dat voorval in Indonesië laten vergeten waarbij ik hem opdroeg opnieuw naar de schoenwinkel te gaan om er zijn verontschuldigingen aan te bieden aan het verkoopstertje dat hij in mijn ogen onheus had bejegend. En hij deed het! Hij struinde dat veel te dure schoenwinkeltje weer in en betuigde het verbijsterde meisje hoffelijk zijn spijt over zijn woedeaanval. Maar dat deed hij alleen omdat hij de manier waarop ik haar had verdedigd zo charmant vond. Ik vond overigens niets charmant aan de situatie. Ik vind het nooit charmant.

Gelukkig doen Felipes explosies zich zelden in ons gewone leven voor. Maar het was geen gewoon leven dat we op dat moment leidden. Een halfjaar van vermoeiende reizen, kleine hotelkamers en frustrerend bureaucratisch oponthoud ging ten koste van zijn gemoedsrust, tot een punt waar ik Felipes ongeduld bijna een epidemisch niveau voelde aannemen. (Hoewel lezers dat 'epidemisch' maar met een grote korrel zout moeten nemen, aangezien mijn hypergevoeligheid voor zelfs het kleinste intermenselijke conflict me tot een slecht beoordelaar van emotionele botsingen maakt.) Toch leek het bewijs onweerlegbaar: hij verhief tegenwoordig niet alleen zijn stem tegen volslagen vreemden, maar snauwde ook tegen mij. Dat was een nieuwe ontwikkeling, want daarvoor had Felipe altijd op de een of andere manier immuun voor me geleken, alsof ik door een speling van de natuur de enige mens op aarde was die niet zijn irritatie wist te wekken. Nu leek er echter een einde gekomen aan die verrukkelijke periode van immuniteit. Hij was kwaad op me omdat ik te lang achter de gehuurde computer zat, kwaad op me omdat ik hem had meegesleept naar die 'kutolifanten' in een dure toeristenfuik, kwaad op me omdat ik ons weer in zo'n ellendige nachttrein had geposteerd, kwaad als ik geld uitgaf of geld bespaarde, kwaad dat ik steeds overal heen wilde lopen, kwaad dat ik altijd maar op zoek was naar gezond voedsel als dat overduidelijk niet verkrijgbaar was...

Felipe leek in toenemende mate verstrikt te raken in zo'n afgrijselijke gemoedsstemming waarin iedere storing of complicatie bijna fysiek ondraaglijk wordt. Dat was betreurenswaardig, want reizen – met name het goedkope, smerige reizen zoals wij dat deden – bestaat bijna alleen maar uit storingen en complicaties, zo nu en dan onderbroken door een adembenemende zonsondergang, waarvan mijn metgezel overduidelijk niet langer in staat was te genieten. Terwijl ik een steeds onwilliger Felipe van de ene Zuidoost-Aziatische bezienswaardigheid naar de andere meetrok (exotische markten! tempels! watervallen!) werd hij alleen maar *minder* ontspannen, *minder* inschikkelijk, *minder* gerust. Op mijn beurt reageerde ik op zijn slechte humeur zoals ik van mijn moeder geleerd had op het slechte humeur van een man te reageren: door me alleen maar nog opgewekter, nog luchthartiger, nog onuitstaanbaarder vrolijk te gedragen. Ik verborg mijn eigen frustraties en heimwee achter een masker van onvermoeibaar optimisme en denderde voort met een agressief zonnige houding, alsof ik Felipe in een toestand van luchthartige blijheid kon dwingen door de pure kracht van mijn magnetische, onuitputtelijke pleziermakerij.

Vreemd genoeg werkte het niet.

Langzamerhand begon ik me aan hem te ergeren, te balen van zijn ongeduld, knorrigheid, lethargie. Bovendien begon ik me aan *mezelf* te ergeren, nijdig over mijn gemaakte toontje als ik Felipe enthousiast probeerde te krijgen voor het bijzondere waar ik hem nu weer mee naartoe had gesleurd. (*O, schat, kijk! Ze verkopen ratten om te eten! O, schat, kijk! De mamaolifant is haar kindje aan het wassen! O, schat, kijk! Vanuit de hotelkamer heb je toch zo'n interessant uitzicht op het slachthuis!*) Ondertussen vertrok Felipe naar de badkamer en fulmineerde bij terugkomst over de goorheid en stank van het hotel – ongeacht in welk hotel we waren – en klaagde tegelijkertijd dat de luchtverontreiniging in zijn keel prikte en het verkeer hem hoofdpijn bezorgde.

Zijn spanning maakte mij gespannen, waardoor ik fysiek onvoorzichtig werd, en in Hanoi keihard mijn teen stootte, in Chiang Mai mijn vinger sneed aan zijn scheermes toen ik de toilettas doorspitte op zoek naar de tandpasta en – op een avond die ik het liefst wil vergeten – muggenlotion in mijn ogen deed in plaats van oogdruppels omdat ik niet goed had gelet op het opschrift op het flesje. Wat ik me nog het scherpst herinner van het laatste incident is hoe ik het uitgilde van de pijn en de zelfverwijten, terwijl Felipe mijn hoofd boven de wasbak hield en mijn ogen uitspoelde met de ene fles lauw water na de andere en aan één stuk door tierde over de idiotie van het feit dat we überhaupt in dit godvergeten land zaten. Teken van hoezeer de situatie in die weken was verslechterd, is dat ik niet eens meer precies weet in wélk godvergeten land we zaten.

Al die spanning bereikte een hoogtepunt (of liever gezegd, een dieptepunt) op de dag dat ik Felipe meezeulde op een twaalf uur durende busrit door Laos om een archeologische bezienswaardigheid in het midden van het land te bezoeken waarvan ik hem had verzekerd dat die heel fascinerend was. We deelden de bus met een niet geringe hoeveelheid pluimvee, en onze zitplaatsen waren harder dan de banken van een quakerkerk. Uiteraard was er geen airconditioning en de ramen konden niet open. Ik zou liegen als ik zei dat de hitte ondraaglijk was, want die hebben we duidelijk verdragen, maar ik zeg wel dat het heel, heel warm was. Het lukte me niet Felipes interesse te wekken voor de naderende bezienswaardigheid, maar hij liet zich ook niet tot uitspraken verleiden over onze busrit – en dat was echt opmerkelijk, aangezien dit waarschijnlijk de gevaarlijkste tocht met het openbaar vervoer was die ik ooit had doorstaan. De chauffeur bestuurde zijn stokoude voertuig met een manische agressie, en scheerde diverse keren rakelings langs een paar indrukwekkende ravijnen. Maar Felipe reageerde op niets van dit al, en evenmin reageerde hij op onze bijna-botsingen met tegenliggers. Hij verstarde gewoon. Hij sloot vermoeid zijn ogen en sprak geen woord meer. Hij leek zich neer te leggen bij de dood. Of misschien verlangde hij er alleen maar naar.

Na nog een stuk of wat van die levensbedreigende uren ging onze bus een bocht om, waarachter zich een groot verkeersongeluk bleek te hebben voorgedaan: twee bussen die niet zo gek veel verschilden van de onze waren zojuist frontaal op elkaar gebotst. Er leken geen slachtoffers te zijn gevallen, maar de voertuigen waren veranderd in een hoop verwrongen, rokend staal. Toen we vaart minderden om erlangs te gaan greep ik Felipe bij zijn arm en zei: 'Kijk, schat! Er zijn twee bussen op elkaar geklapt!'

Zonder zijn ogen te openen antwoordde hij sarcastisch: 'Hoe kan dát nou zijn gebeurd?'

Plotseling voelde ik de woede opvlammen.

'Wat wíl je nou?' vroeg ik.

Hij gaf geen antwoord, wat me alleen maar kwader maakte, dus dramde ik door: 'Ik probeer het beste van de situatie te maken, oké? Als jij betere plannen of ideeën hebt, wil ik die graag van je horen. En ik hoop echt dat je iets kunt bedenken wat je gelukkig zal maken, want ik kan die misère van je niet meer aan, en dat meen ik.'

Nu schoten zijn ogen open. 'Ik wil gewoon een koffiepot,' zei hij met onverwachte hartstocht.

'Hoezo, een koffiepot?'

'Ik wil gewoon *thuis* zijn, samen met jou veilig op één plek wonen. Ik wil *vastigheid*. Ik wil een koffiepot van onszelf. Ik wil iedere ochtend om dezelfde tijd wakker kunnen worden en ontbijt voor ons maken, in ons eigen huis, met onze eigen koffiepot.'

In een andere setting had die bekentenis misschien mijn sympathie gewekt, en misschien had ze toen al mijn sympathie moeten wekken, maar ze maakte me alleen maar nog kwader. *Waarom beet hij zich vast in het onmogelijke?*

'Dat kan nu allemaal even niet,' zei ik.

'Mijn god, Liz, denk je dat ik dat niet wéét?'

'Denk je dan dat ik die dingen niet wil?' kaatste ik terug.

Zijn stem verhief zich: 'Denk je dat ik me er niet van *bewust* ben dat je die dingen wilt? Denk je dat ik je niet naar woningen heb zien kijken op internet? Denk je dat ik niet merk dat je heimwee hebt? Heb je enig idee hoe ik me eronder voel dat ik je momenteel geen huis kan geven, dat je door mij in aftandse hotelkamers aan de andere kant van de wereld moet slapen? Heb je enig idee hoe vernederend dat voor me is, dat ik het me momenteel niet kan veroorloven je een beter leven te bieden? Heb je enig idee wat een *fucking machteloos* gevoel me dat geeft? *Als man*?'

Dat vergeet ik soms.

Ik moet dat zeggen, omdat het volgens mij een heel belangrijk aspect is van het huwelijk: ik vergeet soms inderdaad hoeveel het voor sommige mannen – voor sommige mensen – betekent om hun geliefden te allen tijde materiele luxe en bescherming te kunnen bieden. Ik vergeet hoe enorm minderwaardig bepaalde mannen zich kunnen voelen als hun dat fundamentele vermogen wordt ontnomen. Ik vergeet hoe belangrijk dat voor mannen is, waar het voor staat.

Ik herinner me nog de gepijnigde blik op het gezicht van

een oude vriend, toen hij me enige jaren geleden vertelde dat zijn vrouw bij hem wegging. Haar klacht was blijkbaar dat ze zich verschrikkelijk eenzaam voelde, dat hij 'er niet voor haar was', maar hij kon niet begrijpen wat ze daarmee bedoelde. In zijn beleving had hij jaren krom gelegen om zijn vrouw alles te geven wat haar hartje begeerde. 'Oké,' gaf hij toe, 'misschien was ik er op *emotioneel* gebied niet voor haar, maar ik heb zo goed voor die vrouw gezorgd! Ik werkte van 's ochtends vroeg tot 's avonds laat voor haar. Bewijst dat dan niet dat ik van haar hield? Ze had moeten weten dat ik letterlijk álles had gedaan om haar op dat niveau te blijven onderhouden en te beschermen. Als er een atoombom zou zijn gevallen, had ik haar opgetild en over mijn schouder gegooid en door de brandende velden naar de veiligheid gedragen, en dat wíst ze van me. En dan zegt ze dat ik er niet voor haar was!'

Ik kon het niet over mijn hart verkrijgen mijn verslagen vriend het slechte nieuws mee te delen dat er, jammerlijk genoeg, op de meeste dagen geen atoombommen vallen. De meeste dagen was, jammerlijk genoeg, iets meer aandacht het enige wat zijn vrouw nodig had gehad.

Evenzo was het enige wat ik op dat moment van Felipe nodig had dat hij kalmeerde, aardiger was, wat meer geduld betoonde met mij en iedereen om ons heen, wat meer emotionele generositeit. Ik hoefde niet onderhouden of beschermd te worden door hem. Ik had zijn mannelijke trots niet nodig; die diende hier nergens toe. Ik had alleen maar nodig dat hij zich neerlegde bij de situatie. Ja, natuurlijk was het fijner geweest om weer terug te zijn, dicht bij mijn familie, in een echt huis te wonen, maar ons huidige gebrek aan een vast honk stoorde me lang niet zo erg als zijn slechte humeur.

In een poging de spanning te verlichten raakte ik Felipes

been aan en zei: 'Ik zie dat deze situatie je echt frustreert.'

Ik had dat trucje geleerd uit het boek *Ten Lessons to Transform Your Marriage: America's Love Lab Experts Share Their Strategies for Strengthening Your Relationship*, van John M. Gottman en Julie Schwartz-Gottman, twee (gelukkig getrouwde) onderzoekers van het Relationship Research Institute in Seattle. De Gottmans krijgen de laatste tijd veel aandacht vanwege hun bewering dat ze met negentig procent zekerheid kunnen voorspellen of een echtpaar na vijf jaar nog getrouwd zal zijn, enkel nadat ze een transcriptie van vijftien minuten uit een doorsnee gesprek tussen beide partners hebben bestudeerd. (Om die reden lijken John M. Gottman en Julie Schwartz-Gottman me angstaanjagende tafelgasten.) Wat de reikwijdte van hun talenten ook mag zijn, de Gottmans leveren beslist een aantal praktische strategieën voor de oplossing van huwelijksconflicten aan. Zo proberen ze bijvoorbeeld echtparen te behoeden voor wat zij de vier ruiters van de Apocalyps noemen: Obstructie, Defensiviteit, Kritiek en Minachting. De truc die ik zojuist had toegepast – Felipes eigen frustratie tegenover hem herhalen om aan te geven dat ik naar hem luisterde en met hem meevoelde – is iets wat de Gottmans 'je naar je partner keren' noemen. Het wordt geacht ruzies te voorkomen.

Het werkt niet altijd.

'Je weet niet hoe ik me voel, Liz!' snauwde Felipe. 'Ze hebben me *gearresteerd*. Ze hebben me geboeid en me die hele luchthaven door laten marcheren terwijl iedereen naar me keek, wist je dat? Ze hebben mijn vingerafdrukken genomen. Ze hebben mijn portemonnee afgepakt, ze hebben zelfs de ring afgepakt die ik van je heb gekregen. Ze hebben me alles afgepakt. Ze hebben me in een cel gezet en me je land uit gegooid. Dertig jaar heb ik gereisd en nooit eerder is er een grens voor me dichtgegaan en nu kan ik de

Verenigde Staten van Amerika niet in – uitgerekend daar word ik er verdomme uit getrapt! Vroeger had ik gedacht: ze bekijken het maar, en was doorgegaan met mijn leven, maar dat kan ik niet, want Amerika is het land waar jij wilt wonen en ik wil bij jou zijn. Dus heb ik geen keus. Ik moet die bullshit pikken en mijn hele privéleven aan die bureaucraten en aan die politie van jou ter beschikking stellen, en dat is vernederend. En we kunnen er niet eens achter komen wanneer dit allemaal afgelopen is omdat we er niet *toe doen*. We zijn niet meer dan een getalletje op het bureau van een ambtenaar. Ondertussen is mijn bedrijf langzaam ten onder aan het gaan en ben ik bijna failliet. Dus *natuurlijk* voel ik me miserabel. En nu sleur jij me dat hele kloterige Zuidoost-Azië door in die kloterige bussen...'

'Ik probeer je alleen maar tevreden te houden,' snauwde ik terug, en ik haalde gekwetst en gestoken mijn hand weg. Ik zweer je dat als er zo'n koord in de bus was geweest waaraan je trekt om de chauffeur te laten weten dat je wilt uitstappen, ik eraan zou hebben getrokken. Ik was ter plekke uit de bus gesprongen, had Felipe erin laten zitten en zou het er in mijn eentje op hebben gewaagd in de jungle.

Hij ademde scherp in, alsof hij iets onaangenaams wilde gaan zeggen, maar wist zich te beheersen. Ik kon bijna voelen hoe de pezen in zijn nek zich verstrakten, en ook mijn frustratie escaleerde. Ik moet erbij zeggen dat onze omstandigheden het er niet echt beter op maakten. De bus slingerde lawaaiig en warm en gevaarlijk over het asfalt, sloeg tegen laaghangende takken, deed varkens en kippen en kinderen op de weg voor ons uiteenstuiven, braakte een stinkende zwarte wolk uitlaatgassen uit, en bij iedere schok kreeg ik een klap op mijn nekwervels. En we hadden nog zeven uur te gaan.

Lange tijd spraken we geen van tweeën. Ik wilde huilen

maar hield mezelf in, omdat ik niet dacht dat tranen de zaak goed zouden doen. Ik was nog steeds kwaad op hem. Ik had natuurlijk ook medelijden met hem, maar ik was vooral kwaad. En waarom? Omdat hij zich zo onsportief gedroeg? Omdat hij zijn zwakte toonde? Omdat hij instortte voor ik dat deed? Onze situatie was beroerd, ja, maar ze had oneindig veel beroerder kunnen zijn. Wij waren tenminste *samen*. Ik kon het me tenminste veroorloven om bij hem te zijn in deze periode van ballingschap. Duizenden paren die in precies dezelfde situatie verkeerden als wij zouden een moord hebben gedaan voor het voorrecht om één avond samen door te brengen tijdens hun langdurige gedwongen scheiding. Díe troost hadden wij tenminste wel. En wij hadden tenminste het opleidingsniveau om de ongelooflijk verwarrende immigratiedocumenten te kunnen lezen, en wij hadden tenminste genoeg geld om een goede advocaat in de arm te nemen die ons door de rest van het proces kon helpen. Hoe dan ook, als in het ergste geval Felipe voorgoed het recht ontzegd werd voet te zetten op Amerikaanse bodem, hadden we nog andere opties. Jeetjemina, we konden altijd naar Australië verhuizen. Australië! Een heerlijk land! Een Canada-achtig normaal en welvarend land! We werden heus niet naar Noord-Afghanistan verbannen of zo! Welke andere mensen in onze situatie hadden zoveel dingen mee?

En waarom was ik trouwens altijd degene die in zulke optimistische termen moest denken terwijl Felipe – heel eerlijk – de afgelopen weken weinig anders had gedaan dan mokken over omstandigheden die grotendeels buiten onze macht lagen? Waarom kon hij niet wat waardiger omspringen met tegenslag? En tussen twee haakjes, zou hij doodgegaan zijn als hij een *beetje* enthousiasme had getoond over de naderende archeologische bezienswaardigheid?

Ik sprak die gedachten bijna uit – elk woord, de hele stinkende zooi – maar ik hield me in. Een vloed aan emoties als deze wijst op wat John M. Gottman en Julie Schwartz-Gottman een 'overstroming' noemen – het moment waarop je zo moe of gefrustreerd raakt dat je geest overspoeld (en misleid) wordt door woede. Als je de woorden 'altijd' en 'nooit' in je ruzies begint te gebruiken is dat een onmiskenbaar teken dat er een overstroming aan zit te komen. De Gottmans noemen dat 'op de universele toer gaan' (als in: 'Je laat me in zo'n situatie *altijd* in de steek!' of 'Ik kan *nooit* op je rekenen!'). Zulke opmerkingen halen iedere kans op een eerlijke of intelligente dialoog onderuit. Als je eenmaal 'overstroomt', als je eenmaal 'op de universele toer gaat', breekt de hel los. Het is beter om dat niet te laten gebeuren. Zoals een oude vriendin eens tegen me zei, kun je de gelukkigheid van een huwelijk afmeten aan het aantal littekens dat de partners op hun tong hebben – van al die jaren dat ze erop moesten bijten om boze opmerkingen binnen te houden.

Dus hield ik mijn mond, en Felipe hield zijn mond, en de verhitte stilte hield lange tijd aan tot Felipe uiteindelijk mijn hand pakte en dodelijk vermoeid zei: 'Laten we nu oppassen, oké?'

Ik ontspande, want ik wist precies wat hij bedoelde. Het was een oude code van ons, vroeg in onze relatie geboren toen we een keer met de auto van Tennessee naar Arizona reden. Ik gaf college in schrijven aan de Universiteit van Tennessee en we woonden in die vreemde hotelkamer in Knoxville en Felipe had ontdekt dat er een tentoonstelling van edelstenen in Tucson was, waar hij graag naartoe wilde. Dus waren we er spontaan op weg naartoe gegaan en hadden geprobeerd de afstand in één ruk af te leggen. Het was grotendeels een gezellig reisje geweest. We hadden gezongen en gepraat en gelachen. Maar je kunt niet oneindig blijven zingen en praten en lachen, en er brak een moment aan – na een uur of dertig rijden – waarop we allebei een punt van totale uitputting bereikten. De benzine was bijna op, letterlijk en figuurlijk. Er waren geen hotels in de buurt en we waren hongerig en moe. Ik herinner me een hevig verschil van mening tussen ons over waar en wanneer we de volgende stop zouden maken. We praatten nog steeds op volmaakt beschaafde toon tegen elkaar, maar de spanning begon de auto te omsluiten als een lichte mist.

'Laten we nu oppassen,' had Felipe toen opeens gezegd.

'Waarvoor?' had ik gevraagd.

'Laten we gewoon oppassen met wat we in de komende paar uur tegen elkaar zeggen,' was hij doorgegaan. 'Dit zijn de tijden, als je heel moe wordt, waarop je elkaar in de haren kunt vliegen. Laten we onze woorden *heel voorzichtig* kiezen tot we een plek vinden om te overnachten.'

Er was nog niets gebeurd, maar Felipe opperde het idee dat er momenten zijn waarop een paar aan preventieve conflictoplossing moet doen om ruzie te voorkomen. Dus was het een code-uitdrukking van ons geworden, een bord om op het afstapje te letten en uit te kijken voor vallend gesteente. Het was een middel dat we zo nu en dan van stal haalden als we allebei gespannen waren. Het had in het verleden altijd goed gewerkt. Maar ja, in het verleden hadden we nooit zo'n zenuwslopende situatie meegemaakt als deze onbepaalde periode van ballingschap in Zuidoost-Azië. Aan de andere kant, misschien betekende de spanning die het reizen meebracht alleen maar dat we die gele vlag nu harder nodig hadden dan ooit.

Ik zal nooit het verhaal vergeten van mijn vrienden Julie en Dennis over een vreselijke ruzie van ze tijdens een reis die ze als jonggetrouwd stel naar Afrika maakten. Ze kunnen zich nu niet eens meer herinneren waar de ruzie over ging, maar wel hoe hij eindigde. Op een middag in Nairobi waren ze zo razend op elkaar dat ze ieder aan een andere kant van de straat naar hun gezamenlijke bestemming moesten wandelen, omdat ze elkaars fysieke nabijheid niet langer konden verdragen. Na een hele tijd zo parallel te zijn voortgestapt met vier beschermende banen Nairobisch verkeer tussen hen in, bleef Dennis uiteindelijk staan. Hij opende zijn armen en gebaarde naar Julie om de straat over te steken. Het leek een gebaar van verzoening, dus gaf ze toe. Op haar man af lopend voelde ze haar woede zakken, in de verwachting dat er een soort excuus zou volgen. Maar toen ze binnen gehoorsafstand was gekomen, boog Dennis zich naar haar toe en zei zachtjes: 'Hé Jules, zak in de stront.'

In reactie daarop stampvoette ze naar de luchthaven en probeerde onmiddellijk het retourticket van haar man aan een volslagen vreemde over te doen.

Gelukkig is het allemaal goed gekomen. Nu, tientallen jaren later, is het een vermakelijke anekdote tijdens etentjes, maar het is ook een waarschuwing: je wilt liever niet dat het zover komt. Dus gaf ik een kneepje in Felipes hand en zei: '*Quando casar passa*,' een aardige Braziliaanse uitdrukking die zoiets betekent als: 'Het gaat wel over als je trouwt.' Felipes moeder zei dit vroeger altijd tegen hem als hij was gevallen en zijn knie had geschaafd. Het is een kleine, malle, moederlijke vorm van troost. Felipe en ik hadden de uitdrukking de laatste tijd vaak tegen elkaar gebruikt. In ons geval was ze grotendeels nog waar ook: als we dan eindelijk gingen trouwen, zouden een hoop problemen *inderdaad* overgaan.

Hij legde zijn arm om me heen en trok me naar zich toe. Ik ontspande me tegen zijn borst aan. Of zo goed en zo kwaad als ik me kon ontspannen in die schokkende bus.

Hij was toch een goede man.

Althans, hij was *in de grond* een goede man.

Nee, hij was goed. Hij is goed.

'Wat doen we in de tussentijd?' vroeg hij.

Vóór dit gesprek was het mijn instinct geweest om met een flinke vaart van oord naar oord te blijven trekken, in de hoop dat nieuwe vergezichten ons van onze juridische problemen zouden afleiden. Zo'n strategie had voor mij in elk geval altijd goed gewerkt. Een hoog tempo van reizen heeft mij, als een lastige baby die alleen in slaap kan vallen in een rijdende auto, altijd getroost. Ik was er zonder meer van uitgegaan dat dat ook opging voor Felipe, aangezien hij de meest bereisde persoon is die ik ken. Maar hij leek geen plezier te beleven aan ons gezwalk.

Om te beginnen is de man, al vergeet ik dat vaak, wél zeventien jaar ouder dan ik. Je kunt het hem dus niet kwalijk nemen als hij een tikje minder enthousiast was dan ik over het idee om voor onbestemde tijd rond te reizen met een kleine rugzak die maar één stel extra kleren bevatte en in hotelkamers van achttien dollar te slapen. Het eiste duidelijk zijn tol van hem. Daar komt nog bij dat hij de wereld al had gezien. Hij had al gigantische lappen van het ding gezien en in derdeklastreinen door Azië gereisd toen ik nog maar net op de lagere school zat. Waarom dwong ik hem dat weer te doen?

Bovendien hadden de laatste maanden me op een belangrijk karakterverschil tussen ons opmerkzaam gemaakt, dat me nooit eerder was opgevallen. Doorgewinterde reizigers als Felipe en ik zijn, houden we er een totaal andere stijl van reizen op na. De waarheid over Felipe, zoals langzaam tot me door begon te dringen, is dat hij zowel de beste als de allerslechtste reiziger is die ik ooit ben tegengekomen. Hij heeft een hekel aan vreemde badkamers en vieze restaurants en oncomfortabele treinen en buitenlandse bedden – dingen die zo'n beetje de essentie van reizen vormen. Voor de keus gesteld, zal hij altijd gaan voor een leven van routine, vertrouwdheid en geruststellend saaie alledaagse gewoonten. Wat je allemaal het idee zou kunnen geven dat de goede man helemaal niet geschikt is om te reizen. Maar oordeel niet te snel, want dit is namelijk Felipes gave, het geheime wapen waarmee hij iedereen overtreft, zijn superkracht: hij kan *waar dan ook* een vertrouwde omgeving van geruststellend saaie alledaagse gewoonten voor zichzelf creeren, zolang je het hem maar vergunt om voor langere tijd op één plek neer te strijken. Hij kan werkelijk overal op de aarde assimileren, in ongeveer drie dagen tijd, en vervolgens is hij in staat de volgende tien jaar zonder klagen te blijven zitten waar hij zit.

Daarom heeft Felipe over de hele wereld kunnen wonen. Niet alleen reizen, maar ook echt *wonen*. Door de jaren heen heeft hij zich ingenesteld in samenlevingen van Zuid-Amerika tot Europa, van het Midden-Oosten tot de Stille Zuidzee. Hij komt in een nieuw land aan, besluit dat het hem er bevalt, laat er zijn anker vallen, leert de taal en wordt onmiddellijk een plaatselijke bewoner. Zo woonde Felipe nog geen week bij mij in Knoxville of hij had al een favoriet ontbijtcafé, een favoriete barkeeper en een favoriet lunchtentje. ('Schat!' zei hij op een dag geestdriftig, na een solo-uitstapje naar het centrum van Knoxville. 'Wist je dat ze hier een heel lekker en goedkoop visrestaurant hebben dat John Long Slivers heet?') Hij was met alle liefde nog heel lang in Knoxville gebleven, als ik dat had gewild. Hij had geen enkele moeite met het idee om nog jaren in die hotelkamer te wonen – zolang we maar vastigheid hadden.

Dit alles doet me denken aan een verhaal van Felipe over zijn kindertijd in Brazilië. Als klein jochie was hij soms midden in de nacht bang van een ingebeeld monster of omdat hij een nare droom had gehad, en iedere keer hobbelde hij door de kamer en klom in bed bij zijn onovertroffen zus Lily, die tien jaar ouder was dan hij en derhalve de menselijke wijsheid en veiligheid personifieerde. Hij tikte Lily op haar schouder en fluisterde: '*Me da um cantinho*' – 'Geef me een hoekje.' Slaperig, zonder protest, schoof ze op en maakte zo een warm plekje voor hem vrij in bed. Het was niet veel om te vragen: enkel maar een warm hoekje. In alle jaren dat ik die man ken, heb ik hem nooit om veel meer horen vragen.

Ikzelf ben niet zo.

Felipe kan overal ter wereld een hoekje vinden en zich daar voorgoed vestigen, maar ik niet. Ik ben veel rusteloozer dan hij. Mijn rusteloosheid maakt dat ik veel beter lang achtereen kan reizen dan hij ooit zal kunnen. Ik ben eindeloos nieuwsgierig en treed tegenvallers, ongemakken en kleine rampen met bijna eindeloos geduld tegemoet. Dus kan ik overal rondreizen op aarde, dat is het probleem niet. Het probleem is dat ik niet overal op aarde kan wónen. Ik was me daar pas een paar weken eerder in Noord-Laos van bewust geworden, toen Felipe op een stralende ochtend in Luang Prabang wakker werd en zei: 'Laten we hier blijven, schat.'

'Prima,' antwoordde ik. 'We kunnen er best nog wel een paar dagen aan vastknopen hier als je wilt.'

'Nee, ik bedoel, laten we hierheen verhúizen. Dan immigreer ik gewoon niet naar Amerika. Veel te veel gedoe! Dit is een geweldige stad. Ik hou van de sfeer hier. Die doet me denken aan Brazilië dertig jaar geleden. Het zou ons niet veel geld of moeite kosten om hier een hotelletje of een winkel te openen, een appartement te huren, in te burgeren...'

Ik trok bleek weg ten antwoord.

Hij meende het serieus. Hij zou het nog doen ook. Hij zou rustig naar Noord-Laos verhuizen en daar een nieuw leven opbouwen. Maar ik kan dat niet. Wat Felipe voorstelde was reizen op een niveau dat voor mij niet haalbaar was – reizen dat je eigenlijk geen reizen meer kon noemen, maar eerder een bereidheid om je voor onbepaalde tijd door een onbekende plek te laten absorberen. Dat was niets voor mij. Mijn manier van reizen, zoals ik toen voor het eerst begreep, was veel oppervlakkiger dan ik ooit had beseft. Hoe graag ik ook hapjes neem van de wereld, als het tijd wordt om me ergens te settelen – om me *echt* ergens te settelen – wilde ik thuis wonen, in mijn eigen land, in mijn eigen taal, in de buurt van mijn eigen familie en in het gezelschap van mensen die dezelfde denkbeelden en overtuigingen koesteren als ik. Dat vermindert mijn opties tot een kleine regio van planeet Aarde bestaande uit het zuiden van de staat New York, de landelijker streken van Midden-New Jersey en Noordwest-Connecticut en delen van Oost-Pennsylvania. Nogal een beperkt woongebied voor een beestje dat beweert een trekvogel te zijn. Felipe – mijn vliegende vis – daarentegen kent zulke geografische beperkingen niet. Aan een emmertje water waar ook ter wereld heeft hij genoeg.

Dit besef hielp me Felipes recente prikkelbaarheid in een beter perspectief te plaatsen. Hij verdroeg al die problemen – alle onzekerheid en vernederingen van de Amerikaanse immigratiezaak – alleen maar voor mij, doorstond een ingrijpende juridische procedure terwijl hij net zo lief een nieuw en veel makkelijker leven begon in een gehuurd appartementje in Luang Prabang. En in de tussentijd tolereerde hij ook nog eens dat krampachtige gereis van plek naar plek – iets waaraan hij geen enkele vreugde beleeft – omdat hij het gevoel had dat ik dat wilde. Waarom deed ik hem dat aan? Waarom mocht die man van mij niet ergens uitrusten, *waar dan ook*?

Dus veranderde ik het plan.

'Is het geen idee om ergens heen te gaan en daar een paar maanden te blijven tot ze je in Australië oproepen voor je immigratiegesprek?' stelde ik voor. 'Laten we naar Bangkok gaan.'

'Nee,' zei hij. 'Niet naar Bangkok. We worden gek als we in Bangkok gaan wonen.'

'Nee,' zei ik. 'We gaan ons niet in Bangkok véstigen; we gaan alleen maar die kant op omdat het een knooppunt is. Laten we een weekje of zo naar Bangkok gaan, een mooi hotel zoeken, helemaal bijkomen en zien of we van daaruit een goedkoop vliegticket kunnen vinden naar Bali. En als we weer op Bali zitten, kijken we of we een huisje kunnen huren. Dan blijven we op Bali en wachten we tot het hele gedoe voorbij is.'

Ik zag aan Felipes gezicht dat hij het een goed idee vond.

'Zou je dat willen?' vroeg hij.

Opeens had ik nog een ingeving. 'Wacht, laten we kijken of we je oude huisje op Bali terug kunnen krijgen! Misschien kunnen we het huren van de nieuwe eigenaar. En dan blijven we daar, op Bali, tot we je Amerikaanse visum binnen hebben. Hoe klinkt dat?'

Felipe deed er even over voor hij antwoordde, maar ik zweer je, toen hij eindelijk iets zei, dacht ik dat de man in tranen zou uitbarsten van opluchting.

Dat deden we dus. We gingen naar Bangkok. We vonden een hotel met een zwembad en een goedgevulde bar. We belden de nieuwe eigenaar van Felipes oude huisje om te vragen of het beschikbaar was. Wonderbaarlijk genoeg was dat zo, voor het vorstelijke bedrag van vierhonderd dollar per maand, een surrealistische maar prima huur voor een woning die ooit van jou is geweest. We boekten een vlucht naar Bali die een week later vertrok. Felipe was onmiddellijk weer gelukkig. Gelukkig en geduldig en vriendelijk, zoals ik hem altijd had gekend.

Maar ik...?

Er knaagde iets.

Er trok iets aan me. Ik zag dat Felipe aan het relaxen was, daar aan het mooie zwembad met een detective in de ene hand en een biertje in de andere, maar nu was ik de onrustige. Ik zal nooit iemand worden die aan het zwembad van een hotel wil zitten met een koud biertje en een detective. Mijn gedachten bleven naar Cambodja dwalen, *dat zo verleidelijk dichtbij was*, dat net over de grens met Thailand lag... Ik had altijd de tempelruïnes bij Angkor Wat willen bezoeken, maar het was er op mijn voorgaande reizen nooit van gekomen. We hadden een week de tijd en dit zou een ideaal moment zijn om te gaan. Maar ik kon me niet voorstellen dat ik Felipe nu mee zou sleuren naar Cambodja. Sterker nog, ik kon me niets voorstellen waar Felipe minder zin in zou hebben dan op een vliegtuig naar Cambodja stappen om afbrokkelende tempelruïnes te bezoeken in de brandende hitte.

En als ik nu in mijn eentje naar Cambodja ging, gewoon voor een paar dagen? En als ik Felipe nu lekker aan het zwembad liet zitten hier in Bangkok? De afgelopen vijf maanden hadden we bijna elke minuut van de dag in elkaars gezelschap doorgebracht, vaak in moeilijke omstandigheden. Het was een wonder dat onze recente kibbelpartij in de bus het enige serieuze conflict tot nu toe was geweest.

Zou een korte scheiding niet heilzaam zijn voor ons allebei?

De onzekerheid van onze situatie maakte echter dat ik het eng vond hem zelfs voor een paar dagen alleen te laten. Dit was geen tijd om maar wat aan te rotzooien. Wat als er iets met me gebeurde in Cambodja? Wat als er iets met hem gebeurde? Wat als er zich een aardbeving voordeed, of een tsunami, een rel, een vliegtuigcrash, een ernstig geval van voedselvergiftiging, een ontvoering? Wat als Felipe op een dag een wandeling ging maken door Bangkok in mijn afwezigheid en aangereden werd door een auto en zwaar hoofdletsel opliep en ergens in een onbekend ziekenhuis terechtkwam waar niemand wist wie hij was, en wat als ik hem nooit meer zou kunnen vinden? Ons bestaan in de wereld bevond zich momenteel in een kritiek stadium en alles was zo kwetsbaar. We dreven al vijf maanden samen over de aarde, onzeker dobberend in een reddingsbootje. Ons samenzijn was in deze tijd onze enige kracht. Waarom een scheiding riskeren op zo'n hachelijk moment?

Anderzijds was het misschien tijd om het overspannen getwijfel een beetje te minderen. Er was geen reden om aan te nemen dat op den duur niet alles op z'n pootjes terecht zou komen voor Felipe en mij. Natuurlijk zou onze zonderlinge periode van ballingschap op een gegeven moment eindigen; natuurlijk zou Felipe zijn Amerikaanse visum krijgen; natuurlijk zouden we trouwen; natuurlijk zouden we ons ergens nestelen in de Verenigde Staten; natuurlijk zouden we nog vele jaren samen doorbrengen. Met dat als gegeven zou ik nu waarschijnlijk in mijn eentje een korte trip moeten maken, al was het alleen maar om een stevig precedent te scheppen voor de toekomst. Want dit was iets wat ik al over mezelf wist: net zoals sommige vrouwen af en toe hun man achterlaten om een weekendje met hun vriendinnen naar een kuuroord te gaan, zal ik altijd het soort vrouw zijn dat af en toe eventjes haar man achterlaat om Cambodja te bezoeken.

Voor een paar dagen maar!

En misschien kon Felipe het ook wel gebruiken om even bij mij weg te zijn. Nadenkend over hoe we de laatste paar weken steeds geprikkelder op elkaar waren gaan reageren en mijn sterke gevoel dat ik even wat ruimte voor mezelf nodig had, drong het beeld zich aan me op van de tuin van mijn ouders – een uitstekende metafoor voor hoe twee getrouwde mensen zich aan elkaar moeten leren aanpassen en soms domweg uit elkaars vaarwater moeten blijven om een conflict te vermijden.

Mijn moeder was oorspronkelijk de tuinier van het gezin, maar mijn vader heeft door de jaren heen steeds meer interesse opgevat voor het kweken van groente en fruit en is diep haar territorium binnen gedrongen. Maar net zoals Felipe en ik beiden op een andere manier reizen, zo tuinieren mijn vader en moeder anders, en dat heeft vaak strijd veroorzaakt. Om die reden hebben ze in de loop der jaren hun tuin opgedeeld, om enige beschaving in stand te houden daar tussen de groenten. Sterker nog, de tuin is zo ingewikkeld opgedeeld dat je op dit moment in de geschiedenis zowat een VN-macht nodig hebt om de zorgvuldig afgescheiden tuinbouwkundige invloedssferen van mijn ouders te doorgronden. Zo zijn de sla, broccoli, kruiden, bieten en frambozen nog steeds het domein van mijn moeder, omdat mijn vader nog geen manier heeft gevonden haar de zeggenschap over die gewassen te ontnemen. Maar de wortelen, prei en asperges zijn geheel mijn vaders terrein. En wat de bosbessen betreft? Pap verjaagt mam uit zijn bosbessenbed alsof ze een naar voedsel pikkende vogel is. Mijn moeder mag niet in de buurt van de bosbessen komen; ze mag ze niet snoeien, niet oogsten, zelfs geen water geven. Mijn vader heeft het bosbessenbed geclaimd en dat verdedigt hij met hand en tand.

Maar waar de tuin pas echt gecompliceerd wordt is bij de tomaten en mais. Net als de Westoever, net als Taiwan, net als Kashmir, zijn de tomaten en mais betwiste territoria. Mijn moeder plant de tomaten, maar mijn vader bindt de tomaten op, en mijn moeder oogst ze dan weer. Vraag me niet waarom! Dat zijn nou eenmaal de regels van het slagveld. (Of dat waren althans vorige zomer de regels van het slagveld. De tomatensituatie is nog in ontwikkeling.) En dan de mais. Mijn vader plant de mais en mijn moeder oogst de kolven, maar mijn vader wil de mais per se zélf met mulch bedekken als de oogst binnen is.

En zo ploeteren ze voort, samen, maar los van elkaar.

Tuin zonder einde, amen.

De bijzondere wapenstilstand in de tuin van mijn ouders doet me denken aan het boek *Schopenhauer's Porcupines*, dat een vriendin van me, de psychologe Deborah Luepnitz, enige jaren geleden publiceerde. De leidende metafoor van Deborahs boek was een verhaal van de prefreudiaanse filosoof Arthur Schopenhauer over het essentiële dilemma van de moderne menselijke intimiteit. Schopenhauer vond dat mensen in hun liefdesrelaties op stekelvarkens in een koude winternacht lijken. Om niet te bevriezen kruipen de dieren bijeen. Maar zodra ze elkaar dicht genoeg genaderd zijn om de onontbeerlijke warmte te ontvangen, worden ze geprikt door elkaars stekels. Instinctief, om een einde te maken aan de pijn en irritatie van de al te grote nabijheid van de ander, trekken de stekelvarkens zich terug. Maar dan krijgen ze het weer koud. De kou drijft ze opnieuw naar elkaar toe, waarop ze wederom gespietst worden door elkaars stekels. Dus gaan ze weer uiteen. En dan naderen ze elkaar weer. Eindeloos.

'En de cyclus herhaalt zich,' schreef Deborah 'terwijl ze

worstelen om precies de juiste afstand te vinden tussen contact en bevriezen.'

Met de verdeling en onderverdeling van hun gezag over belangrijke zaken als geld en kinderen, maar ook over schijnbaar onbelangrijke zaken als bieten en bosbessen, hebben mijn ouders hun eigen versie gecreëerd van de stekelvarkendans, waarin ze oprukken op elkaars terrein en zich weer terugtrekken, na al die jaren nog steeds onderhandelen, nog steeds aanpassingen aanbrengen, nog steeds de juiste afstand zoeken tussen autonomie en samenwerking – strevend naar een subtiele en moeilijk te vinden balans die maakt dat die vreemde hof van intimiteit blijft groeien. Ze sluiten daarbij veel compromissen, soms ten koste van waardevolle tijd en energie die ze misschien liever, los van elkaar, aan andere dingen hadden besteed, als die ander maar niet in de weg had gestaan. Felipe en ik zullen op ónze wijze moeten tuinieren, en we zullen zeker onze eigen passen van de stekelvarkendans moeten leren rondom het onderwerp reizen.

Toen het tijd werd Felipe mijn idee voor te leggen om een paar dagen zonder hem naar Cambodja te gaan, voelde ik toch een nervositeit die me verbaasde. Een paar dagen lang leek ik maar niet de juiste benadering te kunnen vinden. Ik wilde niet het gevoel hebben dat ik hem toestemming vroeg om te gaan, aangezien dat hem in de rol drong van een leraar of een vader, en dat zou niet eerlijk zijn tegenover mij. Maar evenmin kon ik me voorstellen dat ik tegenover die aardige, attente man zou gaan zitten om hem onomwonden mee te delen dat ik er even in mijn eentje tussenuit ging, of hij dat nu leuk vond of niet. Dan zou ik bewust een tiran zijn, wat duidelijk niet fair was tegenover hem.

Feit was dat ik niet goed meer wist hoe je zoiets aanpakte. Ik was een tijdje alleen geweest voor ik Felipe ontmoette en eraan gewend geraakt mijn eigen agenda in te vullen zonder rekening te hoeven houden met de wensen van een ander. Bovendien hadden tot dat moment in onze liefdesrelatie onze van buitenaf opgelegde reisbeperkingen (evenals ons op twee verschillende continenten geleide leven) er altijd garant voor gestaan dat we meer dan genoeg tijd los van elkaar doorbrachten. Maar met een huwelijk zou alles veranderen. Dan zouden we altijd bij elkaar zijn en dat zou lastige nieuwe grenzen scheppen, want het huwelijk bindt, het temt, dat zit nou eenmaal in zijn aard besloten. Het huwelijk heeft een bonsaiachtige energie: het is een boompje in een pot met bijgesnoeide wortels en takken. Let wel, bonsaibomen kunnen eeuwen in leven blijven, en hun onaardse schoonheid is een rechtstreeks gevolg van dat snoeiwerk, maar niemand zou ooit een bonsai voor een vrij groeiende klimplant aanzien.

De Poolse filosoof en socioloog Zygmunt Bauman heeft prachtige dingen geschreven over dit onderwerp. Hij is van mening dat het hedendaagse stellen is aangepraat om te denken dat ze een dubbelslag kunnen en moeten slaan – dat ze een even grote hoeveelheid intimiteit als zelfstandigheid in hun leven zouden moeten hebben. Volgens Bauman zijn we in onze cultuur tot de valse overtuiging gekomen dat als we ons emotionele leven maar op de juiste wijze inrichten, we in staat zouden moeten zijn de geruststellende stabiliteit van het huwelijk te ervaren zonder ons ooit opgesloten of ingeperkt te voelen. Het toverwoord – het bijna tot fetisj gemaakte woord – is 'balans', en ongeveer iedereen die ik tegenwoordig ken lijkt daar bijna wanhopig naar op zoek te zijn. We proberen allemaal, schrijft Bauman, ons huwelijk te dwingen 'ons kracht te geven zonder macht af te staan, ons te stimuleren zonder ons in te dammen, ons vervulling te geven zonder ons te belasten'.

Maar is dat misschien niet een onrealistisch ideaal? Want

de liefde legt je bijna per definitie grenzen op. Zo groot als je hart aanvoelt wanneer je verliefd wordt, zo groot zijn de beperkingen die noodzakelijkerwijs volgen. Felipe en ik hebben een van de meest ontspannen relaties die er maar bestaan, maar laat je alsjeblieft niet misleiden: ik heb die man volkomen als de mijne geclaimd en heb hem om die reden van de rest van de kudde afgeschermd. Zijn energieën (seksuele, emotionele, creatieve) behoren voor een groot deel aan mij toe, niet aan iemand anders, niet eens meer volledig aan hem. Hij is me dingen verschuldigd als informatie, verklaringen, trouw, stabiliteit en details over de meest alledaagse aspecten van zijn leven. Ik heb die man echt niet aan de ketting gelegd, maar vergis je niet: hij is nu van mij. En ik ben in precies dezelfde mate van hem.

Wat niet betekent dat ik niet in mijn eentje naar Cambodja mag. Maar het betekent wel dat ik mijn plannen met Felipe moet bespreken voor ik vertrek, zoals hij omgekeerd ook met mij zou doen. Als hij zich verzet tegen mijn wens om in mijn eentje te reizen, kan ik met hem in discussie gaan, maar ik ben minimaal verplicht naar zijn tegenwerpingen te luisteren. Als hij krachtig bezwaar maakt kan ik dat even krachtig terzijde schuiven, maar ik moet wel bepalen welke gevechten ik wil aangaan en welke niet, net als hij. Als hij te vaak tegen mijn wensen protesteert, loopt ons huwelijk vast en zeker stuk. Anderzijds, als ik continu eis om mijn leven apart van hem te leiden, loopt ons huwelijk ook vast en zeker stuk. Ze is dus delicaat, die operatie van wederzijdse, stille, bijna fluwelen onderdrukking. Uit respect voor de ander moeten we leren elkaar met de uiterste zorgvuldigheid vrij te laten en in te perken, maar we mogen nooit – nog geen seconde – doen alsof we niet ingeperkt zijn.

Na veel gepieker bracht ik op een ochtend tijdens het

ontbijt in Bangkok eindelijk het onderwerp van Cambodja tegenover Felipe ter sprake. Ik koos mijn woorden belachelijk voorzichtig, waarbij ik me zo cryptisch uitdrukte dat het de arme man duidelijk een poosje totaal ontging waarover ik het had. Nogal vormelijk en met een hele uitweiding vooraf probeerde ik onhandig uit te leggen dat ik, hoewel ik van hem hield en er huiverig voor was hem alleen te laten op dit onzekere moment in ons leven, toch wel heel graag de tempels in Cambodja wilde bezoeken... en misschien, omdat hij oude ruïnes zo saai vindt, moest ik overwegen dit reisje in mijn eentje te maken? En misschien zou het geen kwaad kunnen als we elkaar een paar dagen niet zagen, gezien de spanningen die het reizen de laatste tijd meebracht?

Het duurde even voor de strekking van mijn woorden tot Felipe doordrong, maar toen het kwartje eindelijk viel legde hij zijn toast neer en staarde me met onverholen verbazing aan.

'Mijn god, lieve schat!' zei hij. 'Waarom vraag je me dat? *Ga lekker!*'

Dus ging ik.

En mijn trip naar Cambodja was...

Hoe zal ik het omschrijven?

Cambodja is geen dagje aan het strand. Cambodja is zelfs geen dagje aan het strand als je er toevallig een dagje doorbrengt aan een strand. Cambodja is een hard land. Alles voelde er hard aan. Het landschap is hard, bijna afgestroopt. De geschiedenis is hard, met een onvoorstelbare genocide aan de oppervlakte van het geheugen. De gezichten van de kinderen staan hard. Zelfs de honden zijn op hun manier hard. En de armoede was de hardste die ik ooit ergens heb gezien. Hij was als de armoede op het Indiase platteland, maar zonder de bezieling van India. Hij was als de armoede in de Braziliaanse steden, maar zonder de levendigheid van Brazilië. Dit was enkel maar stoffige en uitgeputte armoede.

Maar bovenal was mijn gids hard.

Nadat ik mijn intrek had genomen in een hotel in Siem Reap, ging ik op zoek naar een gids om me de tempels van Angkor Wat te laten zien en kwam terecht bij een man die Narith heette – een welbespraakt, goedgeïnformeerd en uitermate rigide heerschap van begin veertig, die me beleefd de schitterende ruïnes liet zien, maar die, om het mild te stellen, niet van mijn gezelschap genoot. We werden geen vrienden, Narith en ik, hoewel ik dat wel heel graag had gewild. Ik hou er niet van iemand te ontmoeten en daar geen vrienden mee te worden, maar er zou nooit een vriendschap opbloeien tussen Narith en mij. Deel van het probleem was Nariths buitengewoon intimiderende houding. Iedereen heeft een standaardemotie en die van Narith was stilzwijgende afkeuring, die hij aan één stuk door uitstraalde. Dit bracht me zo uit mijn evenwicht dat ik na twee dagen bijna mijn mond niet meer open durfde te doen. Hij gaf me het gevoel dat ik een dom kind was, niet zo verbazingwekkend, aangezien hij niet alleen gids maar ook onderwijzer was. Ik durf te wedden dat hij angstaanjagend goed is in zijn vak. Hij bekende dat hij soms heimwee had naar de goeie ouwe tijd voor de oorlog, toen de Cambodjaanse gezinnen veel meer intact waren en de kinderen onder de duim werden gehouden met een regelmatig pak slaag.

Maar het was niet alleen Nariths strengheid die ons ervan weerhield een warme band te ontwikkelen; het lag ook aan mij. Ik wist gewoon niet hoe ik met die man moest praten.

Ik was me er scherp van bewust dat ik me in het gezelschap bevond van iemand die was opgegroeid tijdens een van de bruutste uitspattingen van geweld die de wereld ooit heeft gekend. Geen Cambodjaanse familie bleef de genocide van de jaren zeventig bespaard. Wie in Cambodja tijdens het bewind van Pol Pot niet werd gemarteld of geëxecuteerd, had wel te kampen met honger en ellende. Je mag er dus van uitgaan dat iedere Cambodjaan die nu veertig is een hel van een jeugd heeft doorgemaakt. Met dat in mijn achterhoofd vond ik het moeilijk om over koetjes en kalfjes te praten met Narith. Ik kon geen onderwerpen bedenken die niet beladen waren met potentiële verwijzingen naar het nog niet zo heel verre verleden. Door Cambodja reizen met een Cambodjaan, besloot ik, moet zijn als het bezoeken van een huis waarin kort daarvoor een heel gezin op weerzinwekkende wijze is uitgemoord, waarbij je wordt rondgeleid door het enige familielid dat aan de dood wist te ontsnappen. Dan wil je toch wel heel graag vragen vermijden als: 'En is dit nou de slaapkamer waar je broer je zusjes om het leven heeft gebracht?' Of: 'Is dit de garage waar je vader je neven heeft gemarteld?' In plaats daarvan loop je beleefd achter je gids aan en als hij zegt: 'Dit is een bijzonder mooi element van het huis,' knik je alleen maar en mompel je: 'Ja, de pergola is inderdaad schitterend...'

En je vraagt je dingen af.

Ondertussen, terwijl Narith en ik de ruïnes bezochten en ieder gesprek over de moderne geschiedenis vermeden, struikelden we overal over de groepjes verwaarloosde kinderen, over hele in lompen gehulde bendes ervan, die aan het bedelen waren. Sommigen misten ledematen. De kinderen zonder ledematen zaten op een hoek van een oud bouwsel, wezen naar hun geamputeerde benen en riepen: 'Landmijn! Landmijn! Landmijn!' Als we hen passeerden volgden de minder gehandicapte kinderen ons en probeerden me ansichtkaarten, armbanden en prulletjes te verkopen. Sommigen waren opdringerig, maar anderen kozen voor een subtielere benadering. 'Uit welke staat van Amerika komt u?' wilde een jongetje weten. 'Als ik u de hoofdstad vertel, mag u me een dollar geven!' Het bewuste jochie volgde me gedurende grote delen van de dag, terwijl hij de namen van de Amerikaanse staten en hoofdsteden uitspuwde als een vreemd, schril gedicht: 'Illinois, mevrouw! Springfield! New York, mevrouw! Albany!' Naarmate de dag vorderde klonk hij steeds vertwijfelder: 'Californië, mevrouw! SACRAMENTO! Texas, mevrouw! AUSTIN!'

Verstikt door verdriet deelde ik geld uit onder de kinderen, maar Narith gaf me alleen maar op mijn kop voor mijn aalmoezen. Ik moest die kinderen negeren, preekte hij. Ik maakte het alleen maar erger door geld te geven, waarschuwde hij. Ik moedigde een bedelcultuur aan, die het einde van Cambodja zou betekenen. Er waren hoe dan ook te veel van die wilde kinderen om te helpen, en mijn liefdadigheid zou er alleen maar nog meer aantrekken. En inderdaad kwamen er meer kinderen toegestroomd zodra ze me briefjes en munten tevoorschijn zagen halen, en toen mijn Cambodjaanse geld op was bleven ze om me heen hangen. Ik voelde me vergiftigd door de herhaling van het woord 'NEE' dat keer op keer uit mijn mond kwam: een afschuwelijke bezwering. De kinderen werden steeds opdringeriger tot Narith er genoeg van had en ze met een geblaft bevel uiteenjoeg, waarna ze zich weer tussen de ruïnes verspreidden.

Op een middag, toen we terugwandelden naar onze auto na een bezoek aan een dertiende-eeuws paleis, stelde ik, in een poging ons gesprek op een ander onderwerp dan de bedelende kinderen te brengen, een vraag over het nabijgelegen bos, nieuwsgierig naar de geschiedenis ervan. Narith gaf daarop het ogenschijnlijk niet ter zake doende antwoord: 'Toen mijn vader door de Rode Khmer werd vermoord, namen de soldaten ons huis in als trofee.'

Ik wist hier niets op te zeggen, dus liepen we zwijgend verder.

Na een poosje voegde hij eraan toe: 'Mijn moeder werd het bos in gestuurd met ons, met al haar kinderen, waar ze ons in leven moest zien te houden.'

Ik wachtte op de rest van het verhaal, maar er was geen rest van het verhaal, of althans niets wat hij nog aan me kwijt wilde.

'Wat erg,' zei ik ten slotte. 'Dat moet verschrikkelijk zijn geweest.'

Narith wierp me een donkere blik toe van... wat? Medelijden? Minachting? Toen trok hij zijn gezicht weer in de plooi. 'Laten we verdergaan met de rondleiding,' zei hij, en hij wees naar een stinkend moeras aan onze linkerzijde. 'Dit was ooit een reflectievijver. Hij werd in de twaalfde eeuw door koning Jayavarman VII gebruikt om het spiegelbeeld van de sterren bij nacht te bestuderen...'

Omdat ik iets aan dit gehavende land wilde geven probeerde ik de volgende ochtend bloed te doneren bij het plaatselijke ziekenhuis. Ik had over de hele stad plakkaten zien hangen met de mededeling dat er een tekort aan bloed was en het verzoek aan toeristen om hulp te bieden, maar zelfs deze onderneming wist ik niet tot een goed einde te brengen. De dienstdoende, strenge Zwitserse verpleegster wierp één blik op mijn ijzergehalte en weigerde mijn bloed. Ze wilde niet eens een halve zak hebben.

'U bent veel te zwak!' zei ze beschuldigend. 'U hebt duidelijk niet goed op uzelf gepast! U moet helemaal niet zo rondreizen! U hoort thuis te zitten en uit te rusten!'

Die avond – mijn laatste avond in Cambodja – dwaalde ik door de straten van Siem Reap en probeerde me over te geven aan de stad. Maar het voelde niet veilig om hier alleen te zijn. Meestal daalt er een bijzonder gevoel van harmonie en rust op me neer als ik in mijn eentje door een nieuw landschap trek (sterker nog, ik was naar Cambodja gegaan om die sensatie opnieuw te beleven), maar op deze trip werd het me niet vergund. Ik had eerder het gevoel dat ik in de weg liep, een irritatiefactor was, een idioot of zelfs een doelwit. Ik voelde me pathetisch en slap. Toen ik na mijn avondmaal terugwandelde naar het hotel werd ik omringd door een kleine zwerm bedelende kinderen. Eén jongetje miste een voet en terwijl hij kranig naast me voorthinkte, stak hij zijn kruk uit om me te laten struikelen. Ik verloor mijn evenwicht en flapperde potsierlijk met mijn armen, maar wist nog net overeind te blijven.

'Geld,' zei de jongen op vlakke toon. 'Geld.'

Ik probeerde om hem heen te lopen. Weer stak hij behendig zijn kruk uit en ik moest min of meer springen om hem te ontwijken, wat iets afschuwelijks en absurds had. De kinderen moesten lachen en vervolgens kwamen er nog meer kinderen bij; het was nu een echt spektakel geworden. Ik versnelde mijn tempo. De kinderen liepen achter me, naast me, voor me uit. Sommigen lachten en versperden me de weg, maar één klein meisje bleef maar aan mijn mouw trekken en roepen: 'Eten! Eten! Eten!' Tegen de tijd dat ik bijna bij het hotel was, had ik het op een hollen gezet. Het was beschamend.

Van de sereniteit die ik de laatste paar chaotische maanden trots en koppig had weten te bewaren, bleef in Cambodja niets heel. Al mijn ervarenreizigerskalmte spatte uiteen – klaarblijkelijk samen met mijn geduld en mededogen voor de medemens – toen ik, in paniek en met gierende adrenaline, op topsnelheid wegrende voor kleine hongerige kinderen die om voedsel bedelden. Bij mijn hotel aangekomen dook ik mijn kamer in, deed de deur achter me op slot, drukte een handdoek tegen mijn gezicht en zat de rest van de avond als een laf hondje te trillen.

⁂

Dat was dus mijn grote trip naar Cambodja.

Eén manier om dit verhaal te lezen is uiteraard dat ik er misschien wel nooit heen had moeten gaan, of in elk geval niet in die tijd. Misschien was mijn reisje een veel te eigenzinnige of zelfs roekeloze onderneming geweest, aangezien ik al doodop was van onze maanden van reizen en aangezien de onzekere omstandigheden waarin Felipe en ik verkeerden al voor zo veel spanning zorgden. Misschien was dit niet het moment geweest om mijn onafhankelijkheid te bewijzen, of precedenten te scheppen voor toekomstige vrijheden, of de grenzen van onze intimiteit uit te testen. Misschien had ik de hele tijd gewoon met Felipe in Bangkok aan het zwembad moeten blijven zitten, bier drinkend en relaxend en wachtend op onze volgende gezamenlijke stap.

Behalve dat ik geen bier lust en niet zou hebben gerelaxt. Als ik mijn impulsen in bedwang had gehouden en die week in Bangkok was gebleven, bier drinkend en toekijkend hoe we elkaar op de zenuwen gingen werken, had ik mogelijk iets belangrijks in me begraven, iets wat uiteindelijk had kunnen gaan stinken, net als de vijver van koning Jayavarman, en giftige tentakels voor de toekomst ontwikkelen. Ik ging naar Cambodja omdat ik dat moest. Het kan een onaangename en mislukte ervaring zijn geweest, maar dat betekent nog niet dat ik niet had moeten gaan. Soms is het leven onaangenaam en mislukken er dingen. We doen ons best. We weten niet altijd wat de juiste stap is.

Wat ik wel weet, is dat ik de dag na mijn confrontatie met de bedelende kinderen naar Bangkok terugvloog en me herenigde met een kalme en ontspannen Felipe, die onze korte scheiding duidelijk goed had gedaan. Om iets te doen te hebben tijdens mijn afwezigheid had hij de dagen tevreden doorgebracht met het leren maken van ballondieren. Bij mijn terugkeer kreeg ik een giraf, een teckel en een ratelslang cadeau. Hij was buitengewoon trots op zichzelf. Ik voelde me daarentegen nogal beroerd en was helemaal niet trots op mijn gedrag in Cambodja. Maar ik was ontzettend blij hem te zien. En ik was ontzettend dankbaar dat hij me aanmoedigde dingen te ondernemen die niet altijd helemaal veilig zijn en die niet altijd helemaal verklaarbaar zijn en die niet altijd zo goed uitpakken als ik gedroomd had. Ik kan niet in woorden uitdrukken hoe dankbaar ik daarvoor ben, want eerlijk gezegd ben ik ervan overtuigd dat ik zoiets weer ga doen.

Dus prees ik Felipe om zijn prachtige ballonmenagerie en hij luisterde aandachtig naar mijn trieste verhalen over Cambodja, en toen we allebei door en door moe waren, stapten we samen in bed en sjorden onze reddingsboot nogmaals vast en gingen door met ons verhaal.

HOOFDSTUK ZEVEN

Huwelijk en subversie

Van alles in je leven is je huwelijk iets
wat anderen het minst aangaat;
en toch is het van alles in je leven
datgene waar anderen zich het meest mee bemoeien.
JOHN SELDON, 1689

Eind oktober waren we terug op Bali en hadden we onze intrek weer genomen in Felipes oude huisje tussen de rijstvelden. Daar wilden we de rest van het immigratieproces rustig uitzitten, uit de wind, zonder verder nog stress of conflicten te veroorzaken. Het voelde goed om op een meer vertrouwde plek te zijn, goed om te stoppen met reizen. Dit was het huis waarin we bijna drie jaar eerder verliefd op elkaar waren geworden. Dit was het huis dat Felipe nog maar een jaar eerder had opgegeven om 'permanent' bij me te komen wonen in Philadelphia. Dit huis kwam het dichtst bij het echte thuis dat momenteel in ons bereik lag, en lieve help, wat waren we er blij mee.

Ik zag Felipe smelten van opluchting terwijl hij door zijn oude huis dwaalde en bijna met hondachtig plezier aan ieder vertrouwd voorwerp voelde en rook. Alles was nog precies zoals hij het had achtergelaten. Er was het open terras boven met de rotan bank waar Felipe me, zoals hij het graag uitdrukt, had *verleid*. Er was het comfortabele bed waarin we voor het eerst de liefde hadden bedreven. Er was de petieterige keuken, gevuld met borden en schalen die ik vlak na onze kennismaking voor Felipe had gekocht, omdat zijn vrijgezellenuitrusting me deprimeerde. Er was het sobere bureau in de hoek waar ik aan mijn laatste boek had gewerkt. Er was Raja, de lieve oude rossige hond van de buren (door Felipe altijd 'Roger' genoemd), die vrolijk in het rond mankte en naar zijn eigen schaduw gromde. Er waren de eenden die door het rijstveld waggelden en onderling snaterden over een of ander recent pluimveeschandaal.

Er was zelfs een koffiepot.

En van het ene op het andere moment was Felipe weer zichzelf: vriendelijk en attent. Hij had zijn eigen hoekje en zijn vaste gewoonten. Ik had mijn boeken. We hadden samen een vertrouwd bed. We gaven ons zo ontspannen mogelijk over aan een periode van wachten tot het ministerie van Binnenlandse Veiligheid over Felipes lot zou beslissen. Gedurende twee maanden stonden we in een bijna verdoofde ruststand – een beetje zoals de mediterende kikkers van onze vriend Keo. Ik las; Felipe kookte; soms maakten we een wandelingetje door het dorp en gingen op bezoek bij oude vrienden. Maar wat ik me het best herinner van die tijd op Bali waren de nachten.

Er is één ding dat je niet per se zou verwachten op Bali en dat is het lawaai. Ik heb ooit in een appartement op Manhattan gewoond, met uitzicht op 14th Street, en daar was het lang niet zo lawaaiig als in dit Balinese plattelandsdorp. Er waren nachten op Bali waarin we allebei tegelijk gewekt werden door het geluid van vechtende honden, of ruziënde hanen, of een enthousiaste ceremoniële optocht. Andere keren werden we uit onze slaap gehaald door het weer, dat uitermate theatraal kon zijn. We sliepen altijd met de ramen open, en soms stak 's nachts de wind zo hard op dat we ontwaakten omdat we in onze klamboe gedraaid lagen als zeewier dat in de netten van een vissersboot verstrikt zit. Dan bevrijdden we elkaar en lagen in de warme duisternis te praten.

Een van mijn favoriete literaire passages is uit *Onzichtbare steden* van Italo Calvino. Calvino beschrijft daarin de denkbeeldige stad Eufemia, waar kooplieden uit alle landen bij iedere zonnewende en dag-en-nachtevening samenkomen om goederen te ruilen. Maar het gaat die kooplieden niet alleen om het uitwisselen van specerijen of juwelen of vee of stoffen. Ze komen vooral naar de stad om *verhalen* met elkaar te ruilen, om persoonlijke intimiteiten letterlijk aan elkaar over te doen. Hoe dat in zijn werk gaat, schrijft Calvino, is dat ze 's avonds rond het kampvuur zitten in de woestijn en ieder een woord inbrengt, zoals 'zuster' of 'wolf' of 'begraven schat'. Vervolgens vertellen andere mannen om beurten hun persoonlijke verhaal over zusters of wolven of begraven schatten. In de maanden daarna, lang nadat de kooplieden uit Eufemia zijn vertrokken, als ze in hun eentje op hun kamelen door de woestijn trekken of overzee de lange route naar China afleggen, zou iedereen zijn verveling bestrijden door zijn oude herinneringen op te delven. En dan zouden de mannen erachter komen dat ze hun herinneringen ook echt hadden geruild – dat, zoals Calvino schrijft, 'hun zuster was geruild voor andermans zuster, hun wolf voor andermans wolf'.

Dat doet in de loop van de jaren intimiteit met ons mensen. Een lang huwelijk kan het doen: je erft er elkaars verhalen door en ruilt ze. Dat is, ten dele, hoe je een aanhangsel van elkaar wordt, een latwerk waaraan de biografie van de ander kan groeien. Felipes geschiedenis wordt een deel van mijn herinnering; mijn leven wordt verweven in het materiaal van het zijne. Denkend aan die imaginaire, verhalen ruilende stad Eufemia, en aan de narratieve naaisteekjes waaruit de menselijke intimiteit bestaat, gaf ik Felipe soms – om drie uur tijdens een slapeloze nacht op Bali – een bepaald woord om te kijken wat voor herinneringen ik aan hem kon ontlokken. Met dat woord als uitgangspunt lag Felipe naast me in het donker en vertelde me zijn verspreide verhalen over zussen, over begraven schatten, over wolven, maar ook over stranden, vogels, voeten, prinsen, wedstrijden...

Ik weet nog dat ik op een broeierige nacht wakker schrok van een motor die zonder knaldemper langs ons raam scheurde, en merkte dat Felipe ook wakker was. Andermaal koos ik een willekeurig woord.

'Wil je me alsjeblieft een verhaal over vissen vertellen?' verzocht ik hem.

Felipe dacht lang na.

Toen haalde hij in die maanverlichte kamer op zijn gemak de herinnering op aan hoe hij toen hij nog maar een klein jochie was af en toe met zijn vader ging vissen. Ze vertrokken samen naar een rivier in de wildernis, de man en het kind, en kampeerden daar dagenlang – altijd op blote voeten en zonder shirt aan – en leefden van wat ze vingen. Felipe was niet zo slim als zijn oudere broer Gildo (daar was iedereen het over eens), en niet zo charmant als zijn grote zus Lily (daar was ook iedereen het over eens), maar hij stond in de familie bekend als het beste hulpje en dus was hij de enige die altijd met zijn vader mee mocht op die vistochtjes, ook al was hij nog maar klein.

Felipes belangrijkste taak tijdens die expedities was zijn vader te helpen de netten over de rivier te spannen. Strategie was het toverwoord. Overdag zei zijn vader weinig tegen hem (hij had al zijn concentratie nodig voor het vissen), maar elke avond bij het kampvuur zette hij – mannen onder elkaar – zijn gedachten uiteen over de plaats waar ze de volgende dag zouden gaan vissen. Felipes vader vroeg zijn zesjarige zoontje: 'Heb je die boom gezien, ongeveer een kilometer stroomopwaarts, die half onder water staat? Zullen we het daar morgen eens gaan verkennen?' Felipe zat dan nauwlettend en ernstig te luisteren bij het kampvuur, dacht als een echte man na over het voorstel en knikte instemmend.

Felipes vader was geen ambitieuze man, geen geleerde, geen grote ondernemer. Eerlijk gezegd was hij allesbehalve ondernemend. Maar hij was een onverschrokken zwemmer. Met zijn grote jachtmes tussen zijn tanden zwom hij die brede rivieren over en controleerde zijn netten en fuiken, terwijl zijn zoontje in zijn eentje op de oever stond te wachten. Felipe vond het zowel spannend als eng om toe te kijken hoe zijn vader zich tot op zijn onderbroek uitkleedde, in dat mes hapte en zich door de snelle stroom heen vocht; en hij wist dat hij als zijn vader werd meegesleurd, alleen in de rimboe zou achterblijven.

Maar zijn vader werd niet meegesleurd. Daar was hij te sterk voor. In de nachtelijke hitte van onze slaapkamer op Bali, onder ons klamme, opbollende muskietennet, liet Felipe me zien wat een krachtige zwemmer zijn vader was geweest. Op zijn rug in de vochtige nachtlucht imiteerde hij languit zijn vaders mooie slag, zijn armen vaag en spookachtig. Na al die vervlogen jaren kon Felipe nog steeds het exacte *geluid* van zijn vaders armen reproduceren als ze de snelle donkere wateren doorkliefden: '*Swoesja, swoesja, swoesja...*'

En nu zwom die herinnering – dat geluid – ook door mij heen. Het leek wel alsof ik het me zelf voor de geest kon halen, ook al heb ik Felipes vader, die al een tijd dood is, nooit ontmoet. Sterker nog, er zijn op deze wereld waarschijnlijk maar een stuk of vier mensen over die zich Felipes vader kunnen herinneren, en van hen wist er slechts één – tot het moment waarop Felipe het verhaal aan mij vertelde – nog precies hoe de man eruit had gezien en hoe hij had geklonken halverwege de vorige eeuw, toen hij de brede Braziliaanse rivieren overzwom. Maar nu was het alsof ook ik het me kon herinneren, op een vreemde, persoonlijke manier.

Dát is intimiteit: het uitwisselen van verhalen in het donker.

Die handeling – het zachtjes met elkaar praten in de nacht – vertolkt voor mij de bijzondere alchemie van saamhorigheid. Want toen Felipe zijn vaders zwemslag beschreef, nam ik dat waterige beeld en naaide het zorgvuldig in de zoom van mijn eigen leven, en nu draag ik het altijd mee. Zolang ik leef, en zelfs als Felipe er allang niet meer is, is zijn jeugdherinnering, zijn vader, zijn rivier, zijn Brazilië, allemaal deel van mij geworden.

Na een paar weken op Bali kregen we eindelijk te horen dat er een doorbraak was in de immigratiezaak.

Volgens onze advocaat in Philadelphia had de FBI mijn antecedenten nagetrokken. Ik had de test doorstaan. Ik werd nu als veilig genoeg beschouwd om een buitenlander met me te laten trouwen, wat betekende dat het ministerie van Binnenlandse Veiligheid eindelijk Felipes immigratieaanvraag kon verwerken. Als alles goed ging – als ze hem dat ongrijpbare, gouden toegangsbewijs van een verloofdevisum gunden – zou hij misschien al binnen drie maanden naar Amerika mogen terugkeren. Het einde was in zicht. Ons huwelijk was nu aanstaande. In de immigratiepapieren, aangenomen dat Felipe ze kreeg, zou duidelijk worden omschreven dat het deze man toegestaan was Amerika weer te betreden... maar slechts voor precies dertig dagen, en dat hij binnen die periode diende te trouwen met een burger genaamd Elizabeth Gilbert en ook *alleen* met een burger genaamd Elizabeth Gilbert, en dat hij anders definitief zou worden uitgewezen. De regering zou nog net geen dubbelloops jachtgeweer meeleveren met de documenten, maar die sfeer had het wel.

Toen het nieuws langzaam doorsijpelde naar onze familie en vrienden overal ter wereld, kwamen er vragen over het soort trouwplechtigheid dat we in gedachten hadden. Wanneer was het huwelijk? Waar werd het voltrokken? Wie werden er uitgenodigd? Ik ontweek ieders vragen. Om je de waarheid te zeggen had ik geen speciale plannen voor die dag, en dat kwam omdat ik het hele idee van een huwelijk met genodigden domweg enorm beklemmend vond.

Tijdens mijn research was ik op een brief van Anton Tsjechov gestuit die hij op 26 april 1901 stuurde aan zijn verloofde, Olga Knipper – een brief die de volmaakte uitdrukking was van al mijn angsten. Tsjechov schreef: 'Als je me je woord geeft dat geen mens in Moskou van ons huwelijk zal weten tot het voltrokken is, ben ik bereid nog op de dag van mijn aankomst met je te trouwen. Om de een of andere reden koester ik een gruwelijke angst voor de huwelijksplechtigheid en de felicitaties en het glas champagne dat je met een vage glimlach in je hand moet houden. Ik wou dat we rechtstreeks van de kerk naar Zvenigorod konden gaan. Of misschien kunnen we trouwen in Zvenigorod. Denk na, lieveling! Ze zeggen dat je slim bent.'

Ja! Denk na!

Ook ik wilde alle heisa overslaan en rechtstreeks naar Zvenigorod gaan, en ik had zelfs nog nooit van Zvenigorod gehóórd! Ik wilde alleen maar zo stilletjes mogelijk trouwen, misschien zelfs zonder het iemand te vertellen. Waren er niet volop ambtenaren en burgemeesters die zo'n klus pijnloos konden klaren? Toen ik die gedachten in een e-mail toevertrouwde aan mijn zus Catherine, antwoordde ze: 'Zo klinkt het alsof het huwelijk een darmonderzoek is.' Maar ik kan ervan getuigen dat na maandenlange indringende vragen van het ministerie van Binnenlandse Veiligheid ons naderende huwelijk ook precies als een darmonderzoek was gaan aanvoelen.

Toch bleken er enige mensen in ons leven te zijn die vonden dat deze gebeurtenis naar behoren moest worden gevierd, onder wie niet in de laatste plaats mijn zus. Ze stuurde me vriendelijke maar regelmatige e-mails over de mogelijkheid om na onze terugkeer bij haar thuis in Philadelphia ons huwelijksfeest te geven. Het hoefde helemaal geen groots gebeuren te zijn, beloofde ze, maar toch...

Mijn handen werden klam bij de gedachte alleen al. Ik mailde terug dat het echt niet hoefde, dat Felipe en ik daar niet zo voor in waren. In haar volgende bericht schreef Catherine: 'En als ik nou toevallig een groot verjaardagsfeest voor mezelf gaf en jij en Felipe toevallig kwamen? Zou ik dan ten minste een dronk mogen uitbrengen op jullie huwelijk?'

Ook daar paste ik voor.

Ze probeerde het nog een keer: 'En als ik nou toevallig een groot feest gaf terwijl jullie bij mij waren, maar Felipe en jij niet eens *beneden* zouden hoeven komen? Jullie zouden je boven kunnen verschansen met de lichten uit. En als ik op jullie huwelijk proostte, zou ik eventjes achteloos met mijn champagneglas in de algemene richting van de zolderdeur wijzen. Of is zelfs dat nog te bedreigend?'

Vreemd en onverdedigbaar en pervers genoeg: *ja*.

Toen ik een verklaring probeerde te vinden voor mijn weerstand tegen een huwelijksplechtigheid met genodigden, moest ik toegeven dat een deel van het probleem zuiver onbehaaglijkheid was. Het is best gênant om voor je familie en vrienden te staan (van wie velen ook aanwezig waren bij je eerste huwelijk) en opnieuw een plechtige belofte voor het leven af te leggen. Hadden ze die film niet al eens gezien? Te veel van dat soort geintjes begint toch wel afbreuk te doen aan je geloofwaardigheid. En ook Felipe had al eens een levenslange belofte afgelegd, om na zeventien jaar zijn huwelijk te beëindigen. Wat een stel waren we! Om met Oscar Wilde te spreken: één echtscheiding mag nog als een ongelukje worden beschouwd, maar twee riekt naar slordigheid.

Bovendien ben ik nooit vergeten wat Miss Manners in haar etiquettecolumn over dit onderwerp zegt. Hoewel ze de mening is toegedaan dat iedereen zo vaak moet trouwen als hij wil, vindt ze wel dat je maar eens in je leven recht hebt op een grote trouwerij met alle toeters en bellen. (Dat klinkt misschien wel heel protestants en repressief, maar vreemd genoeg denken de Hmong er net zo over. Toen ik de grootmoeder in Vietnam naar de traditionele Hmongprocedure voor een tweede huwelijk vroeg, had ze geantwoord: 'Een tweede huwelijk is precies hetzelfde als een eerste, alleen met minder varkens.')

Voorts plaatst een tweede of derde grote trouwerij familieleden en vrienden voor het lastige dilemma of ze de bruid weer helemaal opnieuw met geschenken en aandacht moeten overladen. Dat is blijkbaar niet de bedoeling. Zoals Miss Manners nuchter uitlegde aan een lezeres is de correcte manier om een seriebruid te feliciteren de cadeaus en galafeesten te laten voor wat ze zijn en de dame in kwestie slechts een briefje te schrijven waarin je te kennen geeft hoe blij je voor haar bent, haar veel geluk wenst en het gebruik van de woorden 'dit keer' zorgvuldig vermijdt.

Mijn god, wat bezorgden die twee beschuldigende woordjes – *dit keer* – me de rillingen. Toch was het waar. De herinnering aan *de laatste keer* was al te nabij, al te pijnlijk. Evenmin beviel het idee me dat de gasten op het tweede huwelijk van een bruid met even grote waarschijnlijkheid aan haar eerste als aan haar nieuwe echtgenoot zullen denken, en dat ook de bruid zich die dag ongetwijfeld haar ex-man zal herinneren. Vorige levensgezellen, zo heb ik ontdekt, gaan nooit echt weg, ook niet als je niet meer met ze omgaat. Het zijn fantomen die zich in de hoeken van onze nieuwe liefdesrelaties ophouden, nooit helemaal uit het zicht verdwijnen, te pas en te onpas in onze geest materialiseren, om ongevraagd commentaar of pijnlijk terechte kritiek te leveren. 'We kennen je beter dan jij jezelf kent', is waar de schimmen van onze ex-partners ons graag op wijzen, en wat ze over ons weten is helaas vaak weinig verheffend.

'Er liggen vier mensen in het bed van een gescheiden man die met een gescheiden vrouw trouwt,' staat in een vierde-eeuws talmoedisch geschrift – en het is waar, soms spoken onze voormalige partners inderdaad rond in ons bed. Ik droom bijvoorbeeld nog steeds van mijn ex-man, en dat komt veel vaker voor dan ik me had kunnen voorstellen toen ik bij hem wegging. Meestal zijn die dromen beklemmend en verwarrend. Een enkele keer zijn ze warm en verzoenend. Het doet er ook verder niet echt toe; ik kan die dromen niet sturen of tegenhouden. Mijn ex duikt in mijn onderbewuste op wanneer het hem uitkomt, stapt zonder kloppen naar binnen. Hij heeft nog steeds de sleutels van het huis. Ook Felipe droomt nog van zijn ex-vrouw. Ikzelf droom verdorie van Felipes ex. Ik droom zelfs af en toe van de nieuwe vrouw van mijn ex, die ik nooit heb ontmoet, van wie ik ook nooit een foto heb gezien, en toch verschijnt ze soms in mijn dromen en voeren we daar gesprekken met elkaar. (Sterker nog, we houden topoverleg.) En het zou me niet verbazen als ergens op deze wereld de tweede vrouw van mijn ex zo nu en dan van mij droomt – in haar onderbewustzijn de vreemde ribbels en plooien van onze relatie probeert te doorgronden.

Mijn vriendin Ann – twintig jaar geleden gescheiden en sindsdien gelukkig getrouwd met een fantastische, oudere man – verzekert me dat dit allemaal zal slijten. Ze zweert dat de geesten zich langzaam zullen terugtrekken, dat er een tijd komt waarin ik nooit meer aan mijn ex-man denk. Ik weet dat zo net nog niet. Ik zie dat niet echt voor me. Ik kan me voorstellen dat het mínder wordt, maar niet dat het ooit helemaal weggaat, vooral niet omdat mijn eerste huwelijk zo rommelig eindigde, met heel veel onbeantwoorde vragen. Mijn ex en ik zijn het nooit eens geworden over wat er was misgegaan met onze relatie. Het was choquerend, ons totale gebrek aan overeenstemming. Zo'n compleet ander wereldbeeld geeft waarschijnlijk ook al aan dat we niet eens aan een huwelijk hadden moeten beginnen; wij waren de enige ooggetuigen van de dood van onze echtverbintenis en lieten die ieder met een geheel ander beeld van wat er gebeurd was achter ons. Vandaar misschien dat vage gevoel dat ik achtervolgd word. We leiden nu dus aparte levens, mijn ex-man en ik, en toch duikt hij nog in mijn dromen op in de vorm van een avatar die vanuit duizend gezichtshoeken een eeuwige agenda van onafgedane zaken onderzoekt, overpeinst, heroverweegt. Het is pijnlijk. Het is griezelig. Het is spookachtig en ik wilde dat spook niet met een grote, drukke plechtigheid of viering wakker maken.

Nog een reden waarom Felipe en ik zo veel weerstand voelden tegen het uitwisselen van een officiële belofte, was mogelijk dat we dat volgens ons al eens hadden gedaan. We hadden al een belofte afgelegd bij een zelfverzonnen plechtigheid. Dat was in april 2005 in Knoxville geweest, toen Felipe bij me kwam wonen in dat rare vervallen hotel aan het plein. We waren op een dag de stad in gegaan en hadden eenvoudige gouden ringen gekocht. Daarna hadden we onze wederzijdse belofte opgeschreven en die hardop voorgelezen. We hadden de ring om elkaars vinger gedaan, onze verbintenis bezegeld met een kus en een paar traantjes, en dat was dat. We hadden allebei het gevoel gehad dat dat genoeg was. Op alle manieren die ertoe deden vonden we dus dat we al getrouwd waren.

Niemand was erbij geweest behalve wij tweeën (en – zo hoop je – God). En het mag duidelijk zijn dat niemand die belofte van ons eerbiedigde (behalve wij tweeën en alweer – zo hoop je – God). Stel je maar eens voor hoe bijvoorbeeld de beambten van het ministerie van Binnenlandse Veiligheid op het Dallas/Fort Worth Airport zouden hebben gereageerd als ik ze ervan had proberen te overtuigen dat Felipe en ik dankzij een privéceremonie in een hotelkamer in Knoxville zo goed als wettig getrouwd waren.

Eerlijk gezegd leken veel mensen – zelfs mensen die van ons hielden – het bijzonder irritant te vinden dat Felipe en ik trouwringen droegen zonder dat er een officiële, wettige huwelijksvoltrekking had plaatsgevonden. De consensus luidde dat wat we deden op zijn best verwarrend en op zijn ergst pathetisch was. 'Nee!' stelde mijn oude vriend Brian uit North Carolina vast in een e-mail toen ik hem vertelde dat Felipe en ik onlangs een privébelofte hadden uitgewisseld. 'Nee, zo kun je het gewoon niet doen!' voer hij uit. 'Dat is níet genoeg! Je móet een echte trouwerij hebben!'

Brian en ik kibbelden weken over het onderwerp en ik was verbaasd over zijn onbuigzame houding. Ik dacht dat uitgerekend hij wel zou begrijpen waarom Felipe en ik niet in het openbaar of voor de wet hoefden te trouwen, alleen maar omdat anderen vonden dat het zo hoorde. Brian is een van de gelukkigst getrouwde mannen die ik ken (hij draagt zijn vrouw Linda op handen), maar hij is waarschijnlijk ook mijn meest non-conformistische vriend. Hij negeert vrolijk iedere maatschappelijk aanvaarde norm. Hij is een soort heiden met een doctorstitel die in een blokhut in het bos woont met een composttoilet; dit was nou niet bepaald Miss Manners. Maar Brian was niet van zijn standpunt af te brengen dat een alleen voor God uitgesproken privébelofte niet als een huwelijk telt.

'*HET HUWELIJK IS GEEN GEBED!*' schreef hij (cursief en hoofdletters zijn van hem). 'Daarom móet je het in het bijzijn van anderen sluiten, ook in het bijzijn van je tante die naar kattenbak stinkt. Het is een paradox, maar het huwelijk verzoent een hoop paradoxen: vrijheid met verplichting, kracht met ondergeschiktheid, wijsheid met volslagen sukkeligheid etc. En ook het belangrijkste ontgaat je: je trouwt niet alleen omdat andere mensen vinden dat "het zo hoort". Het is eerder een afspraak tussen jou en je bruiloftsgasten. Ze moeten jou hélpen met je huwelijk; ze moeten jou of Felipe ondersteunen als een van jullie even de weg kwijt is.'

De enige die nog bozer leek dan Brian over onze privéceremonie om elkaar onze toewijding te betuigen was mijn zevenjarige nichtje Mimi. Om te beginnen voelde Mimi zich uitermate bekocht dat ik geen echte bruiloft had gevierd, want ze wilde graag ten minste één keer in haar leven bruidsmeisje zijn en die kans had ze nog niet gekregen. Ondertussen was haar beste vriendin en rivale Moriya al twéé keer bruidsmeisje geweest, en Mimi werd er ook niet jonger op, beste mensen.

Bovendien stond ons gebaar in Tennessee mijn nichtje bijna taalinhoudelijk tegen. Mimi had te horen gekregen dat ze na die uitwisseling van privébeloften in Knoxville oom mocht zeggen tegen Felipe, maar daar wilde ze niet van weten, en haar grote broer Nick al evenmin. Niet omdat de kinderen van mijn zus Felipe niet mochten. Het is alleen zo dat een oom, zoals Nick (tien jaar) me streng te verstaan gaf, de broer van je vader of van je moeder is, of de man die *wettig* getrouwd is met je tante. Felipe was daarom niet officieel de oom van Nick en Mimi, net zomin als hij officieel mijn man was, en van iets anders waren ze niet te overtuigen. Als kinderen van die leeftijd ergens aan hangen is het wel conventie. Wat dat betreft zijn het echte rechtse rakkertjes. Om me te straffen voor mijn burgerlijke ongehoorzaamheid begon Mimi Felipe wel 'oom' te noemen, maar dan steeds met sarcastische aanhalingstekens in de lucht. Soms noemde ze hem zelfs mijn 'echtgenoot' – weer met aanhalingstekens in de lucht en een air van geërgerde minachting.

Op een avond in 2005, toen Felipe en ik bij mijn zus aten, vroeg ik Mimi wat er moest gebeuren opdat zij mijn verbintenis met Felipe als geldig zou beschouwen. Ze was onverzettelijk in haar overtuiging. 'Je moet een échte bruiloft doen,' zei ze.

'Maar waardoor wordt het een echte bruiloft?' vroeg ik.

'Er moet een méns bij zijn.' Nu was ze regelrecht geïrriteerd. 'Je kunt niet zomaar iets beloven zonder dat iemand het ziet. Er moet een méns bij zijn, die toekijkt als je iets belooft.'

Vreemd genoeg had Mimi hier een sterk intellectueel, historisch punt te pakken. Zoals de filosoof David Hume verklaarde, zijn in alle samenlevingen getuigen nodig als er een belangrijke belofte wordt gedaan. De reden daarvan is dat je niet kunt weten of iemand de waarheid spreekt of liegt als hij iets belooft. De spreker kan er, zoals Hume het noemde, 'een geheime gedachtegang' op na houden, verborgen achter de nobele en verheven woorden. De aanwezigheid van de getuige ontkracht verholen intenties. Het doet er dan niet meer toe of je meende wat je zei; het doet er slechts toe dat je hebt gezégd wat je zei en dat een derde daarvan getuige was. Die getuige wordt zo de levende bezegeling van de belofte, authentiseert haar met echt gewicht. In het Europa van de vroege middeleeuwen, vóór de tijd van het officiële kerkelijk of burgerlijk huwelijk, was het uitspreken van een belofte ten overstaan van één enkele getuige voldoende om een paar voor eeuwig in de wettige echt te verbinden. Zelfs toen kon je het niet helemaal in je eentje af. Zelfs toen moest er iemand toekijken.

'Zou het je tevredenstellen,' vroeg ik Mimi, 'als Felipe en ik elkaar hier in jullie keuken een trouwbelofte deden, waar jullie bij zijn?'

'Ja, maar wie is dan de *mens*?' vroeg ze.

'Waarom ben jij de mens niet?' stelde ik voor. 'Dan kun jij zorgen dat het allemaal gaat zoals het moet.'

Dat was een uitstekend plan. Zorgen dat dingen gaan zoals ze moeten is Mimi's specialiteit. Dit is een meisje dat praktisch geboren was om *de mens* te zijn. En ik kan met trots melden dat ze zich eervol van haar taak kweet. Daar in de keuken, terwijl haar moeder stond te koken, vroeg Mimi Felipe en mij of we alsjeblieft wilden opstaan met ons gezicht naar haar toe. Ze vroeg ons om haar de gouden 'trouwringen' te geven (weer met aanhalingstekens in de lucht) die we al maanden droegen. Ze beloofde die ringen veilig te bewaren tot het einde van de plechtigheid.

Toen improviseerde ze een trouwritueel, ongetwijfeld een samenraapsel uit de diverse films die ze in de zeven lange jaren van haar leven had gezien.

'Beloven jullie elkaar altijd lief te hebben?' vroeg ze.

Dat beloofden we.

'Beloven jullie elkaar in ziek en niet ziek lief te hebben?'

Dat beloofden we.

'Beloven jullie elkaar in gek en niet gek lief te hebben?'

Dat beloofden we.

'Beloven jullie elkaar in rijk en niet zo rijk lief te hebben?' (Het idee van ronduit arm was blijkbaar iets wat Mimi ons niet wilde toewensen, dus moest 'niet zo rijk' volstaan.)

Dat beloofden we.

We stonden daar allemaal een moment in stilte. Het was duidelijk dat Mimi graag nog wat langer in de gezaghebbende rol van *de mens* had willen blijven, maar ze kon niets meer bedenken wat nog beloofd moest worden. Dus gaf ze ons de ringen terug en droeg ons op ze om elkaars vinger te doen.

'Je mag nu de bruid kussen,' verklaarde ze.

Felipe kuste me. Catherine juichte kort en roerde weer verder in de venusschelpensaus. Zo vond in de keuken van mijn zus de tweede, niet rechtsgeldige verbinteniceremonie van Liz en Felipe plaats. Dit keer met een getuige erbij.

Ik knuffelde Mimi. 'Tevreden?'

Ze knikte.

Maar op haar gezicht stond het tegendeel te lezen.

Hoe komt het trouwens dat iedereen zo veel waarde hecht aan een openbare, wettige huwelijksplechtigheid? En waarom bood ik er zo koppig – bijna strijdlustig – weerstand aan? Mijn aversie leek nog minder hout te snijden omdat ik juist iemand ben die dol is op rituelen en ceremoniën. Hoor eens, ik heb mijn Joseph Campbell gelezen, ik ken *The Golden Bough*, en ik snap het heus wel. Ik erken volledig dat ceremoniën essentieel zijn voor mensen. Het zijn cirkels die we om belangrijke gebeurtenissen heen tekenen om het gedenkwaardige van het gewone te scheiden. En rituelen zijn een soort magisch veiligheidstuig dat ons van de ene fase van ons leven naar de andere loodst en ervoor zorgt dat we niet struikelen of onszelf onderweg kwijtraken. Ceremoniën en rituelen voeren ons behoedzaam door de kern van onze diepste angst voor verandering, zoals een stalknecht een geblinddoekt paard dwars door een brand kan leiden terwijl hij fluistert: 'Niet te veel nadenken, oké, jongen? Gewoon de ene hoef voor de andere zetten, dan kom je er aan de andere kant weer helemaal ongeschonden uit.'

Ik begrijp zelfs waarom mensen het zo belangrijk vinden elkaars rituele plechtigheden bij te wonen. Mijn vader – bepaald geen conventionele man – stond er altijd op dat we naar de wake en begrafenis gingen van iedereen die in ons geboortestadje overleed. De reden daarvoor, legde hij uit, was niet per se om de doden te eren of de levenden te troosten. Je ging naar die plechtigheden om gezíen te worden, met name door bijvoorbeeld de echtgenote van de overledene. Je moest ervoor zorgen dat ze je gezicht registreerde en het feit in haar geheugen opsloeg dat je op de begrafenis van haar man was geweest. Dat was niet om punten te verdienen voor goed gedrag of erkend te worden als een aardige persoon, maar om de weduwe, wanneer je haar in de supermarkt tegenkwam, de vreselijke onzekerheid te besparen of je het slechte nieuws al had vernomen. Als ze je op de begrafenis van haar man had gezien, wist ze dat jij het wist. Zij hoefde dan niet opnieuw het verhaal van haar verlies te vertellen en jou bleef de pijnlijke noodzaak bespaard om op de groenteafdeling je condoleanceboodschap uit te spreken, want dat had je al in de kerk gedaan, waar zulke woorden gepast zijn. Die openbare ceremonie voor de dood heeft dus een verstandhouding tussen de weduwe en jou gekweekt, en heeft jullie ook voor onbehagen en onzekerheid behoed. Jullie wisten waar je stond. Jullie waren veilig.

Dat is dus wat mijn familie en vrienden wilden, besefte

ik, als ze een openbare huwelijksplechtigheid voor Felipe en mij verlangden. Het ging ze er niet om zich in mooie kleren te kunnen steken, op knellende schoenen te dansen of zich te goed te doen aan de kip of vis. Waar het mijn familie en vrienden om ging was dat ze verder konden met hun leven, wetende hoe alle verhoudingen tussen iedereen lagen. Dat was wat Mimi wilde: behoed worden voor onzekerheid en onbehagen. Ze wilde de ondubbelzinnige garantie dat ze geen aanhalingstekens in de lucht meer hoefde te maken bij de woorden 'oom' en 'echtgenoot' en haar leven voorzetten zonder zich opgelaten te hoeven afvragen of ze Felipe nu als een familielid moest erkennen of niet. En het leed geen twijfel dat ze alleen haar volledige loyaliteit aan deze verbintenis zou schenken als ze persoonlijk getuige was van de uitwisseling van wettig bindende beloften.

Ik wist dat alles en ik begreep het. Maar ik bleef me verzetten. Het grootste probleem was dat ik, zelfs na maandenlang over het huwelijk te hebben gelezen en over het huwelijk te hebben nagedacht en over het huwelijk te hebben gepraat, nog steeds niet geheel *overtuigd* was van het huwelijk. Ik was er nog steeds niet zeker van dat ik het hele pakket goederen wilde dat als 'het huwelijk' wordt verkocht. Om je de waarheid te zeggen koesterde ik nog steeds wrok dat het de regering was die Felipe en mij tot een huwelijk dwong. En waarschijnlijk was de reden dat dit me allemaal zo intens en op zo'n basaal niveau dwarszat, zo besefte ik uiteindelijk, dat ik Grieks ben.

Begrijp me niet verkeerd, ik bedoel niet dat ik létterlijk Grieks ben, als in afkomstig uit Griekenland. Ik bedoel dat ik Grieks ben in mijn manier van denken. Filosofen gaan er sinds jaar en dag van uit dat de westerse cultuur op twee rivaliserende wereldbeelden rust – een Grieks en een Hebreeuws – en het beeld waar je het meest naartoe helt bepaalt in grote mate hoe je in het leven staat.

Van de Grieken – dat wil zeggen, van de Grieken uit de gloriedagen van het oude Athene – hebben we onze ideeën over seculier humanisme en de heiligheid van het individu geërfd. De Grieken gaven ons al onze opvattingen over democratie, gelijkheid, persoonlijke vrijheid, wetenschappelijke rede, intellectuele vrijheid, onbevooroordeeldheid en wat we tegenwoordig 'multiculturalisme' zouden kunnen noemen. De Griekse visie op het leven is derhalve stedelijk, intellectueel verfijnd en onderzoekend, en laat altijd voldoende ruimte voor twijfel en discussie.

Anderzijds is er de Hebreeuwse manier om tegen de wereld aan te kijken. Als ik hier 'Hebreeuws' zeg, heb ik het niet specifiek over de joodse leer. (Sterker nog, de meeste hedendaagse Amerikaanse joden die ik ken zijn heel Grieks in hun denken, terwijl het tegenwoordig de fundamentalistische christenen zijn die een vergaande Hebreeuwse mentaliteit hebben.) 'Hebreeuws' in de zin waarin filosofen het hier gebruiken, is steno voor een oeroud wereldbeeld waarin tribalisme, geloof, gehoorzaamheid en respect een belangrijke plaats innemen. Het Hebreeuwse credo is clangericht, patriarchaal, autoritair, moralistisch, ritualistisch en instinctief xenofoob. Hebreeuwse denkers zien de wereld als een duidelijk spel tussen goed en kwaad, met God altijd aan 'onze' kant. Menselijk handelen is of goed of fout. Er is geen grijs gebied. Het collectief is belangrijker dan het individu, deugdzaamheid is belangrijker dan geluk en geloften zijn onschendbaar.

Het probleem is dat de moderne westerse cultuur beide wereldbeelden heeft geërfd, die zich nooit helemaal met elkaar hebben verzoend, omdat ze niet te verzoenen zijn. (Kijk bijvoorbeeld naar de presidentsverkiezingen.) De Amerikaanse maatschappij is daarom een raar mengsel van zowel Grieks als Hebreeuws denken. Onze wetsregels zijn voornamelijk Grieks; onze ethische regels voornamelijk Hebreeuws. We kunnen alleen op de Griekse manier nadenken over onafhankelijkheid en het intellect en de heiligheid van het individu. We kunnen alleen op de Hebreeuwse manier nadenken over deugd en rechtvaardigheid en de wil van God. Ons gevoel van redelijkheid is Grieks; ons gevoel van gerechtigheid is Hebreeuws.

En waar het onze opvattingen over de liefde betreft, hebben we een warboel van beide. In het ene na het andere onderzoek getuigt het Amerikaanse volk van zijn geloof in twee volledig tegenstrijdige ideeën over het huwelijk. Aan de ene kant (de Hebreeuwse) vinden we als natie massaal dat een huwelijksbelofte nooit verbroken mag worden. Aan de andere – Griekse – kant vinden we net zo hard dat een individu altijd het recht moet hebben om te scheiden, om zijn of haar eigen persoonlijke redenen.

Hoe kunnen beide opvattingen tegelijkertijd opgaan? Geen wonder dat we zo in de war zijn. Geen wonder dat Amerikanen vaker trouwen en vaker scheiden dan elk ander volk op aarde. We blijven heen en weer pingpongen tussen twee rivaliserende visies op de liefde. Onze Hebreeuwse (of bijbelse/morele) visie op de liefde is gebaseerd op de toewijding aan God – die alles te maken heeft met totale onderwerping aan een heilig principe, en daar geloven we onvoorwaardelijk in. Onze Griekse (of filosofisch/ethische) visie op de liefde is gebaseerd op de toewijding aan de natuur – die alles te maken heeft met nieuwsgierigheid, schoonheid en een diep respect voor zelfexpressie. En ook daar geloven we onvoorwaardelijk in.

De volmaakte Griekse minnaar is erotisch; de volmaakte Hebreeuwse minnaar is trouw. Passie is Grieks; loyaliteit is Hebreeuws.

Dat idee begon me te achtervolgen, omdat ik in het Grieks/Hebreeuwse spectrum veel dichter aan het Griekse uiteinde sta. Maakte dat me tot een slechtere kandidaat voor het huwelijk? Ik was bang van wel. Wij Grieken hebben er moeite mee het Zelf te offeren op het altaar van de traditie; het voelt benauwend en eng. Ik maakte me nog meer zorgen over dit alles toen ik in die omvangrijke huwelijksstudie van de Rutgers University op een klein maar essentieel brokje informatie stuitte. De onderzoekers schijnen bewijs te hebben gevonden voor de theorie dat een echtverbintenis waarin zowel de man als de vrouw innig respect koestert voor de heiligheid van het huwelijk, meer kans loopt stand te houden dan een verbintenis waarin de partners wantrouwiger tegenover het instituut staan. Het lijkt er dus op dat eerbied voor het huwelijk een voorwaarde is om getrouwd te blijven.

Maar dat klinkt ook logisch, nietwaar? Je moet toch geloven in je belofte wil die enig gewicht hebben? Want het huwelijk is niet louter een belofte die je tegenover een ander individu uitspreekt; dat is het makkelijke gedeelte. Het huwelijk is ook een belofte die je aan een *belofte* aflegt. Ik ben ervan overtuigd dat er mensen zijn die niet zozeer bij elkaar blijven omdat ze van hun partner houden, maar omdat ze van hun *principes* houden. Tot het einde van hun leven blijven ze trouw in de echt verbonden met iemand aan wie ze misschien wel een pesthekel hebben, puur en alleen omdat ze die persoon ten overstaan van God iets hebben beloofd, en ze zouden zichzelf niet meer herkennen als ze die belofte schonden.

Zo iemand ben ik dus niet. In het verleden ben ik voor de keuze gesteld tussen mijn belofte of mijn leven, en ik verkoos mezelf boven de belofte. Ik weiger te zeggen dat dat me *per definitie* tot een onethisch mens maakt (je zou kunnen aanvoeren dat het verkiezen van bevrijding boven ongeluk een manier is om het wonder van het leven te eren), maar het wierp wel een dilemma op wat mijn huwelijk met Felipe aanging. Hoewel ik net Hebreeuws genoeg was om vurig te wensen dat ik dit keer voor altijd getrouwd zou blijven (jawel, laten we maar eens die beschamende woordjes 'dit keer' gebruiken), had ik nog geen manier gevonden om het instituut van het huwelijk zelf onverdeeld te respecteren. Ik had binnen de geschiedenis van het huwelijk nog geen plekje gevonden waarvan ik het gevoel had dat ik er thuishoorde, waarin ik mezelf kon herkennen. Dat gebrek aan respect en zelfherkenning deed me vrezen dat zelfs ik op mijn trouwdag niet in mijn eigen belofte zou geloven. In een poging alles op een rijtje te krijgen bracht ik de kwestie ter sprake bij Felipe. Nu moet ik zeggen dat Felipe een stuk relaxter over dit alles was dan ik. Hij had even weinig op met het instituut van het huwelijk als ik, maar toch bleef hij zeggen: 'Op dit punt is het allemaal maar een spelletje, schat. De regering heeft de regels verzonnen en nu moeten wij hun spelletje meespelen om te krijgen wat we willen. Ik ben bereid aan ieder spelletje mee te doen als dat betekent dat ik uiteindelijk in alle rust mijn leven kan leiden met jou.'

Die manier van denken werkte voor hem, maar ik was hier niet op zoek naar slimme speltactieken; ik moest de zaak met een bepaalde mate van ernst en oprechtheid benaderen. Niettemin kon Felipe zien hoe druk ik me over dit onderwerp maakte en hij was zo vriendelijk – de lieverd – om lange tijd naar mijn gemijmer te luisteren over de rivaliserende filosofieën in de westerse beschaving en hoe die mijn opvattingen over het huwelijk beïnvloedden. Maar toen ik Felipe vroeg of hij zichzelf als meer Grieks of meer Hebreeuws beschouwde in zijn denkwijze antwoordde hij: 'Dat is allemaal niet zo van toepassing op mij, schat.'

‘Hoezo niet?’ vroeg ik.

‘Ik ben niet Grieks of Hebreeuws.’

‘Wat ben je dan?’

‘Braziliaans.’

‘Maar wat betekent dat dan?’

Felipe lachte. ‘Dat weet niemand! Dat is nou juist het mooie van Braziliaan zijn. Het betekent niets! Je kunt dus je Braziliaansheid gebruiken als een excuus om je leven te leiden zoals je wilt. Het is een briljante strategie. Ik ben er ver mee gekomen.’

‘En wat heb ik daaraan?’

‘Misschien kan het jou helpen je wat meer te ontspannen! Je treedt binnenkort met een Braziliaan in het huwelijk. Waarom ga je niet denken als een Braziliaan?’

‘Hoe dan?’

‘Door te kiezen voor wat je wilt! Dat is de Braziliaanse manier, toch? We lenen her en der ideeën, husselen ze door elkaar en vervolgens creëren we er iets nieuws uit. Luister, wat bevalt je zo aan de Grieken?’

‘Hun menselijkheid,’ antwoordde ik.

‘En wat bevalt je aan de Hebreeërs, als er al iets is wat je aan hen bevalt?’

‘Hun eergevoel,’ antwoordde ik.

‘Oké, dat is dan geregeld, we nemen ze allebei. Menselijkheid en eer. We maken een huwelijk van die combinatie. We noemen het een Braziliaanse mix. We geven het naar onze eigen regels vorm.’

‘Kunnen we dat zomaar doen?’

‘Lieve schat!’ zei Felipe, en hij nam mijn gezicht met een plotseling, gefrustreerd gebaar tussen zijn handen. ‘Wanneer ga je het nu eens begrijpen? Zodra we dat stomme visum hebben en veilig getrouwd zijn in Amerika, *kunnen we doen wat we willen.*’

❧

Maar kunnen we dat wel?

Ik hoopte dat Felipe gelijk had, maar ik was er niet zeker van. Mijn diepste angst voor trouwen, als ik helemaal naar de kern ervan ging, was dat het huwelijk ons uiteindelijk veel meer zou vormen dan het ooit door ons gevormd kon worden. Al die maanden dat ik het huwelijk bestudeerde hadden er alleen maar voor gezorgd dat ik deze mogelijkheid meer dan ooit was gaan vrezen. Ik was tot de slotsom gekomen dat het huwelijk als instituut ongelofelijk machtig was. Het was in elk geval veel groter en ouder en dieper en complexer dan Felipe en ik ooit konden zijn. Hoe modern en wereldwijs Felipe en ik onszelf ook mochten voelen, ik was bang dat we, zodra we op de lopende band van het huwelijk stapten, gekneed zouden worden tot *echtgenoten* – in een diep conventionele vorm zouden worden geperst die goed was voor de maatschappij, zelfs als die niet helemaal goed was voor ons.

Dit alles verontrustte me omdat ik, hoe irritant het ook mag klinken, mezelf graag beschouw als een lichtelijk onconventioneel mens. Ik ben heus geen anarchist of zo, maar het troost me wel om over mezelf te denken als iemand die zich in het leven instinctief afzet tegen conformisme. Felipe denkt ook zo over zichzelf. Oké, laten we de waarheid onder ogen zien en toegeven dat de *meesten* van ons zo over zichzelf denken, toch? Het heeft tenslotte iets charmants om jezelf als een excentrieke non-conformist te zien, zelfs als je net een koffiepot hebt gekocht. Dus misschien krenkte het idee me een beetje dat ik me straks ging onderwerpen aan de conventie van het huwelijk – krenkte het me in mijn koppige oude antiautoritaire Griekse trots. Echt waar, ik wist gewoon niet hoe ik dat probleem ooit zou kunnen bezweren.

Dat wil zeggen, tot ik Ferdinand Mount ontdekte.

Toen ik op een dag het web afstruinde naar nog meer nuttige informatie over het huwelijk stuitte ik op een curieus ogend academisch werk, *The Subversive Family*, van de Britse schrijver Ferdinand Mount. Ik bestelde het meteen en vroeg mijn zus het naar Bali op te sturen. Ik vond de titel leuk en was ervan overtuigd dat het boek allerlei inspirerende verhalen zou bevatten over echtparen met een rebelse inborst die een manier hadden gevonden om het systeem te slim af te zijn en maatschappelijke autoriteit te ondergraven, en dat alles binnen het instituut van het huwelijk. Misschien zou ik hier mijn rolmodellen vinden!

Subversie was inderdaad het onderwerp van het boek, maar geenszins op de manier waarop ik het verwacht had. Dit was bepaaldelijk geen opruiend manifest, wat ook geen verbazing had mogen wekken, gezien het feit dat Ferdinand Mount (pardon: sir William Robert Ferdinand Mount, derde baronet) een conservatieve columnist voor de Londense *Sunday Times* bleek te zijn. Ik moet je eerlijk zeggen dat ik het boek nooit had besteld als ik dat van tevoren had geweten. Maar ik ben blij dat ik ertegenaan ben gelopen, want soms dient zich de verlossing in een onwaarschijnlijke vorm aan en sir Mount wierp me een reddingsboei toe door een idee over het huwelijk te poneren dat radicaal afweek van alles wat ik tot dan toe had opgediept.

Mount – ik laat de titel vanaf hier weg – beweert dat elk huwelijk automatisch een subversieve, antiautoritaire daad is. (Alle niet-gearrangeerde huwelijken dan. Dat wil zeggen, alle niet-tribale, niet-clangerichte, niet op bezit gebaseerde huwelijken. Dat wil zeggen, het westerse huwelijk.) Ook de gezinnen die uit zulke vrijwillige, persoonlijke verbintenissen voortkomen zijn subversieve eenheden. Zoals Mount stelt: 'Het gezin ís een subversieve structuur. Sterker nog, het is de ultieme en enige consequent subversieve organisatie. Alleen het gezin heeft door de geschiedenis heen altijd de staat ondermijnd, en doet dat nog steeds. Het gezin is de eeuwige vijand van alle hiërarchieën, kerken en ideologieën. Niet alleen dictators, bisschoppen en volkscommissarissen, maar ook eenvoudige pastoors en salonintellectuelen lopen herhaaldelijk aan tegen de harde vijandigheid van het gezin en zijn koppige verzet tegen bemoeienis van hoger hand.'

Dat is ferme taal, maar Mount onderbouwt zijn stelling met ijzersterke argumenten. Hij redeneert dat paren – omdat zij zich in een niet-gearrangeerd huwelijk om zulke intens persoonlijke redenen met elkaar verbinden, en omdat ze zo'n geheim leven voor zichzelf creëren binnen die verbintenis – van nature een bedreiging vormen voor iedereen die de wereld wil regeren. Het eerste doel van om het even welke autoritaire macht is zijn wil op te leggen aan om het even welke populatie binnen zijn bereik, door dwang, indoctrinatie, intimidatie of propaganda. Maar zeer tot hun frustratie zijn autoritaire leiders er nooit in geslaagd controle uit te oefenen, of zelfs maar toezicht te houden, op de vertrouwelijke woorden die worden uitgewisseld tussen twee mensen die iedere avond het bed delen.

Zelfs de Stasi in het communistische Oost-Duitsland – de meest doeltreffende veiligheidsdienst in een totalitair land die de wereld ooit heeft gekend – kon niet ieder privégesprek afluisteren dat om drie uur 's nachts in ieder huishouden werd gevoerd. Niemand is daar ooit toe in staat geweest. Hoe bescheiden of triviaal of serieus het gesprek in bed ook mag zijn, zulke verstilde uren behoren uitsluitend toe aan de twee mensen die daar naast elkaar liggen. Wat een paar in het donker met elkaar deelt is de definitie van 'privacy'. En ik heb het hier niet alleen over seks, maar ook over het veel subversievere aspect ervan: *intimiteit*. Ieder paar op de wereld heeft het potentieel om in de loop der tijd uit te groeien tot een kleine geïsoleerde natie van twee mensen, met haar eigen cultuur, taal en morele code, waarin anderen niet mogen delen.

Emily Dickinson schreef: 'Uit aller Ziel geschapenheid / Koos ik – er Een.' Precies dat – het idee dat velen van ons, om onze eigen redenen, één persoon boven alle anderen verkiezen om lief te hebben en te verdedigen – is iets wat altijd de ergernis heeft gewekt van familie, vrienden, religieuze instituties, politieke bewegingen, immigratiebeambten en legermachten. Die selectie, het buitensluiten van anderen, zo eigen aan intimiteit, is gekmakend voor iedereen die controle over je wil hebben. Waarom denk je dat Amerikaanse slaven geen wettig huwelijk mochten sluiten? Omdat het veel te gevaarlijk was voor een slavenhouder om zelfs maar te overwegen iemand die hij in ketenen hield toe te staan de emotionele vrijheden en natuurlijke geslotenheid te ervaren die het huwelijk kon cultiveren. Het huwelijk stond voor een vrijheid van het hart, en zoiets kon niet worden getolereerd binnen een slavengemeenschap.

Om die reden, stelt Mount, hebben door de eeuwen heen machtige entiteiten altijd geprobeerd natuurlijke menselijke banden door te snijden teneinde hun eigen invloed te vergroten. Telkens wanneer zich een nieuwe revolutionaire beweging of cultus of religie aandient, begint het spelletje op dezelfde manier: met een poging jou – het individu – van je bestaande loyaliteiten te scheiden. Je dient een eed van volledige trouw te zweren aan je nieuwe opperheren, meesters, dogma, godheid of natie. Zoals Mount schrijft: 'Je moet afstand doen van alle andere wereldse goederen en gehechtheden, en de vlag of het kruis of de halvemaan of de hamer en sikkel volgen.' Kortom, je moet je echte familie verloochenen en zweren dat *wij nu je familie zijn*. Daarnaast moet je de nieuwe, gezinsachtige structuren aanvaarden die je van buitenaf zijn opgelegd (zoals het klooster, de kibboets, het partijkader, de commune, het peloton, de bende etc.). En als je ervoor kiest je vrouw of je man of je geliefde boven het collectief te eren, heb je de beweging op de een of andere manier teleurgesteld of verraden en word je beschuldigd van egoïsme, onderontwikkeldheid of zelfs verraad.

En toch blijven de mensen het doen. Ze blijven weerstand bieden aan het collectief en één uit velen kiezen om te beminnen. We zagen zoiets in de begindagen van het christendom gebeuren, weet je nog? De vroege kerkvaders maakten duidelijk dat de mensen het celibaat moesten verkiezen boven het huwelijk. Dat zou het nieuwe maatschappelijke concept worden. Hoewel een aantal vroege bekeerlingen inderdaad celibatair werden, werden de meeste dat beslist niet. Uiteindelijk moesten de christelijke leiders zich gewonnen geven en accepteren dat het huwelijk niet zou verdwijnen. De marxisten stuitten op hetzelfde probleem toen ze een nieuwe wereldorde probeerden te stichten waarin kinderen zouden worden grootgebracht in communecrèches, en waar geen specifieke liefdesverbintenis tussen twee mensen zou bestaan. Maar de communisten slaagden er net zo weinig in dat idee in de praktijk te brengen als de vroege christenen. En ook de fascisten hadden geen succes. Ze *beïnvloedden* de vorm van het huwelijk, maar uitroeien konden ze het niet.

Evenmin konden de feministen dat, zo moet ik er volledigheidshalve aan toevoegen. In het begin van de feministische revolutie deelde een aantal radicalere activistes een utopische droom waarin bevrijde vrouwen, als ze de keuze hadden, altijd banden van zusterschap en solidariteit zouden prefereren boven het repressieve instituut van het huwelijk. Sommige activistes, zoals de feministisch separatiste Barbara Lipschutz, beweerden zelfs dat vrouwen helemaal geen seks meer zouden moeten hebben – niet alleen niet met mannen maar ook niet met andere vrouwen – omdat seks hoe dan ook een vernederende en onderdrukkende handeling zou blijven. Het celibaat en vriendschap zouden de nieuwe modellen voor vrouwelijke relaties zijn. 'Niemand hoeft genaaid te worden' luidde de titel van Lipschutz' beruchte essay – niet precies de manier waarop de apostel Paulus het zou hebben omschreven, maar het kwam op dezelfde principes neer: dat vleselijke gemeenschap altijd bezoedelend is en dat liefdespartners ons, op zijn minst, afleiden van onze meer verheven, eervolle lotsbestemming. Maar ook Lipschutz en haar volgelingen lukte het al even slecht het verlangen naar seksuele intimiteit uit te roeien als de vroege christenen en de communisten en de fascisten. Veel vrouwen – zelfs intelligente en bevrijde vrouwen – kozen uiteindelijk voor een besloten partnerschap met een man. En waar vechten in de VS de activistische feministische lesbiennes van tegenwoordig voor? *Het recht om te trouwen.* Het recht om moeder te worden, een gezin te stichten, wettige verbintenissen te sluiten. Ze willen *binnen* het huwelijk staan, zijn geschiedenis van binnenuit vormgeven, niet erbuiten staan, stenen gooiend naar zijn lelijke oude façade.

Zelfs Gloria Steinem, het gezicht van de Amerikaanse feministische beweging, trad in het jaar 2000 voor het eerst in haar leven in het huwelijk. Ze was zesenzestig jaar op haar trouwdag en nog even scherpzinnig als altijd, dus je moet aannemen dat ze wist wat ze deed. Sommige volgelingen beschouwden het echter als verraad, alsof een heilige van haar voetstuk was gevallen. Laat me hierbij opmerken dat

Steinem zelf haar huwelijk als een viering van de overwinningen van het feminisme zag. Als ze in de jaren vijftig was getrouwd, zo legde ze uit, toen ze 'geacht werd' te trouwen, was ze min of meer het bezit van haar man geworden, of op z'n hoogst zijn slimme hulpje, zoals Phyllis het wiskundebrein. Maar tegen het jaar 2000 had het huwelijk in Amerika zich zo ontwikkeld, in niet geringe mate dankzij Steinems eigen onvermoeibare inspanningen, dat een vrouw zowel een echtgenote als een mens kon zijn, in het volle genot van haar burgerlijke rechten en vrijheden. Toch stelde Steinems beslissing een hoop gepassioneerde feministen teleur, die niet over de smadelijke belediging heen konden komen dat hun onvervaarde leidster de voorkeur had gegeven aan een man boven het collectieve zusterschap. Van alle zielen in de schepping had zelfs Gloria er *een* gekozen, waarmee ze alle anderen buitensloot.

Maar je kunt mensen niet beletten te willen wat ze willen, en veel mensen, zo blijkt, willen intimiteit met één speciaal iemand. En aangezien er niet zoiets als intimiteit zonder privacy bestaat, hebben de mensen de neiging heel hard tegen alles aan te duwen wat het simpele verlangen om alleen gelaten te worden met hun geliefde in de weg staat. Hoewel gedurende de hele geschiedenis autoritaire leiders hebben geprobeerd dat verlangen te beteugelen, kunnen ze ons niet zover krijgen dat we het opgeven. We blijven vasthouden aan het recht ons wettig, emotioneel, fysiek, materieel met een ander te verbinden. We blijven keer op keer en hoe onbezonnen soms ook proberen Aristophanes' naadloze, menselijke samensmelting, dat tweehoofdige, vierarmige en vierbenige wezen, te herscheppen.

Ik zie die drang overal om me heen, en soms in de meest verrassende gedaanten. Enkelen van de meest non-conformistische, zwaar getatoeëerde, rebelse, tegen het establishment aan schoppende mensen die ik ken, trouwen. Enkelen van de meest promiscue mensen die ik ken, trouwen (vaak met desastreuze gevolgen, maar toch: ze proberen het). Enkelen van de meest misantropische mensen die ik ken, trouwen, ondanks hun onverdeelde afkeer van het mensdom. Sterker nog, ik ken heel erg weinig mensen die niet minstens eenmaal in hun leven een *poging* hebben gedaan tot een langdurig monogaam partnerschap – ook als ze hun belofte niet voor de wet bekrachtigd hebben. Sterker nog, de meeste mensen die ik ken, hebben verschillende keren achtereen met langdurige monogame partnerschappen geexperimenteerd, zelfs als ze dat al eerder een gebroken hart heeft opgeleverd.

Ook Felipe en ik – twee wankele overlevenden van een echtscheiding die zichzelf beroemden op een zekere mate van onconventionele zelfstandigheid – waren, lang voordat de immigratiedienst erbij betrokken raakte, begonnen een wereldje voor onszelf te scheppen dat verdacht veel op een huwelijk leek. Voor we ooit gehoord hadden van agent Tom woonden we al samen, maakten plannen samen, sliepen samen, deelden geld en eigendommen, bouwden ons leven om elkaar heen op, sloten andere mensen buiten onze relatie, en hoe wil je dat anders noemen dan een huwelijk? We hadden zelfs een plechtigheid gevierd om elkaar trouw te beloven. (Twee, maar liefst!) We goten ons leven in die specifieke vorm van een partnerschap omdat we naar iets hunkerden. Zoals zovelen doen. We hunkeren naar persoonlijke intimiteit, ook al is dat emotioneel riskant. We hunkeren naar persoonlijke intimiteit, ook als we er niks van bakken. We hunkeren naar persoonlijke intimiteit, zelfs als het ons niet is toegestaan degene lief te hebben die we liefhebben. We hunkeren naar persoonlijke intimiteit, zelfs als ons wordt verteld dat we naar iets anders moeten hunkeren, iets mooiers, iets edelers; we *blijven maar hunkeren naar persoonlijke intimiteit*, en om onze allerpersoonlijkste redenen. Niemand is ooit in staat geweest dat mysterie geheel te verklaren, en niemand is ooit in staat geweest ons ervan af te brengen het te willen.

Zoals Ferdinand Mount schrijft: 'Ondanks alle pogingen van hogerhand om het gezin te degraderen, de rol ervan af te zwakken en het zelfs te vernietigen, blijven mannen en vrouwen niet alleen koppig paren vormen en kinderen krijgen, maar staan er ook op in paren samen te leven.' (En aan die gedachte wil ik toevoegen dat ook mannen en mannen erop staan in paren samen te leven. En dat vrouwen en vrouwen erop staan in paren samen te leven. Waarvan de autoriteiten alleen maar nog gestoorder worden.)

Geconfronteerd met deze realiteit zwichten repressieve autoriteiten uiteindelijk altijd en schikken zich in de onvermijdelijkheid van menselijke privéverbintenissen. Maar ze geven zich niet zonder slag of stoot gewonnen, die lastige gezagsdragers. Hun overgave volgt een bepaald patroon dat volgens Mount door de hele westerse geschiedenis heen te zien is. Eerst dringt het langzaam tot de autoriteiten door dat ze de mensen niet zover kunnen krijgen het hogere doel te verkiezen boven loyaliteit aan een partner, en dat om die reden het huwelijk niet zal verdwijnen. Maar nadat ze hun pogingen hebben opgegeven het huwelijk te *elimineren* proberen de autoriteiten er nu *controle op uit te oefenen*, door het gebruik met allerlei beperkende wetten en grenzen af te bakenen. Toen bijvoorbeeld in de middeleeuwen de kerkvaders eindelijk het bestaan van het huwelijk aanvaardden, bedolven ze het instituut meteen onder een berg van harde nieuwe voorwaarden: er mocht niet worden gescheiden; het huwelijk zou vanaf nu een onschendbaar heilig sacrament zijn; niemand zou mogen trouwen zonder een priester erbij;

vrouwen moesten zich onderwerpen aan hun echtgenoot etc. En toen sloeg de kerk een beetje door en probeerde zijn gezag over het huwelijk af te dwingen tot op het intiemste niveau van de echtelijke seksualiteit.

Zo kreeg in het zeventiende-eeuwse Florence een Italiaanse monnik, broeder Cherubino, de buitengewone taak toebedeeld een handboek op te stellen voor christelijke echtelieden met de regels voor wat binnen het huwelijk als aanvaardbare geslachtsomgang werd beschouwd en wat niet. 'Bij de vleselijke gemeenschap,' instrueerde broeder Cherubino, 'dient men zich te onthouden van het gebruik van ogen, neus, oren, tong of ieder ander lichaamsdeel dat geen rol speelt bij de voortplanting.' De vrouw mocht naar de geslachtsdelen van haar echtgenoot kijken, maar alleen als hij ziek was, niet omdat het haar opwond, en 'let erop, vrouw, dat je nooit naakt wordt gezien door je man'. Hoewel het christenen was toegestaan zich bij tijd en wijle te wassen, was je uiteraard erg verdorven als je probeerde lekker te ruiken om seksueel aantrekkelijk te zijn voor je echtgenoot. Ook mag je je wederhelft niet kussen met toepassing van je tong. *Nergens!* 'De duivel weet zoveel te doen tussen man en vrouw,' klaagde broeder Cherubino. 'Hij laat ze niet alleen elkaars kuise delen aanraken en kussen maar ook de onkuise delen. Als ik er alleen al aan denk, sidder ik van afgrijzen, angst en verbijstering...'

Uiteraard was, wat de kerk aanging, het meest afschuwelijke, enge en verbijsterende van alles dat het echtelijk bed zo besloten was en daardoor uiteindelijk niet te beheersen. Zelfs de waakzaamste Florentijnse monniken konden de nachtelijke verkenningen van twee tongen in een slaapkamer niet tegenhouden. Evenmin kon een monnik toezicht uitoefenen op waar al die tongen het na het minnespel over hadden, en dat was misschien nog wel het meest bedreigende van alles. Ook in dat repressieve tijdperk bepaalde ieder paar zelf, als het de deuren achter zich gesloten had en het zijn eigen keuzes kon maken, hoe het intiem met elkaar wilde omgaan.

Aan het eind van de rit komen de echtparen meestal als overwinnaar uit de bus.

Als de autoriteiten er niet in slagen het huwelijk te *elimineren* en als ze er niet in slagen er *controle op uit te oefenen*, geven ze het op en sluiten de huwelijkstraditie in hun armen. (Ferdinand Mount noemt dat, best vermakelijk, de ondertekening van een 'eenzijdig vredesverdrag'.) Maar dan volgt een nog vreemdere fase. De gezagsdragers proberen nu steevast het concept van het huwelijk te annexeren, en schrikken er niet voor terug om te pretenderen dat zij het huwelijk zelfs hebben uitgevonden. Dat wordt nu al diverse eeuwen door conservatieve christelijke leiders in de westerse wereld gedaan: ze gedragen zich alsof zij persoonlijk de traditie van het huwelijk en de gezinswaarden hebben gecreëerd, terwijl hun religie in werkelijkheid met een harde aanval daarop begon.

Dit patroon trad ook op in de Sovjet-Unie en in het China van de twintigste eeuw. Eerst probeerden de communisten het huwelijk te elimineren; daarna probeerden ze er controle op uit te oefenen; vervolgens verzonnen ze een geheel nieuwe mythologie en beweerden dat 'het gezin' altijd al de ruggengraat van een goede communistische maatschappij is geweest, het is maar dat je het weet.

Door de hele verwrongen geschiedenis heen, door al het gespartel en geschuimbek van dictators en despoten en priesters en dwingelanden heen, blijven de mensen ondertussen trouwen, of hoe je het op een bepaald punt ook wilt noemen. Hoe disfunctioneel en ontwrichtend en onverstandig hun verbintenissen ook mogen zijn – of zelfs geheim, onwettig, naamloos of hernoemd –, de mensen blijven erin volharden zich op hun eigen voorwaarden met elkaar te verenigen. Om te krijgen wat ze willen, aanvaarden ze de veranderende wetten en springen creatief met de beperkende bepalingen van het moment om. Of die beperkende bepalingen worden zonder meer *genegeerd*! In 1750 verzuchtte een anglicaanse predikant in de Amerikaanse kolonie Maryland dat als hij alleen die paren als 'getrouwd' mocht erkennen die hun beloften wettig hadden bezegeld in een kerk, hij 'negen van de tien mensen in deze streek tot bastaard kon verklaren'.

Mensen wachten niet op toestemming; ze creëren uit zichzelf wat ze nodig hebben. Zelfs Afrikaanse slaven in het vroege Amerika bedachten een uitermate subversieve vorm van echtverbintenis, het zogenaamde 'bezemhuwelijk', waarbij een paar over een bezemsteel sprong die in een deuropening was geklemd en zich daarna getrouwd noemde. En niemand kon die slaven ervan weerhouden om op een verstolen moment zo'n geheime verbintenis te sluiten.

In dat licht bekeken verandert voor mij het hele concept van het westerse huwelijk – verandert het zodanig dat het als een stille, persoonlijke revolutie aanvoelt. Het is alsof het hele historische beeld een delicate centimeter verschuift en alles plotseling een andere gedaante aanneemt. Opeens lijkt het wettig huwelijk minder op een *instituut* (een strikt, onwrikbaar, kleingeestig en ontmenselijkend systeem dat door machtige autoriteiten aan hulpeloze individuen wordt opgelegd) en lijkt het meer op een nogal wanhopige *concessie* (een gevecht van hulpeloze autoriteiten om toezicht te houden op het balsturige gedrag van twee uitermate machtige individuen).

Niet wij als individuen moeten ons dus voegen naar het

instituut; het is eerder het instituut van het huwelijk dat zich moet voegen naar óns. Want 'zij' (de gezagsdragers) zijn er nooit helemaal in geslaagd om 'ons' (twee mensen) tegen te houden ons leven met elkaar te verbinden en een geheime wereld voor onszelf te scheppen. En dus hebben 'zij' uiteindelijk geen andere keus dan 'ons' toe te staan wettig te trouwen, in de ene vorm of de andere, hoe restrictief hun voorschriften ook mogen lijken. De regering hinkelt achter het volk aan, zich inspannend om het bij te houden, wanhopig en altijd naderhand (en vaak ineffectief en zelfs komisch) regels en mores om iets heen creërend wat we toch wel gingen doen, of dat anderen nu bevalt of niet.

Dus misschien heb ik dit verhaal al die tijd verrukkelijk verkeerd om gezien. De suggestie dat de maatschappij het huwelijk heeft uitgevonden en daarna de mensen dwong een emotionele band met elkaar te vormen is misschien wel absurd. Dat is net zoiets als beweren dat de maatschappij eerst de tandarts heeft uitgevonden en daarna de mensen dwong tanden te krijgen. Wíj hebben het huwelijk uitgevonden. Paren hebben het huwelijk uitgevonden. Ja, we hebben ook echtscheiding uitgevonden. En we hebben ontrouw uitgevonden, en liefdesverdriet. Sterker nog, we hebben de hele warrige knoeiboel van liefde en intimiteit en afkeer en euforie en mislukking uitgevonden. Maar het belangrijkst van al, het meest subversief van al, het meest eigenzinnig van al: we hebben *privacy* uitgevonden.

In zekere zin had Felipe dus gelijk: het huwelijk is inderdaad een spelletje. Zij (de bange en machtige mensen) bepalen de regels. Wij (de gewone en subversieve mensen) onderwerpen ons gehoorzaam aan die regels. *En daarna gaan we naar huis en doen we toch lekker wat we zelf willen.*

❧

Klink ik alsof ik mezelf iets aan probeer te praten?

Beste mensen, ik probéér mezelf ook iets aan te praten.

Dit hele boek – letterlijk iedere bladzij ervan – is een poging geweest de complexe geschiedenis van het westerse huwelijk uit te pluizen, op zoek naar een veilig plekje voor mezelf daarin. Die veiligheid is niet per se makkelijk te vinden. Mijn vriendin Jean vroeg dertig jaar geleden op haar trouwdag aan haar moeder: 'Zijn alle bruiden zo panisch vlak voor hun trouwen?' Haar moeder had geantwoord, terwijl ze kalm de knoopjes van haar dochters witte japon dichtmaakte: 'Nee, lieverd. Alleen de vrouwen die nadenken.'

Nou, ik heb heel hard over dit alles nagedacht. De sprong naar het huwelijk is me niet makkelijk afgegaan, maar misschien moet dat ook helemaal niet. Misschien is het goed dat ik overtuigd moest worden om te trouwen – met alle middelen overtuigd zelfs –, vooral omdat ik een vrouw ben, en omdat het huwelijk niet altijd even mild is geweest voor vrouwen.

De ene cultuur lijkt beter dan de andere de noodzaak te begrijpen om de vrouw te overreden dat ze de stap naar het huwelijk zet. In sommige culturen is de krachtige verlokking van een vrouw om haar jawoord te geven uitgegroeid tot een ceremonie, of zelfs een kunstvorm, op zich. In Rome, in de arbeiderswijk Trastevere, schrijft een invloedrijke traditie nog steeds voor dat een jongeman die met een jonge vrouw wil trouwen zijn geliefde openlijk een serenade dient te brengen voor haar huis. Hij moet in een lied naar haar hand dingen, buiten op straat waar iedereen hem kan horen en zien. Uiteraard bestaan zulke tradities in veel mediterrane culturen, maar in Trastevere maken ze er een waar spektakel van.

Het begint altijd op dezelfde manier. De jongeman gaat met een groepje vrienden en een of meer gitaren naar het huis van zijn geliefde. Ze verzamelen zich onder het raam van de jonge vrouw en brullen – in luid, ruig, plaatselijk dialect – een lied met de bijzonder onromantische titel 'Roma, nun fa' la stupida stasera!' ('Rome, wees geen stomkop vanavond!') Want de jongeman zingt namelijk niet direct tot zijn geliefde; dat durft hij niet. Wat hij van haar wil (haar hand, haar leven, haar lichaam, haar ziel, haar toewijding) is zo monumentaal dat het te beangstigend is om haar rechtstreeks een aanzoek te doen. In plaats daarvan richt hij zijn lied tot de stad Rome, schreeuwt hij tegen Rome met een emotionele urgentie die rauw en onbehouwen en vasthoudend is. Met heel zijn hart smeekt hij de stad om hem alsjeblieft vanavond te helpen deze vrouw tot een huwelijk te verleiden.

'Rome, wees geen stomkop vanavond!' zingt de jongeman onder het raam van het meisje. 'Bied me wat hulp! Haal de wolken weg voor de maan, alleen voor ons! Laat je helderste sterren fonkelen! Waai, vervloekte westenwind! Verspreid je zoetgeurende lucht! Laat het lente lijken!'

Als de eerste flarden van dit bekende lied zich door de buurt verspreiden gaat iedereen voor zijn raam staan, en zo begint het verbazingwekkende publieksparticipatiegedeelte van de avondvoorstelling. Alle mannen binnen gehoorsafstand leunen over de vensterbank van hun appartement, schudden met hun vuisten naar de hemel en schelden Rome uit dat het de jongen niet actiever helpt met zijn huwelijkssmeekbede. De mannen brullen in koor: 'Rome, wees geen stomkop vanavond! Bied hem wat hulp!'

Dan komt de jonge vrouw zelf – het object van verlangen – naar haar raam. Zij heeft ook tekst, maar haar woorden wijken in een belangrijk opzicht af van de zijne. Als ze haar refrein inzet smeekt ook zij Rome vanavond geen stomkop te zijn. Ook zij smeekt Rome haar te helpen. Maar zij smeekt om iets heel anders. Ze smeekt om de kracht het aanzoek af te wijzen.

'Rome, wees geen stomkop vanavond!' zingt ze smekend. 'Doe alsjeblieft de wolken terug voor de maan! Verberg je helderste sterren! Hou op met waaien, vervloekte westenwind! Verberg de zoetgeurende lucht van de lente! Help me nee te zeggen!'

Nu leunen alle vrouwen in de straat uit het raam van hun appartement en zingen luidkeels met het meisje mee: 'Alsjeblieft, Rome, bied haar wat hulp.'

Het wordt een wanhopig duel tussen de stemmen van de mannen en die van de vrouwen. Iedereen zet zich zo in dat het er echt veel van weg heeft dat alle vrouwen van Trastevere om hun leven smeken. Vreemd genoeg lijkt het ook alsof alle mannen van Trastevere om hun leven smeken.

Door de hartstocht waarmee wordt gezongen vergeet je bijna dat het uiteindelijk maar een spelletje is. Vanaf het begin van de serenade weet iedereen tenslotte al hoe het gaat aflopen. Als de jonge vrouw naar haar raam is gekomen, als ze ook maar naar haar aanbidder beneden op straat heeft gekeken, betekent dat dat ze zijn huwelijksaanzoek heeft aanvaard. Louter door haar rol in de serenade mee te spelen geeft het meisje bewijs van haar liefde. Maar uit trots (of misschien uit een zeer gerechtvaardigde angst) moet de jonge vrouw de zaak nog even rekken, al was het alleen maar om haar twijfels en aarzelingen te verwoorden. Ze wil er geen misverstand over laten bestaan dat het alle kracht van haar vrijers liefde zal vergen, samen met de epische schoonheid van Rome, en het fonkelende licht van de sterren, en de verleiding van de volle maan, en de zoete geuren van die vervloekte westenwind, voor ze ja kan zeggen.

Als je bedenkt waar ze in toestemt, zou je kunnen aanvoeren dat al dat spektakel en al dat verzet nodig is.

Hoe het ook zij, dat is ook wat ík nodig heb gehad – een schreeuwerig lied om mezelf tot een huwelijk te overreden, gebruld in mijn eigen straat, onder mijn eigen raam, tot ik het aanbod ten slotte vol kalmte kon aanvaarden. Dat is aldoor het doel geweest van mijn inspanningen. Vergeef me dus als ik, zo aan het eind van mijn verhaal, naar strohalmen lijk te grijpen om troostende conclusies te trekken over het huwelijk. Ik heb die strohalmen nodig; ik heb die troost nodig. Ik heb zeker Ferdinand Mounts geruststellende theorie nodig gehad dat je, als je het huwelijk in een bepaald licht bekijkt, het instituut als intrinsiek subversief kunt beschouwen. Die theorie heeft voor mij als een balsem gewerkt. Misschien kun jij niet zoveel met die theorie. Misschien heb jij die niet nodig zoals ik die nodig had. Misschien is Mounts hypothese niet eens historisch correct. Toch ga ik erin mee. Als een goede bijna-Braziliaanse zal ik dit couplet van het overredingslied tot het mijne maken, niet alleen omdat het me moed geeft, maar ook omdat het me enthousiast maakt.

Zo heb ik nu dan toch mijn eigen hoekje gevonden in de lange, merkwaardige geschiedenis van het huwelijk. Daar zal ik dus gaan zitten, op die plaats van stille subversie, met mijn gedachten bij de elkaar koppig liefhebbende paren van alle eeuwen die ook allemaal irritante, diep in hun leven indringende flauwekul moesten doorstaan om te krijgen waar het ze uiteindelijk om te doen was: een klein beetje privacy om elkaar te kunnen beminnen.

En eindelijk alleen in dat hoekje met mijn lief komt alles goed, en komt alles goed, en komt allerlei alles goed.

HOOFDSTUK ACHT

Huwelijk en plechtigheid

Geen nieuws hier, behalve dat ik getrouwd ben,
een gebeurtenis die ik als een diep wonder ervaar.
ABRAHAM LINCOLN IN EEN BRIEF
UIT 1842 AAN SAMUEL MARSHALL

Daarna ging het snel.

In december 2006 had Felipe nog steeds zijn immigratiepapieren niet, maar we voelden dat de overwinning nabij was. Eerlijk gezegd beslóten we dat de overwinning nabij was en dus deden we precies datgene waarvan het ministerie van Binnenlandse Veiligheid je op het hart drukt het niet te doen zolang je nog op het immigratievisum van de buitenlandse partner wacht: we maakten plannen.

Prioriteit nummer één? We hadden behoefte aan een plek om ons na ons trouwen te vestigen. Genoeg gehuurd, genoeg rondgezworven. We hadden behoefte aan een huis van onszelf. Dus terwijl ik nog met Felipe op Bali zat begon ik al serieus en openlijk woningsites te bekijken op internet, op zoek naar iets in een landelijke en rustige omgeving, niet al te ver rijden van mijn zus in Philadelphia. Het is heel raar om naar huizen te kijken als je er niet echt naar kunt *kijken*, maar ik had wel een duidelijk beeld van wat we nodig hadden – een woning die geïnspireerd was op een gedicht van mijn vriendin Kate Light over haar versie van volmaakte huiselijkheid: 'Een huis op het land, om de eenvoud te zoeken / een paar linnen shirts, goede kunst / en jij.'

Ik wist dat ik het huis zou herkennen als ik het zag. En toen vond ik het, verborgen in een klein fabrieksstadje in New Jersey. Of eigenlijk geen huis maar een kerkje – een piepkleine vierkante presbyteriaanse kapel uit 1802, die iemand heel ingenieus in een woonruimte had omgetoverd. Twee slaapkamers, een compacte keuken en een grote open ruimte waar vroeger de diensten werden gehouden. Vierenhalve meter hoge ramen van golvend glas. Een grote esdoorn in de voortuin. Dit was het. Vanaf de andere kant van de aarde bracht ik een bod uit zonder het huis in het echt te hebben gezien. Een paar dagen later, in het verre New Jersey, gingen de eigenaren akkoord met mijn bod.

'We hebben een huis!' deelde ik Felipe triomfantelijk mee.

'Heel goed, schat,' zei hij. 'Nu hebben we alleen nog een land nodig.'

Dus ging ik aan de slag om een land voor ons te versieren, potverdikke. Vlak voor Kerstmis vloog ik in mijn eentje terug naar Amerika en regelde al onze zaken. Ik tekende de koopakte van ons nieuwe huis, haalde onze inboedel uit de opslag, huurde een auto, kocht een matras. Ik vond magazijnruimte in een nabijgelegen dorp, waar we Felipes edelstenen en andere goederen naartoe konden verhuizen. Ik schreef zijn bedrijf in New Jersey in. Dat deed ik allemaal voor we zelfs maar wisten of hij weer tot het land zou worden toegelaten. Met andere woorden, ik richtte ons leven in voor er officieel sprake was van een 'ons'.

Ondertussen dook Felipe op Bali in de laatste verwoede voorbereidingen voor zijn aanstaande gesprek op het Amerikaanse consulaat in Sydney. Naarmate de datum daarvan dichterbij kwam (het zou waarschijnlijk ergens in januari zijn) werden onze telefoontjes steeds zakelijker van aard. We verloren alle gevoel voor romantiek – daar was geen tijd voor – terwijl ik wel tien keer de bureaucratische checklists bestudeerde om er zeker van te zijn dat hij ieder document had verzameld dat hij straks aan de Amerikaanse autoriteiten zou moeten overhandigen. In plaats van hem verliefde berichtjes te sturen zond ik hem nu e-mails met teksten als: 'Schat, de advocaat zegt dat ik naar Philly moet rijden om de formulieren persoonlijk bij hem op te halen, omdat ze een speciale barcode hebben en niet gefaxt kunnen worden. Zodra je ze hebt, moet je Formulier DS-230 Deel I ondertekenen en dateren en met het addendum naar het consulaat opsturen. Het originele DS-156-document en alle andere immigratiedocumenten moet je meenemen naar het gesprek, maar denk eraan: tot je daar in het gezelschap van de Amerikaanse ondervragingsbeambte bent HET FORMULIER DS-156 NIET ONDERTEKENEN!!!'

Maar praktisch op het laatste moment, een paar dagen voor het geplande gesprek, kwamen we erachter dat we een blunder hadden begaan. Er ontbrak een kopie van Felipes strafblad uit Brazilië. Of liever gezegd, er ontbrak een document dat bewees dat Felipe géén strafblad had in Brazilië. Op de een of andere manier was dat cruciale onderdeel van het dossier aan onze aandacht ontsnapt. Er volgden momenten van gruwelijke paniek. Zou dat het hele proces vertragen? Was het zelfs maar mogelijk een Braziliaans politiedossier te bemachtigen zonder dat Felipe naar Brazilië moest vliegen om het persoonlijk af te halen?

Een paar dagen en een aantal uiterst gecompliceerde transglobale telefoontjes later slaagde Felipe erin onze Braziliaanse vriendin Armenia – een vrouw die bekendstaat om haar charisma en vindingrijkheid – over te halen om een dag in de rij te gaan staan op het politiebureau van Rio de Janeiro en een van de dienstdoende agenten Felipes onbeschreven strafblad af te troggelen. (Het had wel een zekere poëtische symmetrie dat zij ons uiteindelijk redde, aangezien zij de vrouw was die ons drie jaar eerder op Bali tijdens een etentje aan elkaar had voorgesteld.) Armenia liet de documenten met spoed bij Felipe op Bali bezorgen, waardoor hij nog net op tijd, tijdens een moessonbui, naar Jakarta kon vliegen om een beëdigde vertaler te vinden die in staat was zijn Braziliaanse papierwinkel in het vereiste Engels te vertalen, ten overstaan van de enige door de Amerikaanse regering geautoriseerde Portugeessprekende notaris van Indonesië.

'Het is allemaal heel simpel,' stelde Felipe me gerust toen hij me midden in de nacht belde vanuit een Javaanse riksja in de stromende regen. 'Dit gaat lukken. Dit gaat lukken. Dit gaat lukken.'

Op de ochtend van 18 januari 2007 stond Felipe vooraan in de rij op het Amerikaanse consulaat in Sydney. Hij had dagen niet geslapen, maar hij was er klaar voor, beladen met een angstaanjagend complexe stapel paperassen, regeringsdossiers, uitslagen van medisch onderzoeken, geboorteaktes en allerhande andere bewijsstukken. Hij was een tijd niet naar de kapper geweest en liep nog steeds op zijn reissandalen. Maar het was prima. Het maakte die mensen niet uit hoe hij eruitzag, alleen maar dat hij zijn zaakjes in orde had. En ondanks een paar korzelige vragen van de immigratiebeambte over wat Felipe in 1975 op het Sinaï-schiereiland had uitgevoerd (verliefd worden op een bloedmooie Israëlische van zeventien natuurlijk), verliep het gesprek goed. Aan het einde ervan gaven ze hem, eindelijk – met die bevredigende, bibliotheekachtige *donk* in zijn paspoort –, het visum.

'Veel geluk met je huwelijk,' zei de Amerikaanse beambte tegen mijn Braziliaanse verloofde, en toen was Felipe vrij.

De volgende ochtend vloog hij met Chinese Airlines vanuit Sydney via Taipei naar Alaska. In Anchorage passeerde hij met succes de Amerikaanse douane en immigratiedienst en stapte aan boord van een vliegtuig naar JFK in New York. Een paar uur later reed ik door een ijskoude winteravond om hem op te halen.

En hoewel ik graag denk dat ik mezelf de afgelopen tien maanden met enig stoïcisme overeind heb gehouden, moet ik bekennen dat ik volledig instortte zodra ik op het vliegveld aankwam. Alle angsten die ik sinds het moment van Felipes arrestatie had onderdrukt stroomden naar buiten, nu hij bijna veilig thuis was. Ik was duizelig en trillerig en opeens was ik overal bang voor. Ik was bang dat ik op het verkeerde vliegveld stond, op het verkeerde uur, op de verkeerde dag. (Ik moet wel vijfenzeventig keer op de routebeschrijving hebben gekeken, maar nog steeds maakte ik me zorgen.) Ik was bang dat Felipes vliegtuig was neergestort. Ik koesterde de onzinnige angst dat hem met terugwerkende kracht een visum zou worden onthouden op grond van zijn immigratiegesprek in Australië, terwijl hij de dag daarvoor zijn visum had *gekregen* in Australië.

En zelfs nu, zelfs al stond er met duidelijke letters op het bord dat zijn vliegtuig was geland, was ik er pervers bang voor dat zijn vliegtuig níet was geland en dat het ook nooit zou landen. *Wat als hij niet uit het vliegtuig kwam? Wat als hij uit het vliegtuig kwam en ze hem weer zouden arresteren? Waarom duurde het zo lang voor hij uit het vliegtuig kwam?* Ik speurde de gezichten van alle passagiers af die door de aankomsthal liepen, zoekend naar Felipe in de meest absurde gedaanten. Irrationeel genoeg moest ik twee keer kijken naar ieder oud Chinees vrouwtje met een wandelstok en naar iedere waggelende peuter, om er heel zeker van te zijn dat hij het niet was. Ik had moeite met ademhalen. Als een verdwaald kind holde ik bijna naar een politieagent om hem om hulp te vragen, maar hulp *waarmee*?

En toen opeens was hij daar.

Ik zou hem overal herkennen. Het meest vertrouwde gezicht op de wereld. Hij haastte zich door de aankomsthal, zoekend naar mij met een angstige uitdrukking op zijn gezicht die ongetwijfeld door het mijne weerspiegeld werd. Hij droeg dezelfde kleren als op de dag dat hij tien maanden eerder in Dallas was gearresteerd – dezelfde kleren die hij zo'n beetje iedere dag van het afgelopen jaar had gedragen, over de hele wereld. Hij was een beetje verfomfaaid, ja, maar desalniettemin maakte hij een krachtige indruk op me, zijn ogen brandend van de inspanning om mij in de menigte te ontdekken. Hij was geen oud Chinees vrouwtje, hij was geen waggelende peuter, hij was niet iemand anders. Hij was Felipe – mijn Felipe, mijn mens, mijn kanonskogel – en toen zag hij me en stormde op me af en liet me bijna omvallen, zo hard liep hij tegen me op om me te omarmen.

'We hebben gecirkeld en gecirkeld tot we weer thuis waren, wij tweeën,' schreef Walt Whitman. 'We hebben alles geloosd behalve vrijheid en alles behalve onze eigen vreugde.'

En nu konden we elkaar niet meer loslaten, en om de een of andere reden kon ik niet stoppen met huilen.

⁂

Binnen enkele dagen waren we getrouwd.

We trouwden op een koude zondagmiddag in februari in ons nieuwe huis – in die rare oude kerk. Voor wie wil trouwen bleek een kerk een handig bezit.

De trouwvergunning kostte ons achtentwintig dollar en een fotokopie van een energierekening. De gasten waren: mijn ouders (veertig jaar getrouwd); mijn oom Terry en tante Deborah (twintig jaar getrouwd); mijn zus en haar man (vijftien jaar getrouwd); mijn vriend Jim Smith (vijfentwintig jaar gescheiden); en Toby de hond (nooit getrouwd, eet van twee walletjes). We hadden Felipes kinderen (ongetrouwd) er ook graag bij willen hebben, maar het huwelijk werd op zo'n korte termijn voltrokken dat het niet meer lukte ze op tijd uit Australië te laten overkomen. We moesten het doen met een paar enthousiaste telefoontjes, maar konden geen uitstel riskeren. Deze deal moest onmiddellijk gesloten worden, om Felipes plekje op Amerikaanse bodem veilig te stellen met een onschendbare wettige band.

Uiteindelijk hadden we besloten dat we een paar getuigen bij ons huwelijk wilden. Mijn vriend Brian heeft gelijk: het huwelijk is geen gebed van maar twee personen. Het is zowel een openbare als een privéaangelegenheid, met consequenties in de echte wereld. Hoewel de intieme voorwaarden van onze relatie altijd uitsluitend aan Felipe en mij zouden toebehoren, mocht niet worden vergeten dat een klein deel van ons huwelijk ook aan onze familie zou toebehoren – aan al die mensen die ons welslagen of onze mislukking het meest aan het hart zou gaan. Daarom moesten ze die dag aanwezig zijn, om dat te benadrukken. Ik moest ook toegeven dat een ander klein deel van onze beloften, of ik het nu leuk vond of niet, altijd aan de staat zou toebehoren. Dat is nu eenmaal wat dit tot een wettig huwelijk maakte.

Maar het kleinste en meest merkwaardig gevormde deel van onze beloften behoorde aan de geschiedenis toe – aan wier indrukwekkend grote voeten we uiteindelijk allemaal moeten neerknielen. Waar je ook in de geschiedenis bent beland, het bepaalt in hoge mate hoe je huwelijksbelofte eruitziet en hoe die klinkt. Aangezien Felipe en ik toevallig hier waren beland, in het jaar 2007 in dat fabrieksstadje in de Garden State, besloten we niet onze eigen persoonlijke beloften te schrijven (dat hadden we trouwens al in

Knoxville gedaan), maar ons plekje in de geschiedenis te erkennen door de seculiere beloften van de staat New Jersey te herhalen. Het voelde als een gepast hoofdknikje naar de realiteit.

Natuurlijk waren mijn neefje en nichtje ook op het huwelijk. Nick, een geboren acteur, stelde zich beschikbaar om een feestgedicht voor te dragen. En Mimi? Ze had me een week eerder aan mijn mouw getrokken en gevraagd: 'Gaat dit een échte trouwerij worden of niet?'

'Dat hangt ervan af,' zei ik. 'Hoe ziet volgens jou een echte trouwerij eruit?'

'Bij een echte trouwerij is er een bruidsmeisje,' antwoordde Mimi. 'En het bruidsmeisje heeft een roze jurk aan. En het bruidsmeisje draagt bloemen mee. Geen *boeket* bloemen maar een *mandje* met rozenblaadjes. En geen roze rozenblaadjes maar *gele* rozenblaadjes. En het bruidsmeisje loopt voor de bruid uit en strooit de gele rozenblaadjes over de vloer. Wordt het zoiets?'

'Misschien,' zei ik. 'Het zal er wel van afhangen of we ergens een meisje kunnen vinden dat geschikt is voor die taak. Weet jij toevallig iemand?'

'Ik denk dat ík het wel kan doen,' antwoordde ze langzaam, terwijl ze met volmaakt gespeelde onverschilligheid de andere kant op keek. 'Ik bedoel, als je niemand kunt vinden...'

Dus vierden we uiteindelijk toch een echte bruiloft, zelfs naar Mimi's veeleisende maatstaven. Los van ons extreem uitgedoste bruidsmeisje was het een vrij informele toestand. Ik droeg mijn favoriete rode trui. De bruidegom had zijn blauwe overhemd aan (het schone). Jim Smith speelde gitaar en mijn tante Deborah – een geschoolde operazangeres – zong speciaal voor Felipe 'La vie en rose'. Niemand leek zich er wat van aan te trekken dat de dozen nog niet waren uitgepakt en het huis nog grotendeels ongemeubileerd was. Tot dusver was de keuken de enige volledig ingerichte ruimte, en dat alleen maar zodat Felipe een bruiloftslunch kon klaarmaken voor het gezelschap. Hij had twee dagen staan koken en we moesten hem eraan herinneren zijn schort af te doen toen het moment gekomen was om elkaar het jawoord te geven. ('Een goed teken,' merkte mijn moeder op.)

We werden in het huwelijk verbonden door een vriendelijke man, Harry Furstenberger, die de burgemeester van onze kleine gemeente in New Jersey was. Toen burgemeester Harry het huis binnen kwam, vroeg mijn vader hem meteen: 'Ben je een Democraat of een Republikein,' omdat hij wist hoeveel belang ik daaraan hechtte.

'Ik ben een Republikein,' antwoordde burgemeester Harry.

Er volgde een moment van gespannen stilte. Toen fluisterde mijn zus: 'Nou ja, Liz, voor dit soort dingen wíl je ook eigenlijk liever een Republikein. Om er zeker van te zijn dat Binnenlandse Veiligheid het huwelijk geldig verklaart, weet je wel?'

Dus ging de ceremonie van start.

Iedereen kent wel de strekking van Amerikaanse huwelijksbeloften, dus ik hoef ze hier niet te herhalen. Het volstaat om te zeggen dat wij dat daar deden. Zonder ironie of aarzeling spraken we onze beloften uit in de aanwezigheid van mijn familie, in de aanwezigheid van onze aardige Republikeinse burgemeester, in de aanwezigheid van een echt bruidsmeisje en in de aanwezigheid van Toby de hond. Sterker nog, Toby – die aanvoelde dat er iets belangrijks gaande was – rolde zich net toen Felipe en ik elkaar het jawoord hadden gegeven tussen onze voeten op. We moesten ons zo'n beetje over de hond heen buigen om elkaar te kussen. Dat voelde als een goed voorteken; op middeleeuwse huwelijksportretten staat vaak een hond afgebeeld tussen de kersverse echtgenoten – het ultieme symbool van trouw.

Na afloop – en het neemt allemaal niet zo veel tijd in beslag, als je het gewicht van de gebeurtenis in aanmerking neemt – waren Felipe en ik ten slotte wettig getrouwd. Toen gingen we allemaal aan tafel voor een uitgebreide lunch – de burgemeester en mijn vriend Jim en mijn familie en de kinderen en mijn nieuwe echtgenoot. Ik kon op die middag nog niet weten welke rust en tevredenheid dit huwelijk me zou brengen (lezer: *ik weet het nu*), maar ik voelde me evengoed kalm en dankbaar. Het was een prachtige dag. Er was veel wijn en er werd veel geproost. De ballonnen die Nick en Mimi hadden meegebracht zweefden langzaam omhoog naar het stoffige oude kerkplafond en schommelden heen en weer boven onze hoofden. Onze gasten hadden misschien nog wel langer willen blijven, maar tegen de schemering was het gaan sneeuwen, dus zocht iedereen zijn jas en spullen bij elkaar, om de thuisrit te aanvaarden nu de wegen nog redelijk waren.

Weldra was iedereen vertrokken.

En toen waren Felipe en ik eindelijk alleen, om de lunchborden af te ruimen en de dozen uit te pakken.

Dankbetuiging

Dit boek is een werk van non-fictie. Ik heb alle gesprekken en voorvallen naar beste vermogen weergegeven, maar soms – omwille van de coherentie van het verhaal – heb ik gebeurtenissen of discussies die in de loop van meerdere dagen plaatsvonden in één passage samengevat. Bovendien heb ik sommige – maar niet alle – namen van de personages in dit verhaal veranderd, om de privacy te waarborgen van bepaalde mensen die misschien nooit de wens hebben gehad een rol in een boek toebedeeld te krijgen, puur omdat hun pad toevallig het mijne kruiste. Ik bedank Chris Langford, die me hielp geschikte pseudoniemen voor deze goede mensen te verzinnen.

Ik ben geen professionele wetenschapper, geen socioloog, geen psycholoog en geen huwelijksdeskundige. Ik heb in dit boek mijn best gedaan de geschiedenis van het huwelijk zo nauwkeurig mogelijk te behandelen, waarbij ik heb geput uit het werk van geleerden en schrijvers die hun hele carrière aan dit onderwerp hebben gewijd. Ik geef hier geen volledige bibliografie, maar wil wel mijn bijzondere dankbaarheid betonen aan een paar specifieke auteurs:

Het werk van de historica Stephanie Coontz is in de afgelopen drie jaar dat ik onderzoek heb gedaan een stralend baken voor me geweest, en ik kan haar fascinerende en uitermate leesbare boek *Marriage: A History* van harte aanbevelen. Ook ben ik veel dank verschuldigd aan Nancy Cott, Eileen Powers, William Jordan, Erika Uitz, Rudolph

M. Bell, Deborah Luepnitz, Zygmunt Bauman, Leonard Shlain, Helen Fisher, John Gottman en Julie Schwartz-Gottman, Evan Wolfson, Shirley Glass, Andrew J. Cherkin, Ferdinand Mount, Anne Fadiman (voor haar buitengewone publicaties over de Hmong), Allan Bloom (voor zijn beschouwingen over de Grieks-Hebreeuwse scheidslijn), de vele auteurs van de Rutgersstudie over het huwelijk, en – het meest kostelijk en onverwacht van alles – Honoré de Balzac.

Afgezien van deze auteurs is de persoon die de meeste invloed heeft gehad op de vorming van dit boek mijn vriendin Anne Connell geweest, die met enorme precisie het manuscript op zijn feiten heeft gecheckt, het persklaar heeft gemaakt en het heeft gecorrigeerd, gebruikmakend van haar bionische ogen, haar magische gouden potlood en haar ongeëvenaarde kennis van webnetten. Niemand, en dan ook echt niemand, kan zich met 'The Scrutatrix' meten wat redactionele nauwkeurigheid aangaat. Ik heb het aan Anne te danken dat dit boek in hoofdstukken is verdeeld, dat het woord 'feitelijk' niet vier keer in elke alinea voorkomt en dat iedere kikker op deze pagina's correct aangeduid wordt als een amfibie en niet als een reptiel.

Ik bedank mijn zus Catherine Gilbert Murdock, die niet alleen een begaafd schrijfster van tienerboeken is (haar prachtige boek *Dairy Queen* is een must voor ieder nadenkend meisje tussen de tien en zestien jaar), maar ook een zeer dierbare vriendin en het grootste intellectuele rolmodel in mijn leven. Ook zij heeft dit boek met uiterste zorgvuldigheid gelezen, en heeft me gered van veel denkfouten en chronologische vergissingen. Het is overigens niet zozeer Catherines brede inzicht in de westerse geschiedenis die me verbaast, als wel haar bovennatuurlijke vermogen om aan te voelen wanneer haar door heimwee overspoelde zus een nieuwe pyjama moet worden toegestuurd, zelfs als die zus helemaal in Bangkok zit en zich heel eenzaam voelt. In ruil voor Catherines aardige en gulle karakter heb ik haar een liefdevol vervaardigde voetnoot geboden.

Ik dank alle andere vroege lezers van dit boek voor hun inzichten en aanmoediging: Darcey, Cat, Ann (het woord 'dikhuidigen' is voor haar), Cree, Brian (dit boek zal onder ons altijd bekendstaan als *Bruiloften en uitzettingen*), mam, pap, Sheryl, Iva, Bernadette, Terry, Deborah (die voorzichtig voorstelde dat ik misschien het woord 'feminisme' wilde noemen in een boek over het huwelijk), oom Nick (sinds jaar en dag mijn trouwste fan), Susan, Shea (die uren en uren en uren van mijn vroege ideeën over dit onderwerp heeft aangehoord), Margaret, Sarah, Jonny en John.

Ik bedank Michael Knight voor het feit dat hij me in 2005 een baan en een kamer in Knoxville heeft aangeboden, en dat hij me goed genoeg kent om te beseffen dat ik liever in een raar oud pension woon dan waar ook in de stad.

Ik bedank Peter en Marianne Blythe dat ze hun bank aan Felipe beschikbaar hebben gesteld en hem hebben gesteund toen hij wanhopig en rechtstreeks vanuit een Amerikaanse cel in Australië aankwam. Met twee baby's, een hond, een vogel en de heerlijke kleine Tayla, was het bij de Blythes al aardig vol in huis, maar Peter en Marianne slaagden er toch nog in een plekje vrij te maken voor een arme vluchteling. Ik bedank ook Rick en Clare Hinton in Canberra voor hun hulp bij het Australische deel van Felipes immigratiezaak, en hun ijverige bewaking van de post. Ook al wonen ze op een ander halfrond, het zijn ideale buren.

Wat buitengewone Australiërs aangaat bedank ik Erica, Zo en Tara – mijn fantastische stiefkinderen en schoondochter – voor het feit dat ze me zo warm verwelkomd hebben in hun leven. Over Erica wil ik nog zeggen dat ze me het liefste compliment van mijn leven heeft gegeven: 'Dank je, Liz, dat je geen dom blondje bent.' (Graag gedaan, lieverd. En van hetzelfde.)

Ik bedank Ernie Sesskin en Brian Foster en Eileen Marolla voor de hulp die ze Felipe en mij hebben geboden – puur uit de huizenminnende goedheid van hun hart – bij de zeer gecompliceerde aanschaf van een woning in New Jersey vanaf de andere kant van de wereld. Er gaat niets boven om drie uur 's nachts een met de hand getekend grondplan ontvangen om te weten dat iemand zich om je belangen bekommert.

Ik bedank Armenia de Oliveira voor haar actie in Rio de Janeiro, waarmee ze Felipes immigratiezaak heeft gered. Zoals altijd waren er ook Claucia en Fernando Chevarria aan het Braziliaanse front – die even aanhoudend jacht maakten op oude legerdossiers als ze zich betoonden in hun steun en liefde.

Ik bedank Brian Getson, onze immigratieadvocaat, voor zijn grondigheid en geduld, en ik bedank Andrew Brenner dat hij ons aan Brian heeft geholpen.

Ik bedank Tanya Hughes (dat ze me een kamer voor mezelf heeft gegeven aan het begin van dit proces) en Rayya Elias (dat ze me een kamer voor mezelf gaf aan het eind ervan).

Ik bedank Roger LaPhoque en dr. Charles Henn voor hun gastvrijheid en charme in de budgetoase van het Atlanta Hotel in Bangkok. Het Atlanta is een wonder dat je moet zien om het te geloven, en zelfs dan kun je het nog niet echt geloven.

Ik bedank Sarah Chalfant voor haar eindeloze vertrouwen in me, en voor haar jaren van continue omcirkelende bescherming. Ik bedank Kassie Evashevski, Ernie Marshall, Miriam Feuerle en Julie Mancini voor het rondmaken van die cirkel.

Ik bedank Paul Slovak, Clare Ferraro, Kathryn Court en alle anderen bij Viking-Penguin voor hun geduld terwijl ik dit boek schreef. Er zijn niet veel mensen meer in de uitgeverijwereld die 'Neem zo veel tijd als je nodig hebt' zouden hebben gezegd tegen een schrijver die net een belangrijke deadline heeft gemist. Tijdens het hele proces heeft niemand (behalve ikzelf) ook maar enige druk op me gelegd, en dat is een zeldzaam geschenk geweest. Hun zorgzaamheid grijpt terug op een vroegere en genadiger manier van zakendoen, en ik ben er dankbaar voor dat ik de ontvanger van zulke hoffelijkheid ben geweest.

Ik bedank mijn familie – met name mijn ouders en mijn grootmoeder, Maude Olson – dat ze niet hebben geaarzeld me toe te staan mijn zeer persoonlijke gevoelens over enkele van de meest gecompliceerde beslissingen in hun leven in een boek te verkennen.

Ik bedank agent Tom van het Amerikaanse ministerie van Binnenlandse Veiligheid voor het feit dat hij Felipe zo onverwacht vriendelijk heeft behandeld tijdens zijn arrestatie en detentie. En dat is de meest surrealistische zin die ik ooit van mijn leven heb geschreven, maar zo is het. (We zijn er niet helemaal zeker van, meneer, dat uw naam echt 'Tom' is, maar dat menen we ons allebei te herinneren, en ik hoop dat u in elk geval weet wie u bent: een zeer onwaarschijnlijk instrument van het lot, dat een vervelende ervaring veel minder vervelend heeft gemaakt dan ze had kunnen zijn.)

Ik bedank Frenchtown dat het ons een thuis gegeven heeft.

Als laatste wil ik mijn grote dankbaarheid uitspreken jegens de man die nu mijn echtgenoot is. Hij is iemand die gesteld is op zijn privacy, maar helaas eindigde die op de dag dat hij me ontmoette. (Vreemden over de hele wereld kennen hem nu als 'die Braziliaanse vent uit *Eten, bidden, be-*

minnen'.) Te mijner verdediging moet ik zeggen dat ik hem in het begin de gelegenheid heb geboden al die bekendheid te ontlopen. Toen we elkaar nog maar net kenden was er een moment waarop ik hem opgelaten moest bekennen dat ik schrijfster was en wat dat voor hem inhield. Als hij bij me bleef, waarschuwde ik hem, zou hij uiteindelijk een rol krijgen in mijn boeken en verhalen. Daar viel niets aan te doen; zo was het nu eenmaal. Het beste wat hij kon doen, zo maakte ik hem duidelijk, was meteen vertrekken, nu zijn waardigheid en discretie nog intact waren.

Ondanks al mijn waarschuwingen bleef hij. En hij is nog steeds bij me. Ik beschouw dat als een grote daad van liefde en compassie van zijn kant. Ergens onderweg lijkt deze man te hebben ingezien dat mijn leven geen coherente verhaallijn meer zou hebben zonder hem als de spil ervan.